Hans G. Kippenberg
Religion und Klassenbildung
im antiken Judäa

FÜR CARSTEN COLPE

HANS G. KIPPENBERG

Religion und Klassenbildung
im antiken Judäa

Eine religionssoziologische Studie
zum Verhältnis von Tradition
und gesellschaftlicher Entwicklung

In jeder Epoche muß versucht
werden, die Überlieferung
neuem dem Konform
abzugewinnen, der i   riff
steht, sie zu überw   n
(V   enjamin)

Nicht soll ei   über seinen
Bruder mit   walt herrschen
(Leviticus 25,46)

VANDENHOECK & RUPRECHT
IN GÖTTINGEN

Studien zur Umwelt des Neuen Testaments

Herausgegeben von Christoph Burchard,
Gert Jeremias, Heinz Wolfgang Kuhn
und Hartmut Stegemann

Band 14

CIP-Kurztitelaufnahme der Deutschen Bibliothek

Kippenberg, Hans G.
Religion und Klassenbildung im antiken Judäa : e.
religionssoziolog. Studie zum Verhältnis von Tra-
dition u. gesellschaftl. Entwicklung.—
Göttingen : Vandenhoeck und Ruprecht, 1978.—
ISBN 3-525-53366-7

Gedruckt mit Unterstützung der Deutschen Forschungsgemeinschaft.
© Vandenhoeck & Ruprecht, Göttingen 1978. — Printed in Germany.
Ohne ausdrückliche Genehmigung des Verlages ist es nicht gestattet,
das Buch oder Teile daraus auf foto- oder akustomechanischem Wege
zu vervielfältigen. Gesamtherstellung: Hubert & Co., Göttingen

Vorwort

Die vorliegende Arbeit ist ein Versuch, die Gegenstände der antiken jüdischen Religionsgeschichte sozialanthropologisch zu interpretieren. Sie knüpft damit an Absichten an, die sporadisch schon vor längerer Zeit vorgetragen wurden. Doch erst die beträchtlichen Fortschritte in der angelsächsischen Sozialanthropologie und der französischen Ethnologie geben einem solchen Vorhaben heutzutage neue Chancen. Die relative Kürze der Darstellung, vor allem durch strenge Reduktion der Anmerkungen auf das allein Relevante erreicht, soll ihren Charakter als einer Art Konstruktionszeichnung unterstreichen. Sie verbindet in den vorgefundenen Quellen jene Inhalte, die eine Skizzierung der sozialen Institutionen und deren Geschichte erlauben. Eine solche Methode hat selbstverständlich auch ihre geschichtstheoretische Voraussetzung. Eine Geschichtsschreibung kann sich nicht gänzlich auf die Selbstinterpretation historischer Personen verlassen und hier ihren festen Bezugspunkt suchen. Sie sollte andererseits auch nicht dem Historiker aufbürden, dem Vergangenen durch einen Bezug auf Gegenwärtiges erst einen Sinn abzugewinnen. Der tiefgreifende und berechtigte Zweifel an der Adäquatheit der Selbstinterpretationen aus vergangenen Epochen, der vor allem mit Namen wir Marx und Freud verbunden ist, legt nach meinem Verständnis dem Historiker die Aufgabe auf, zu untersuchen, unter welchen Bedingungen Menschen vergangener Zeiten gehandelt und gedacht haben. Die Methode, die hierzu bereit steht, ist die der vergleichenden Sozialwissenschaft. Die Resultate, die sich mit ihrer Hilfe gewinnen lassen, sind jedoch in der gleichen Weise an den Quellen zu überprüfen, wie dies bei allen historischen Untersuchungen der Fall ist. Die äußere Gestaltung der Arbeit hat dies zu berücksichtigen versucht und hat daher auf die Diskussion anderer Aspekte der Texte weitgehend verzichtet.

Eine erste Fassung der Arbeit habe ich 1975 dem Fachbereich Philosophie und Sozialwissenschaften der Freien Universität Berlin vorgelegt. Bei der jetzigen Fassung, 1977 fertig gestellt, habe ich Gutachten und Anregungen der Habilitationskommission — unter anderen nenne ich Professor Dr. Dr. C. Colpe, Professor Dr. Dr. H. J. W. Drijvers und Privatdozent Dr. F. Kramer — berücksichtigt. Ferner habe ich von den Professoren Dr. Dr. H. Stegemann und Dr. P. von der Osten-Sacken vor allem bei der Behandlung der Qumran-Literatur Hilfe erfahren, womit ich meine Verantwortlichkeit für diesen sicherlich problematischen Teil nicht abwälzen möchte. Viele wichtige Anregungen und Anstöße erhielt ich aus Seminaren und Gesprächen mit Studenten und Kollegen der Freien Universität Berlin. Ich darf hier mehr allgemein das Ethnologische Institut von Professor L. Krader und das Judaistische von Professor Taubes nennen. Ein besonderer Dank aber gilt Professor Dr. Dr. C. Colpe. Fünfzehn Jahre habe ich zuerst in Göttingen, dann in Berlin bei ihm und mit ihm gearbeitet. Ohne seine Auffassung der Religionswissenschaft ohne seine Toleranz und ohne seine Kritik wäre diese Arbeit nicht denkbar. Ich möchte sie daher ihm widmen.

Ein letztes Dankeswort gilt der Deutschen Forschungsgemeinschaft, die die Drucklegung unterstützt hat, und dem Verlag, der sie betreut hat.

Groningen (Niederlande) 14. März 1978   Hans G. Kippenberg

Inhalt

Einleitung

Die vorliegende Arbeit ist ein Versuch, die Inhalte religiöser jüdischer Überlieferungen im Zusammenhang sozialen Lebens zu betrachten. Der Begriff der Tradition, der in der Soziologie M. Webers und der von ihm Beeinflußten verwendet wird, und der Begriff der Tradition, der in der Analyse religiöser Sammelwerke gebräuchlich ist, haben wenig miteinander zu tun. Der erste hat seine Bedeutung in der Untersuchung sozialer Beziehungen vormoderner Gesellschaften, der zweite in der Kontinuität von Erzählungen und Brauchtum[1]. Der Gegenbegriff des ersten ist Rationalität, der des zweiten Neuschöpfung[2].

Unser Versuch, die Inhalte der Tradition auf ihre sozialen Momente zu befragen, war motiviert von einem Dilemma der historischen Interpretation. Die judäischen Widerstandsbewegungen gegen die seleukidischen und gegen die römischen Herrscher haben konträre Interpretationen gefunden.

M. Hengel hat die zelotische Widerstandsbewegung als religiöse interpretiert. Er geht von der Eigenständigkeit und Priorität der religiösen gegenüber der politisch-sozialen Sphäre aus und versteht organisiertes Handeln als das einer Sekte, die ihre Maximen aus einer messianischen Dogmatik ableitet. „Diese wirksame Idee wurde der jüdischen Freiheitsbewegung durch Judas den Galiläer gegeben, der zugleich auch eine Organisation schuf, die zwei Generationen überdauerte und der es schließlich gelang, nahezu die ganze Judenschaft Palästinas in den offenen Aufstand gegen Rom mit hineinzureißen."[3]

Gerade andersherum hat H. Kreissig argumentiert. Er versucht den Nachweis, daß die Aufstände gegen Rom vor allem von ländlichen und priesterlichen Unterschichten getragen worden seien und bestreitet eine Bedeutung religiöser Traditionen für das politische Handeln. „Im judäischen Volk sind es wie in jedem andern, um die Wende der Zeitrechnung wie in jeder andern Geschichtsperiode die durch die sozialökonomischen Bedingungen geschaffenen gesellschaftlichen Widersprüche, die die Entwicklung vorantreiben. Welche fördernden oder hemmenden

---

[1] L. Rost, RGG 3. A. 1962, Bd. VI, S. 968.
[2] M. Weber, 1964, S. 17 und der Titel des Buches von R. Meyer, 1965.
[3] 1961, S. 336.

Rollen die bestehenden religiösen Parteien immer gespielt haben mögen,
sind die großen Auseinandersetzungen vor sich gegangen zwischen den
Klassen — wie überall in der Weltgeschichte, seitdem es Klassen gibt."[4]
Kreissigs Arbeit greift Hengels These weniger von den interpretierten
Texten, als von einer allgemeinen Annahme her an: es handele sich
beim Kampf der Makkabäer wie im jüdischen Krieg um einen Klassenkampf, der gerade durch die Unabhängigkeit sozialer Interessen von religiösen Vorstellungen charakterisiert sei[5]. Beide genannten Autoren bewegen sich mit ihrer Methodologie innerhalb einer Dichotomie Religion
und Gesellschaft und entscheiden alternativ über deren Verhältnis: in
dem einen Fall dominieren die religiösen Motivationen, im anderen
die sozialen die Geschichte.

S. K. Eddy hat die Makkabäerkriege in einer Weise interpretiert, die
über diese Alternative einen Schritt hinaustut. Der Hellenismus hat —
Eddy zufolge — in allen östlichen Ländern Widerstand hervorgerufen.
„Es gab demzufolge drei ineinandergreifende Motive für den religiösen
Widerstand: Erstens: Kampf um die Wiedergewinnung einheimischer
Herrschaft als Selbstzweck. Zweitens: Kampf um die Wiedergewinnung
einheimischer Herrschaft mit dem Ziel, die soziale Privilegierung der
Eroberer und die ökonomische Ausbeutung durch sie zu beenden. Drittens: Kampf um die Wiedergewinnung einheimischer Herrschaft zum
Schutz von Gesetz und Religion. Die beherrschende Institution des antiken Nahen Ostens war das Königtum. Die beherrschende Hoffnung in
der hellenistischen Periode galt der Rückkehr zu einheimischem Königtum. Wirkten die drei Motive zusammen, war der Widerstand am hef-
tigsten, und nahm dann nicht nur die Form religiöser Propaganda, sondern die eines Krieges an"[6]. Eddy hat die antihellenistischen Zeugnisse
auch aus der jüdischen Literatur zusammengestellt und interpretiert.
Doch läßt auch diese Interpretation offen, ob der Zusammenhang von
Religion und politischem Widerstand mehr als nur eine zufällige Konstellation war. Zur Ermittlung dieser Zusammenhänge beabsichtigt unsere Arbeit, das Verhältnis von Tradition und sozialem Interesse in der
Antike zu exponieren. Dazu ist es erforderlich, die Nachrichten und
Vorstellungen der judäischen Literatur nach den in ihnen enthaltenen
Hinweisen auf die Struktur sozialer Beziehungen zu betrachten und sie
in Beziehung zu den Theorien vorindustrialisierter Gesellschaften aus-
zudifferenzieren. Es sei daran erinnert, daß es bereits eine ganze Reihe
von Versuchen gegeben hat, das exklusive Anrecht der philologisch-hi-

---

[4] 1970, S. 148.
[5] 1970, S. 88—92.
[6] S. K. Eddy, 1961, S. 330. Übersetzt in H. G. Kippenberg (Hg.), 1977, S. 335.

storischen Methode an der antiken judäischen Literatur zu durchbre-
chen und den Gegenstand der Bibelwissenschaften sozialwissenschaft-
lich neu zu konstituieren. Neben H. Cunow, F. Buhl, H. Schaeffer, J.
Pedersen, haben sich M. Weber und A. Causse bemüht, die Architek-
tonik der judäischen Gesellschaft herauszuarbeiten[7].

A. Causse hat die Geschichte Israels evolutionär als Bewegung vom Prinzip der Verwandtschaft zum Prinzip der Lokalität interpretiert (1937,
S. 17f., 25, 32f., 145), ohne daß er die Interferenzen beider Prinzipien
durchsichtig macht: etwa daß das Dtn von mišpāḥôt schweigt (außer
29,17), während sie in nachexilischer Literatur wieder als Ordnungs-
prinzip begegnen. Das Werk von Causse ist in seiner konzeptionellen
Größe dem von Max Weber vergleichbar, ohne eine ähnliche Wirkungs-
geschichte gehabt zu haben. Ihr liegen Theoreme und Begriffe der
Durkheim-Schule zugrunde, die mit dem historischen Quellenmaterial
in affirmativer Weise verbunden werden. Die Ignorierung des Nicht-
Konformen ist eine Konsequenz der Soziologie Durkheims, die zugleich
auch dem Eingang der Erkenntnisse von Causse in die Fachwissenschaft
entgegengestanden hat. Zu diesem immanenten Hindernis kam ein äu-
ßeres. Die Beziehung der Geschichte Israels auf soziologische Prinzipien
war in der deutschen Wissenschaftsgeschichte Teil einer Strategie, der
Theologie den religionsgeschichtlichen Gegenstand zu entziehen und
ethnologisch neu zu interpretieren (ein Beispiel H. Cunow). Die Ab-
kehr der dialektischen Theologie von kulturhistorischen Fragestellun-
gen hat diese Strategie wirkungslos gemacht.

Max Weber geht in seiner Darstellung des antiken Judentums davon
aus, daß Wanderhirten, Handwerker, Kaufleute und Priester Gaststäm-
me (Pariakasten) gewesen seien, die mit den grundbesitzenden Krieger-
sippen Israels in einen Bund getreten wären (1966, S. 34–87). Das
Modell, das Weber seiner Interpretation zugrundelegt, ist die Verfassung
der römischen Republik mit ihrer Identifikation sozialer Klassen als
Patrizier, Klienten, Plebejer. In Israel war jedoch das Bürgerrecht nicht
vorrangig an Grundeigentum gebunden (diese Annahme vertritt auch
F. Buhl 1899, S. 45), sondern vorrangig an Abstammung. Handwerker
waren nicht von vornherein gērîm, wie auch Grundbesitzer nicht von
vornherein Israeliten waren (Lev 25,47). Der Bund konstituiert sich daher auch nicht als Verbindung von Grundbesitzern mit Landlosen, sondern als Verbindung der landlosen Israelsöhne gegen die kanaanäischen
Herren.

---

7 Eine ähnliche Fragestellung – auf die spätantiken Religionen bezogen – findet sich in den Arbeiten von P. Brown: The World of Late Antiquity. London
1971, und Religion and Society in the Age of Saint Augustine. London 1972.

Inzwischen hat die Ethnosoziologie in ihren drei zentralen Gebieten:
der Verwandtschaftsethnologie, der Wirtschaftsethnologie und der politischen Anthropologie[8], Begriffe und Methoden verfeinert, so daß ein
erneuter Versuch, den Gegenstand der Theologie unter dem Gesichtspunkt seiner Beteiligung an den gesellschaftlichen Lebensprozessen darzustellen, sich auf die gegenwärtige Ethnologie beziehen könnte. Damit
ist auch die Form der vorliegenden Arbeit erläutert, die die antike judäische Literatur in Bezug auf die Begriffe und Methoden der Ethnologie bzw. der Sozialanthropologie interpretiert. Auf diese Weise sollen
die judäischen Texte den Blick auf die faktischen sozialen Verhältnisse
freigeben. Dabei sind zwei Aspekte getrennt zu halten. Die literarischen
Texte sind keine Beschreibungen sozialer Verhältnisse, sondern drücken
jeweils recht subjektive Ansichten, Vorstellungen, Interessen der Verfasser bzw. der Redaktoren aus. Eine ethnologische Methode wird aber
nicht bei dem Bewußtsein der historischen Subjekte verharren können.
Sie wird versuchen, auf dem Wege eines Vergleichs mit anderen Gesellschaften (vor allem des Vorderen und Mittleren Orients) den Typus
der gesellschaftlichen Ordnung und Entwicklung des antiken Judäas
zu rekonstruieren. Dieser zweite Aspekt wird erst durch den wissenschaftlichen Beobachter erschlossen und ist daher nicht mit dem Bewußtsein der historischen Subjekte zu identifizieren. Bei einem solchen
Vorgehen muß allerdings gesichert werden, daß nicht der letztere
Aspekt über den ersten dominiert. Vielmehr ist das Verhältnis beider:
von Individuum und Gesellschaft, religiöser Idee und sozialer Ordnung
eher als Widerspruch denn als Einheit zu denken. Die Klärung dieses
Verhältnisses rückt daher in das Zentrum dieser Arbeit.

Die judäischen Widerstandsbewegungen, deren Interpretation unser Ausgangspunkt gewesen war, stellen uns vor die Frage, ob es einen inneren
Zusammenhang zwischen bestimmten Inhalten religiöser Überlieferungen
auf der einen und dem Widerstand gegen die hellenistische Herrschaft auf
der anderen Seite gab, oder ob der Zusammenhang äußerlich und zufällig
war. War die gewählte religiöse Symbolik ein adäquater Ausdruck sozialen und politischen Handelns oder das, was Engels ein Schibboleth nennt[']
Um diese Frage zu beantworten, ist es nötig, die literarischen Traditionen des antiken Judentums in den Kontext der Entstehung der antiken
Klassengesellschaft in Judäa zu rücken. Die religiöse Tradition — so die
Hypothese dieser Arbeit — ist in diesem Prozeß mit den beiden antago-
nistischen Tendenzen von Klassenbildung und Solidarität in Verbindung
getreten. In der Herausbildung dieser beiden — in ihren Inhalten und

---

[8] Dazu H. G. Kippenberg, 1971b und 1974.
[9] Der Deutsche Bauernkrieg. Berlin (DDR) 1975, S. 46.

ihren sozialen Funktionen divergierenden — Traditionskomplexe ist
auch die Rolle bestimmter religiöser Inhalte in den judäischen Widerstandsbewegungen begründet.

Diese einleitenden Worte können nicht ohne eine Erläuterung unseres
Begriffes „antik" abschließen. In einem vorherrschenden Strang der
marxistischen Geschichtswissenschaft wird mit „Antike" die auf Sklaverei und Privateigentum ruhende Produktionsweise verstanden. Dieser
Aspekt ist wichtig, jedoch nicht der einzig wesentliche, da die Entstehung der Sklaverei nur die *eine* Konsequenz aus dem historisch und
logisch vorausgehenden Prozeß der Enteignung einer Bauernschaft ist.
Eine andere Konsequenz hieraus ist die Verwendung von Tagelöhnern
in der agrarischen Produktion. „Antike" soll im folgenden gesellschaftliche Verhältnisse kennzeichnen, in denen ein nennenswerter Anteil
der Bauernschaft die Kontrolle über die zur Produktion notwendigen
Faktoren wie Saatgut, Vieh und Geräte, Land, eventuell Wasser verloren hat und eine am Handel interessierte Aristokratie den Anbau
neuer Kulturen erzwingt[10]. Dieser Prozeß beginnt in Judäa im 8. Jh.
v.Chr. Zuvor gab es auch schon Klassen, diese bildeten sich jedoch
primär durch die Aneignung von häuslichem und dörflichem Surplus:
der betrieblichen Überschüsse. Vom 8. Jh. an aber sind soziale Veränderungen bezeugt, für welche im einzelnen der Anbau neuer Kulturen
wie Oliven und Wein, der Handel mit handwerklichen Erzeugnissen,
wenig später dann das Münzgeld und schließlich eine durchgehende
Festsetzung von Geldwerten der Güter und der Menschen kennzeich-
nend waren. An diesen einzelnen Merkmalen und an dem übergreifen-
den Phänomen der Enteignung der bäuerlichen Produzenten wird sich
unser Begriff „antik" orientieren.

Der Begriff „antik" kann aber nicht ausschließlich an diesem Phänomen der Rentabilität orientiert werden. Die wachsende Aneignung von
Surplus hat zugleich zu einem Wachsen der Ungleichheit in den traditionellen sozialen Verhältnissen geführt. Der Warentausch hatte ja gerade
unter den aristokratischen Bedingungen Auftrieb erhalten und zu einer
Verschärfung traditioneller Abhängigkeiten geführt. Der politische Widerstand gegen die Aristokratie, der revolutionäre Bruch mit diesen Formen der Abhängigkeit gehört daher zur Typik der antiken Entwicklung dazu. Beide Merkmale zusammen, eine Ausrichtung der Ökonomie auf Surplus-Produktion und ein egalitärer Bruch mit aristokratisch
genutzten traditionalen Institutionen der Abhängigkeit, erst machen
die antike Gesellschaft aus[11].

---

[10] H. G. Kippenberg, Die Typik antiker Entwicklung. In: H. G. Kippenberg (Hg.),
1977, S. 9—61.
[11] H. G. Kippenberg (Hg.), 1977, S. 65—67.

1. Solidarität und Klassenbildung aus ethnologischer Sicht

Wir wollen unsere Arbeit mit einem Exkurs in die ethnologische Literatur beginnen. Auf diese Weise sollen zwei — hier und da anzutreffende — Vorstellungen explizit abgewiesen werden. Einmal soll das Wesen der Verwandtschaftsbegriffe und Verwandtschaftssysteme deutlich werden. Diese sind nicht identisch mit natürlichen Abstammungsbeziehungen, sondern sie sind Klassifikationen gesellschaftlicher Ordnung, die sich der natürlichen Abstammungsbeziehungen bedienen, sie ordnen, in Ränge stufen und zuweilen auch umwerten. Für unser Thema ergäbe sich aus diesem Umstand die Möglichkeit, die Institutionen des judäischen Verwandtschaftssystems als historisches Produkt zu verstehen, das auch durch gesellschaftliche Interessen erzeugt worden ist. Zumindest kann und soll das israelitische Verwandtschaftssystem nicht als ein unveränderliches, ahistorisches System angesehen werden.

Eine zweite Vorstellung betrifft die Entstehung des Staates. Spätestens mit dem Buch von M. Fortes und E. E. Evans-Pritchard, African Political Systems[1] ist empirisch die Hypothese widerlegt, der Staat sei „die primäre Form der menschlichen Gemeinschaft" (Ed. Meyer)[2]. Die englischen Sozialanthropologen haben nämlich in Afrika zwei Gruppen politischer Gesellschaften festgestellt. „Diejenigen, die den Staat durch die Präsenz von Regierungsinstitutionen definieren möchten, werden die erste Gruppe als primitive Staaten, die zweite als Gesellschaften ohne Staat betrachten."[3] Diese Feststellung schließt Eduard Meyers Hypothese aus. Sie fordert dazu heraus, den Staat als eine sekundäre Formation (L. Krader) zu verstehen und die Gründe nach seiner Entstehung zu erfragen.

Verwandtschaftsethnologie

L. H. Morgan hat die Besonderheit der primitiven Gesellschaft als erster soziologisch zu bestimmen versucht. In dem Buch Ancient Society des

---

[1] 1948.
[2] Geschichte des Altertums I,1. Einleitung. Elemente der Anthropologie. 3.A. 1910 (Nachdruck Darmstadt 1965), S. 11.
[3] A.a.O., S. 5.

Jahres 1877 führt er die Verfassungen der menschlichen Gesellschaft auf zwei Grundformen zurück: auf die societas, die auf persönlichen Beziehungen gegründet sei, und auf die civitas, die auf Territorium und Privateigentum basiere. Die Voraussetzung dieser These lag in der Entdeckung eines Prinzips, das die bis dahin übliche Annahme, die Verwandtschaftssysteme seien natürlicher Herkunft, erschütterte. Die Bezeichnung von Verwandten folgt nicht überall dem uns vertrauten deskriptiven Schema, in dessen Zentrum die Familie steht, sondern es existieren Formen, in denen Individuen verschiedener Familien als Verwandte ersten Grades gelten, während die Bedeutung der Beziehung von blutsmäßigen Verwandten in ihnen verringert werden kann. Morgan hat das Prinzip dieser Verwandtschaftssysteme als das der Klassifikation bezeichnet[4]. Individuen werden nach der Zugehörigkeit zu elterlichen Linien, die nur den Vater oder nur die Mutter rechnen, mit Individuen anderer Familien gleicher Deszendenz als Verwandte (z.B. Brüder) zusammengefaßt, während cognatisch Verwandte in einer davon unterschiedenen Beziehung stehen[5].

Von dieser Voraussetzung aus hat Morgan in der traditionalen Gesellschaft eine Institution erkannt, die er mit dem Begriff der gens bezeichnet (heute wird der Begriff der lineage vorgezogen) und deren Funktion er in der gesellschaftlichen Organisierung der Individuen sah[6].

Die Erklärungen, die Morgan für die Auflösung dieser gesellschaftlichen Verfassung gab, folgten dem evolutionistischen Strukturtyp und sind von der Verwandtschaftsethnologie sehr bald gelöst worden, wie die Darstellung der Forschungsgeschichte durch M. Fortes zeigt. Damit war zugleich die Bestimmung der Funktion und des Sinnes von Verwandtschaftssystemen wieder offen.

M. Fortes unterscheidet zwei komplementäre Aspekte der Verwandtschaftssysteme. Den einen interpretiert er als Interaktionssystem, das die gegenseitigen Beziehungen zwischen Personen regelt, während er den anderen als Zuschreibung von Rechtstiteln an Gruppen und durch sie vermittelt an Individuen interpretiert[7]. Verwandtschaftsstatus „ist eine Determinante für Rechte, Pflichten und Fähigkeiten und eine Di-

---

[4] L. H. Morgan, Systems of Consanguinity and Affinity of the Human Family. 1870 S. 143f.
[5] Zur Terminologie der Deszendenzsoziologie siehe das Buch von R. Fox, Kinship an and Marriage. Penguin 1967.
[6] M. Fortes, 1969, S. 38–40.
[7] A.a.O., S. 50f. und Die Struktur der unilinearen Deszendenzgruppen, in: K. Eder, 1973, S. 272–287.

rektive herkömmlichen Verhaltens in allen Gebieten"[8]. Der rechtliche
oder — wie Fortes auch sagt — kategoriale Aspekt des Verwandtschaftsstatus ist von der Gesamtgesellschaft bestimmt (Kapitel 5). Diese Unterscheidung berührt den Unterschied zwischen Filiation und Deszendenz, insofern die Ungleichheit eines rechtlichen Status dem Schema
der Deszendenz folgt, während das Verhältnis von Geschwistern Gleichheit beinhaltet[9]. Die unilineare Deszendenzgruppe bestimmt Fortes ab-
schließend als eine Einheit politisch-rechtlicher Struktur (korporative
Gruppe), für die kollektive Besitzverhältnisse nicht konstitutiv seien.

Die Deszendenzsysteme sind von C. Lévi-Strauss anders interpretiert
worden. Ausgehend von der Exogamie hat er in ihnen einen regulier-
ten Austausch der Frauen gesehen, durch den Gruppen soziale Beziehungen untereinander eingehen[10]. Daß auf diesem Wege die Struktur
der Deszendenzgruppen unzureichend erfaßt ist, hat in allen Einzelheiten E. Leach[11] dargelegt.

Es ergibt sich im soziologischen Vergleich die Form eines Interak-
tionssystems, in dem die institutionellen Verhältnisse nicht getrennt
von den persönlichen bestehen, sondern welches sowohl persönliche
wie unpersönliche Verhältnisse in einer mehr oder weniger ungetrenn-
ten Form in sich einschließt. Krader bezeichnet dieses Verhältnis als
kollektives im Gegensatz zum politischen[12].

Ökonomische Anthropologie

Wie die Deszendenzsysteme nicht mehr aus der Bestimmtheit des Menschen durch die Natur abgeleitet werden können, sondern als Konstruktionen gesellschaftlicher Art gelten müssen, so hat M. Mauss in der Ökonomie archaischer Gesellschaften eine Form des Austausches identifiziert, die weder als Naturzustand noch als Handel gelten kann. Nicht
Individuen, sondern Kollektive nehmen ihn vor. Seine Gegenstände sind
nicht ausschließlich Gebrauchsgüter, sondern auch Wertgegenstände, die
nach bestimmten Regeln zirkulieren. Schließlich vollzieht sich der Austausch in freiwilliger Form durch Gabe, obwohl er im Grunde streng
obligatorisch ist[13].

---

[8] 1969, S. 56.
[9] A.a.O., S. 77f.
[10] C. Lévi-Strauss, The Elementary Structures of Kinship. London 1969.
[11] E. Leach, C. Lévi-Strauss, dtv 1971.
[12] L. Krader, Ethnologie und Anthropologie bei Marx. München 1973, S. 24.
[13] M. Mauss, Die Gabe. Frankfurt 1968, S. 21f.

Mauss interpretiert dieses widersprüchliche Verhältnis von Gabe und Zwang mit Hilfe des Begriffes der sozialen Tatsache (fait social). Der gegenseitige Austausch in archaischen Gesellschaften ist ein totales soziales Faktum, das alle gesellschaftlichen Lebensbereiche durchdringt und sich das Handeln des Einzelnen unterwirft. Dabei wird jedoch die Erkenntnis einer inhaltlichen Differenz zwischen archaischen und modernen Institutionen durch das Axiom eines Gesellschaftsbegriffes, der eine Dialektik von Ganzem und Teil/Form und Inhalt ignoriert, im nachhinein neutralisiert.

In der vergleichenden Wirtschaftsethnologie ist die von Mauss analysierte Institution als eine besondere Form ökonomischer Integration behandelt worden. K. Polanyi hat Gegenseitigkeit, Verteilung und Tausch als unterschiedliche Integrationsformen bezeichnet. „Empirisch sind die hauptsächlichsten Formen Gegenseitigkeit (reiprocity), Verteilung (redistribution) und Tausch (exchange). Gegenseitigkeit bezeichnet Bewegungen zwischen korrelierenden Punkten symmetrischer Gruppen; Verteilung bezeichnet verfügende Bewegungen hin zu einem Zentrum und wiederum weg von ihm, Tausch bezieht sich auf direkte Beziehungen sozusagen von Hand zu Hand in einem Marktsystem."[14] Ein Beispiel für das erste wäre der Potlatch der Kwakiutl, für das zweite die autoritäre Verteilung der Produkte im Pharaonenreich, für das dritte die kapitalistische Marktwirtschaft. Über die Funktion dieser Formen in der Gesellschaft als ganzer trifft Polanyi keine Feststellungen.

Dieses versucht M. D. Sahlins. Er legt dar, daß die Gegenseitigkeit relativ zu verwandtschaftlichen, räumlichen und hierarchischen Beziehungen sektoral abgestuft geübt wird und die Zirkulationsform tribaler Gesellschaften ist[15]. Er sieht den Zweck dieser Institution in der Herstellung von Frieden zwischen Gruppen. „Gegenseitigkeit im Austausch ist ökonomische Diplomatie: die Gegenseitigkeit des Güterflusses symbolisiert Bereitschaft, das Wohlergehen der anderen Seite zu berücksichtigen, und Verzicht, egoistisch das eigene zu verfolgen."[16]

M. Godelier hat sich mit dieser Interpretation auseinander gesetzt und den Einwand erhoben, daß die Funktion der Gegenseitigkeit in akephalen Gesellschaften und in Häuptlingsgesellschaften strukturell unterschiedlich sei[17]. Die von ihm vorgenommene Bestimmung der sozialen Funktion der verschiedenen Zirkulationsformen geht aus von der Dif-

[14] K. Polanyi, 1957, S. 250.
[15] M. D. Sahlins, 1968, S. 81—86.
[16] A.a.O., S. 9.
[17] M. Godelier, 1973, S. 101—137.

ferenz des Wertes, den die Güter in ihnen annehmen. Besitzen sie ihn
in der kapitalistischen Marktwirtschaft als Kapital, in der redistributi-
ven Wirtschaft als Surplus, so läßt sich für die auf Gegenseitigkeit be-
ruhende Zirkulation keine allgemeine Bestimmung des Wertes angeben.
Die empirischen Untersuchungen in akephalen Gesellschaften weisen
darauf hin, daß die Güter in verschiedene, hierarchisch angeordnete
Klassen eingeschlossen sind und nur in ihnen getauscht werden können.
Diese Struktur ist aus dem Gebrauch der Güter in verschiedenen sozialen Beziehungen der Verwandtschaft, Herrschaft, Religion hervorgegangen[18]. „Güter und Geld, welche in diese vielfältigen Funktionszu-
sammenhänge eintreten, erhalten vielfältige und hierarchisch geordnete Nützlichkeit und Bedeutung" (a.a.O.). So existiert z.B. bei den Siane
eine Kategorie seltener Güter (Federn des Paradiesvogels, Muscheln,
zeremonielle Äxte, Schweine), die nur anläßlich ritueller Feiern wie
Heirat, Initiationen, Friedensverträgen, religiösen Feiern zirkulieren
und deren Knappheit die Kontrolle über die Zirkulation der Frauen
erlaubt (345). Darüberhinaus wirkt in der primitiven Gesellschaft eine
rechtliche Unterscheidung zwischen Gütern, die Privateigentum werden können, und Gütern, die Eigentum der Gruppe sind (bei den Siane
z.B. Land und sakrale Flöten). Zweck dieser Ordnung ist es nach Godelier, durch korporative Kontrolle des Landes den elementaren Produktionsfaktor aus der sozialen Konkurrenz der Individuen auszuschließen
und jedem Mitglied eine Garantie auf Zugang einzuräumen[19].

Fassen wir das Ergebnis zusammen, so läßt sich eine ökonomische Form
erkennen, die mittels Güterklassifizierung und Gegenseitigkeit den Ver-
schiedenheiten von Zwecken und Interessen Ausdruck verleiht und in
welcher elementare Produktionsfaktoren korporativ kontrolliert werden.

Politische Anthropologie

Deszendenzverfassung und primitive Ökonomie können in verschiedener
Weise in gesellschaftliche Zusammenhänge integriert sein. Innerhalb der
politischen Anthropologie sind diese Integrationsformen analysiert und
ihre Unterschiede begrifflich erfaßt worden.

Der Begriff des Segmentären ist dabei von zentraler Bedeutung. Durkheim hatte ihn in seiner soziologischen Analyse der Arbeitsteilung verwendet. In diesem Prozeß trete an die Stelle der mechanischen Solidarität, die auf der Gleichheit der Handelnden beruhe, der durch ein Zentral-

[18] M. Godelier, 1972, S. 333.
[19] M. Godelier, 1971, S. 221f.

organ gesteuerte Zusammenhang arbeitsteilig differenzierter Kollektive[20]. Der Übergang zwischen beiden Typen sozialer Beziehungen wird durch eine gesellschaftliche Organisation markiert, in der die homogenen Kollektive (die Clane) in der Form der Segmente aneinandergereiht sind. In der englischen Sozialanthropologie wurde der Begriff des Segmentären enger mit der Deszendenzsoziologie verbunden. Segmentär wurde zu einem Begriff, der die Ausdifferenzierung von Deszendenzgruppen wie deren Solidarität gegenüber genealogisch entfernteren Gruppen bezeichnet, und der auf diese Weise eine gesellschaftliche Ordnung kennzeichnet, die ohne Zentralisierung von Zwangsgewalten in staatlicher Institution operiert[21]. Segmentäre Gruppen und politische Verbände unterscheiden sich strukturell in ihrem Integrationsmodus: Gruppen mit divergierenden Interessen spalten sich im ersten Strukturtyp ab und bilden autonome Gesellschaften — im zweiten Strukturtyp werden sie durch eine Zentralinstanz mittels monopolisierter Gewalt in eine hierarchische Staffel eingegliedert.

Zu den Merkmalen der segmentären Gesellschaft gehört das Fehlen scharfer Unterschiede an Rängen, Status und Reichtum. M. Fried hat sie daher als egalitäre Gesellschaften bezeichnet, in denen die Zahl der Mitglieder und die Zahl erstrebenswerter Positionen in Übereinstimmung stehen[22]. Die Faktoren, die die Entstehung gesellschaftlicher Ungleichheit begünstigt haben, waren neben der Arbeitsteilung nach M. Fried die ökologische Demographie und die redistributive Ökonomie[23]. Wie aber ist der Übergang von der segmentären zur Klassengesellschaft zu interpretieren?

Eine erste Lösung interpretiert die Differenz zwischen der segmentären und der Klassengesellschaft nach dem Modell von Problem und Lösung. „Die segmentäre Organisation einzelner Haushalte nebeneinander, die nur ihr ‚petty self-interest' verfolgen, und die darin angelegte Strategie der Minimisierung von Arbeitsaufwand erzeugen unter den objektiven Bedingungen demographischen Wachstums und zunehmender morphologischer (ökologischer) Dichte Probleme, die erst auf der Grundlage komplexerer politischer Organisation und auf der Basis neolithischer Erfindungen gelöst werden können"[24]. Es ist jedoch wenig wahrscheinlich,

---

[20] E. Durkheim, 1933, S. 130f., 174–199.
[21] M. Fortes, E. E. Evans-Pritchard, African Political Systems, 1970, Einleitung S. 1–23.
[22] M. Fried, The Evolution of Political Society, 1967, S. 33.
[23] A.a.O., S. 182–184.
[24] K. Eder, 1973, S. 18. Ferner sein 1976 erschienenes Buch: Die Entstehung staatlich organisierter Gesellschaften. Ein Beitrag zu einer Theorie sozialer Evolution. Frankfurt 1976. Ähnlich auch die von J. Herrmann und I. Sellnow herausgegebenen ‚Beiträge zur Entstehung des Staates' (Berlin/DDR 1973).

daß man von den heutigen egalitären Gesellschaften aus, deren Probleme von ihrem historischen Milieu bedingt sind, Entwicklungsstadien der Gattungsgeschichte rekonstruieren kann. Dazu tritt noch das weitere Bedenken, daß Phänomene der Reversibilität oder des Rückfalls bei einer Ableitung politischer Institutionen aus der Notwendigkeit ökonomischer Steuerung ausgeklammert werden. Diese beiden Vorbehalte, die u.a. von Godelier[25] vorgetragen worden sind, erscheinen mir triftig. Sie entziehen dem Evolutionismus auch die empirische Basis, insofern sie es unmöglich machen, die Grundformen menschlicher Gesellschaft als Folge eines immanenten Entfaltungsprozesses zu verstehen, an dessen Ende die eigene Gesellschaft steht.

Eine zweite Lösung interpretiert den Übergang von segmentären zu Klassengesellschaften nach dem Modell der Veränderung von Dominanz in einer komplexen Struktur. Institutionen der primitiven Gesellschaft können zu Instrumenten der Ungleichheit werden: indem z.B. der Häuptling die Verwaltung des gemeinsamen Landes zum Mittel der persönlichen Aneignung macht, oder indem die Verpflichtung der Gabe einseitig wird[26]. Von Bedeutung ist in diesem Zusammenhang die Analyse der Entstehung von Surplus: einer Produktion über das hinaus, was gesellschaftlich als das Lebensnotwendige gilt[27]. Die Annahme, segmentäre Gesellschaften wären außer Stande, ein Mehrprodukt hervorzubringen und benötigten dazu eine politische Organisation, ist durch empirische Untersuchungen ins Wanken geraten: ein potentieller Surplus ist ihnen möglich, wird aber von ihnen nicht regelmäßig realisiert[28]. Der Grund liegt in der Orientierung der Produktion an den kulturell bestimmten Bedürfnissen. Politische Organisation ist nicht die Voraussetzung der Möglichkeit von Mehrprodukt. Sie ist die Institutionalisierung der *Aneignung* in der Form der Rente[29]. Polanyi hatte von der Zirkulationsform der Gegenseitigkeit die der Verteilung unterschieden. Deren Ursprung ist von Sahlins in Gesellschaften geortet worden, in denen die Hierarchie das entscheidende Differential beim Austausch wurde. „Gegenseitigkeiten konzentrieren sich auf die herrschenden Chiefs, denen gegenüber alle ihre Pflicht und Schuldigkeit tun und von denen ‚Genüsse und Segen an die Bedürftigen‘ ausgehen. So politisch integriert wandelt sich die Gegenseitigkeit in der Qualität. Sie erscheint wieder

25 M. Godelier, 1973, S. 127f. Strikt anti-evolutionistisch auch das Buch von P. Clastres, Staatsfeinde. Studien zur politischen Anthropologie. Frankfurt 1976.
26 M. Godelier, 1971, S. 224–230.
27 E. Wolf, 1966, S. 6.
28 M. Godelier, 1972, S. 316.
29 E. Wolf, 1966, S. 9f.

in einer höheren Form, der kollektiven Zusammenfassung und Neuverteilung von Gütern durch bestehende Mächte, ein Prozeß, der eine besondere Bezeichnung benötigt — Verteilung" (redistribution)[30].

Die politische Anthropologie hat von solcher hierarchischen Gesellschaft weiterhin die auf ökonomischen Klassen basierenden Gesellschaften mit Staat unterschieden, in denen die Institutionalisierung der Zwangsgewalt die Ungleichheit im Bereich der Verfügung über die elementaren Produktionsfaktoren stabilisiert hat[31].

Diese drei Gesellschaftsstrukturen: die segmentäre — die hierarchische — die Klassengesellschaft sind logische Konstruktionen, mit deren Hilfe Struktur und Entwicklung von Gesellschaften darstellbar werden soll, und die eine Synthese verschiedener, in der Einzelunterscheidung zu trennender Elemente sind: ob familiare oder dörfliche Kooperationsformen bestehen, welche Formen der Arbeitsteilung herrschen, wer über die Produktionsmittel und über die Produkte verfügt, ob Normen durch Konsensus oder durch Sanktion gesichert werden, ob die Normen auf Brauch beruhen oder auf gesetztem Recht, ob ein Verwaltungsapparat besteht oder nicht.

G. Balandier folgert aus der Unmöglichkeit, die besonderen historischen Gesellschaften in allgemeine Kategorien einzuordnen, daß Trennungen erkenntnistheoretisch falsch seien[32]. Doch trifft dieser Einwand nicht die Verwendung solcher Unterscheidungen als logischer Typen[33], die für die Erkenntnis der Heterogenität der Gesellschaften notwendig sind.

Die Interaktionssysteme, die in den hierarchischen und den Klassengesellschaften beherrschend werden, unterscheiden sich von den segmentären dadurch, daß die gesellschaftlichen Beziehungen der Mitglieder nicht mehr primär durch Deszendenz, sondern primär durch Territorialität vermittelt sind, und daß in ihnen Mechanismen der Sanktionierung gesetzter Normen entwickelt werden. Die ökonomischen Beziehungen in ihnen werden durch die herrschaftliche Aneignung von Surplus (hierarchische Gesellschaft) bzw. von Produktionsmitteln bestimmt, nicht mehr durch Gegenseitigkeit.

---

[30] M. D. Sahlins, 1968, S. 94.
[31] L. Krader, Formation of the State. Englewood Cliffs 1968.
[32] G. Balandier, 1972, S. 20.
[33] C. G. Hempel, P. Oppenheim, Der Typusbegriff im Lichte der neuen Logik. Leiden 1936.

2. Das judäische Verwandtschaftssystem

Die Untergliederung Judäas in Verwandtschaftsgruppen

Das soziale Prinzip, an das die Dokumente der nachexilischen Gemeinde anknüpfen, hat E. Meyer anhand von Listen und Urkunden[1] der nachexilischen Gemeinde festgestellt: „Die Geschlechter sind die höheren Einheiten der Familien. Als die maßgebende Gliederung des Volkes treten sie uns in allen aus der nachexilischen Zeit erhaltenen Dokumenten entgegen."[2]. Zwar begegnet der technische Begriff mišpāḥôt expressis verbis nur anläßlich der Organisierung der Verteidigung Jerusalems (Neh 4,7). Es ist der Terminus bêt 'ābôt, der in nachexilischer Zeit diese Institution bezeichnet. Die Resultate von J. P. Weinbergs Untersuchung dieses Begriffes möchte ich hier voraussetzen[3].

Die Liste der Heimkehrer ist zweimal überliefert (Esr 2,1—70 und Neh 7,6—72a) und besteht aus drei Teilen: einem Personenstandsregister, einer Aufzählung der für den Tempel bestimmten Spenden und einer Notiz über den Wohnbereich der Heimkehrer[4]. Die Liste teilt die Bewohner der Provinz, die aus der Gefangenschaft heraufgezogen waren[5], in Gruppen ein: Israeliten, Priester, Leviten, Sänger, Torhüter, Tempelsklaven, Söhne der Sklaven Salomos. Diese Gruppen werden wiederum unterteilt. Innerhalb der Männer des Volkes Israel sind diese Untergruppen nach zwei Gesichtspunkten geordnet. Zuerst kommen Gruppen, die von einem gemeinsamen Vorvater abstammen (z.B. die 2172 bᵉnê Parʿōš (Esr 2,3)). Dieses Prinzip treffen wir Esra 2,3—20.29—32.

---

[1] Dokumente: Esra 2/Nehemia 7; Esra 8,1—14; Esra 10,18—44; Neh 3,1—32; Neh 10,2—28; Neh 11,3—19 (Parallele 1Chron 9,2—18); 11,20—36; Neh 12,1—26. Literatur: Ed. Meyer 1896; S. Mowinckel, 1964.

[2] Ed. Meyer, 1896, S. 134.

[3] Das bēit 'ābōt im 6.—4. Jh. v.u.Z. In: VT 23, 1973 S. 400—414.

[4] Die Liste stammt nach K. Gallings Untersuchung, der ich folge, aus den Jahren um 520 v.Chr. (1964, S. 89—108). Josephus berichtet, daß zur Zeit von Herodes eine jüdische Verwandtschaftsgruppe von 100 Männern aus Babylonien in Richtung Heimat gezogen sei (AJ XVII 24): eine späte Parallele für die Vorgänge, die Esr 2/ Neh 7 vorausgegangen waren.

[5] S. Mowinckel interpretiert die Verse 1 und 2 („Dies sind die Bewohner ..." „Die Zahl der Männer des Volkes Israel") als zwei konkurrierende Überschriften, von denen nur eine, und zwar die zweite authentisch sein könne, 1964, S. 52—66. Die Gründe für solche Annahme sind schwach.

35 an, und setzt — wie E. Meyer ausführt — die vorexilische Ordnung voraus, gemäß der die Zugehörigkeit zur Volksgemeinde über die Zugehörigkeit zu Geschlechtern vermittelt war[6]. Im Lauf der Aufzählung geht die Liste über zu der Nennung lokaler Gruppen (z.B. den 123 Männern von Bethlehem, Esra 2,21)[7]. Diesem Prinzip gemäß werden Esra 2,21—28.33—34 Gruppen aufgeführt, die — wiederum eine Annahme Meyers — von besitzlosen Vorfahren der entsprechenden Orte abstammten. Nachdem auch das Kultpersonal in Abstammungsgruppen gegliedert aufgezählt worden ist, folgt die Bemerkung: „Und dies sind die Heraufgezogenen aus Tel-Melach, Tel-Charscha, Kerub, Addan und Immer (alles babylonische Orte); sie konnten nicht nachweisen, ob ihr Vaterhaus und ihr Same aus Israel stamme: die 652 Söhne von D^{e}lāyā, Ṭôbiyyā und N^{e}qôdā" (Esr 2,59f.). Die Berechtigung, sich zu den Bewohnern der Provinz zu zählen und sich innerhalb des Gebietes Judäas anzusiedeln, war an Abstammungskriterien gebunden (Esr 2,70)[8]. Die Abstammung aus Israel erscheint als ein Titel, aus dem sich das Siedlungsrecht ergab. Dieses war in der Erwählung Israels und der Zuteilung von Landbesitz an es begründet. Das Prinzip der Verwandtschaft ist nicht auf eine persönliche Beziehung beschränkt, die privat ist, sondern es trägt einen rechtlichen Aspekt. Die Abstammung von Israel vermittelt dem Individuum Rechtstitel. Neben dem Siedlungsrecht war es die Zugehörigkeit zu den Bewohnern der Provinz Juda (Esr 2,1). Daß die bêt 'ābôt in die Ortschaften der Vorväter zurückkehrten, hat J. P. Weinberg noch mit epigraphischen Daten gestützt[9]. Neben der Unterteilung Israels in Geschlechter begegnet Esra 1,5; 4,1; 10,9 sowie Neh 11,4 eine Unterscheidung der Israeliten in Judäer und Benjaminiten und Neh 11,25—36 werden die Siedlungen von Judäern und Benjaminiten unterschieden, ein Hinweis auf die territoriale Bedeutung der Unterscheidung. Bis in die seleukidische und römische Zeit läßt sich diese Unterscheidung verfolgen (1QM 1,2; Phil 3,5). Die literarische Voranstellung der Judäer impliziert dabei wahrscheinlich eine soziale Rangordnung.

---

[6] Ed. Meyer, 1896, S. 152—163. Der Einzelne wird nach Vater und Mišpāḥā identifiziert: z.B. Ata, Sohn des Uzzijja ... (kann erweitert werden) von den Söhnen des Peres (Neh 11,4). Nicht anders R. de Vaux, 1964 I, S. 161.

[7] S. Mowinckel bestreitet — ausgehend von der Bedeutungslosigkeit der Clane — auch die Differenz zwischen Clan- und Ortsnamen, 1964, S. 84.

[8] Das Territorium des verheißenen Landes war auf die Provinz Juda eingeschränkt worden (H. C. M. Vogt, 1966, S. 39). Das Geschlecht des Tobia hatte sich dann in Ammon (Neh 2,10) angesiedelt, das des Delaja könnte vielleicht mit der Familie des Horoniters Sanballat in Samaria zusammenhängen, in der dieser Name begegnet (A. E. Cowley, Aramaic Papyrus, 30, Z. 29).

[9] J. P. Weinberg 1976 S. 481ff.

Ed. Meyer hat die Frage nach der Funktion der Mišpāḥôt gestellt[10]. Die Geschlechter seien „nicht aus einer Familie erwachsen, sondern durch den Zusammenschluß zahlreicher aufeinander angewiesener Familien unter der Fiktion gemeinsamen Bluts und eines gemeinsamen Ahnherren entstanden. Ihre Bedeutung ist eine sociale – in der Blutrache und im Erbrecht – und eine politische"[11]. Diese Annahme von Ed. Meyer soll im folgenden ausgeführt werden, indem eine Wort- und Funktionsuntersuchung des Mišpāḥā-Begriffes vorgenommen wird. Die at. Ausführungen und Regeln hinsichtlich der Mišpāḥā werden ferner zur Verwandtschaftsethnologie in ein Verhältnis gesetzt, um entscheiden zu können, ob die israelitische Mišpāḥā einem bereits bekannten Typus von Verwandtschaftssystem entspricht[12].

Der Typus der israelitischen Mišpāḥā

1. Die Mišpāḥā ist eine Gruppe, in der die genealogische Beziehung zwischen Vätern und Kindern die Abstammung von Vorvätern übermittelt: Gen 10,32 (P); 12,1; 24; Num 26; Esr 2/Neh 7; 1Chron 6,4. Sie ist eine patrilineare Deszendenzgruppe[13].

2. Die Mišpāḥā trägt korporative Eigentumsrechte an Land (Lev 25,10; Num 26; Num 27,4–11; 33,54), das auf dem Wege der Verlosung unter die Deszendenzgenossen verteilt wurde (Jos 17,14; Mi 2,1–5; Jer 37,12; Ps 16,5f.)[14]. Auch Eigentum an Städten ist bezeugt: Jos 13,23; 18,20–

---

[10] S. Mowinckel unternimmt in seiner Untersuchung der Listen einen Exkurs zum israelitischen Geschlecht, der die These entfaltet, daß eine Geschlechterorganisation an eine halbnomadische Lebensform gebunden sei und unter den Bedingungen der Seßhaftigkeit Fiktion sei (quasi ein Ortsname), der praktische Bedeutung nicht zukomme (1964, S. 71–85). Eine solche allgemeine Annahme wird von der Ethnologie nicht gestützt, die gerade innerhalb von Dorfgemeinschaften die Funktion von Verwandtschaftssystemen erkannt hat.

[11] 1896, S. 162.

[12] Grundlegende Literatur zur Mišpāḥā: L. Rost, 1938, S. 43–56; R. Patai, 1962; J. Pedersen, 1920, S. 46–60; H. Schaeffer, The Social Legislation of the Primitive Semites. London 1915.

[13] Deszendenz ist zu definieren als gesellschaftliches Attribut, das der Beziehung zwischen Kind und Eltern hinzugefügt wird und das aus der Verwandtschaft mit z.B. dem Vater Vorrechte ableitet, die im Erbgang durch die Generationen weitergegeben werden (M. Fortes, 1969, Kap. XIV: Descent and the Corporate Group). Zur Patrilinearität in Israel und ihrer Entstehung Quell, Art. πατήρ, ThW V, 1954, S. 959–964.

[14] F. Buhl, 1899, S. 57f.; H. Schmidt, 1932, S. 17–19; A. Alt, 1959, S. 373–381; H. Schaeffer, 1922, S. 109f. Über eine periodische Wiederkehr der Umverteilung können wir dem AT direkt nichts entnehmen.

28; 19. Im Josuabuch besitzen die Mišpāḥôt territoriale Grenzen: 15,12; 16,5, 18,20.

3. In der Funktion als Landeigentümer sind die israelitischen Mišpāḥôt auch Einheiten des Heeresaufgebotes. In diesem Zusammenhang werden sie auch Tausendschaften ('elef) genannt: Num 26; 1Sam 10,19–21; Ri 6,15; 1Sam 23,23. Sie wurden von eingesetzten sar 'elef befehligt (1Sam 17,18, 18,13; Dtn 20,9), die wahrscheinlich Oberhäupter von Familien waren (2Chr 26,12).

4. Die Mišpāḥā ist eine Gruppe, die durch gemeinsame Residenz ausgezeichnet ist: entweder siedeln mehrere Mišpāḥôt an einem Ort (z.B. 1Chron 2,53) oder (Ri 18,11) einer Mišpāḥā werden mehrere Orte zugerechnet oder Ort und Mišpāḥā decken sich (Jos 19,47)[15]. In der Begrifflichkeit von P. Murdock ist die Mišpāḥā daher als Clan zu bezeichnen[16].

5. Die Mišpāḥā ist eine Gruppe, in der die Besitzrechte an Land erblich weitergegeben werden: Num 27,8ff.; 30; 36; Dtn 21,15–17. Der Begriff naḥ[a]lā[17] wurde nur für Grundbesitz gebraucht und bezeichnet einen an Abstammung gebundenen Zugang zum Land, weshalb das Rechtssubjekt nicht einfach ist, sondern die Familie, der Clan (Rt 4,3), Israel (Ri 20,6), Gott (Sach 2,16) sein kann. Die Erbfolge war agnatisch geregelt (Num 27,8–11): Sohn – Tochter[18] – Brüder – Vatersbrüder – nächster Blutsverwandter aus der Mišpāḥā. Der erstgeborene Sohn wurde bevorzugt (Dtn 21,15–17).

---

[15] Die Verwendung von Ortsnamen als Gentilicia ist schon in der vorstaatlichen Liste Num 26,31.58a (P) zu beobachten. Ri 13,2; 17,7 gibt einer Person den Namen nach Ort und nach Mišpāḥā.

[16] 1949, S. 65f. Fox Definition ist folgende: eine Lineage ist gebildet auf der Basis nachweisbarer Abstammung von einem gemeinsamen Ahnen, ein Clan ist eine Einheit, die aus mehreren Lineages besteht und in welcher die gemeinsame Abstammung nicht nachweisbar ist (S. 49f.). Ähnlich M. Fried, gemäß dem Clan und Lineage als inklusive und exklusive Einheiten zu unterscheiden sind (S. 125).

[17] F. Horst, Zwei Begriffe für Eigentum (Besitz): נחלה und אחזה. Festschrift W. Rudolph, 1961, S. 135–156; O. J. Baab, Art. Inheritance, Interpreter's Dictionary Bible 2, 1962, S. 701–703. F. Horst bezeichnet „das bäuerliche Privateigentum als die Grundform des Eigentums" (1961, S. 206) und bestreitet (S. 207), daß die Sippenverbände „das Grundeigentum ihrer Sippenangehörigen in Kollektivbesitz gehabt hätten". Die von Horst benannten Eigentumsbeschränkungen hinsichtlich der freien Veräußerungsmöglichkeit sind jedoch als Einschränkung individuellen Privatbesitzes durch das höhere Eigentum der Clane zu interpretieren, dessen Eigentumstitel wiederum durch den Israels eingeschränkt wird. Zu dieser Rechtskonstruktion: Gluckmann, 1965, S. 41–46.

[18] Die Einordnung der Töchter in die Erbregel durchbricht das agnatische Prinzip zugunsten der Familie.

6. Die Mišpāḥā war in patrilokale extended families (Bêt 'ābôt) gegliedert (Jos 7,14—17; Ri 9,1; Num 1,18; 36,1). Diese umfassen den Vater mit Frau(en) bzw. Konkubinen Ex 21,7—11, verheiratete Söhne und unverheiratete Töchter. Die Familie ist nicht allein quantitativ vom Clan unterschieden, wie es Jos 7,14—17 und Num 1,2 (P) den Anschein hat. Vielmehr ist das Haus mit dem zugehörigen Feld (Jes 5,8; Mi 2,2) ein patriarchaler Verband (Gen 24), in dem der Vater beschränkte Verfügungsgewalt über die Frau (er ist ihr ba'al: Ex 21,3.22; 2Sam 11,26; Dtn 21,13; 24,1) und unbeschränkte über Kinder und Sklaven (2Kö 4,1—7; Neh 5,1—5; Gen 31,15) hatte. Ferner bestand die Möglichkeit, Fremde als Klienten dem Haus und dadurch vermittelt dem Clan anzugliedern[19].

7. Die Mitglieder der Mišpāḥā stehen in einem Verhältnis gegenseitiger Verantwortlichkeit. Wenn ein Mann stirbt und eine kinderlose Frau hinterläßt, geht sein Bruder mit ihr die Ehe ein: Dtn 25,5—10, Gen 38; Rt (Levirat)[20]. Wenn Grund und Boden veräußert wird, haben Verwandte ein Loskaufsrecht: Jer 32,6—15; Lev 25,25—34; Rt 2,20; 3,12; 4,4—10. Der Clan übt Gerichtsbarkeit und Blutrache, z.B. 2Sam 3,22—27.30; 14,4—11; Num 35,9—29; Dtn 19,1—13. Er übernimmt den Loskauf eines in Fremdsklaverei geratenen Verwandten: Lev 25,47ff. Diese auf den Erhalt von Besitz, Familie, Leben und Freiheit bedachten Regelungen werden mit Ableitungen von g'l bezeichnet, das mit ‚wiederherstellen' zu übersetzen ist[21]. Die Regel wird in Verwandtschaftsgraden agnatisch ausdifferenziert: Bruder, Vatersbruder (dôd)[22], Vatersbruderssohn, Blutsverwandter aus der Mišpāḥā (Lev 25,48f.).

8. Der Mišpāḥā werden Heiratsregeln zugeschrieben[23]. Dabei wird eine patrilineare Parallelkousinenheirat bevorzugt: Gen 24,4.15.47f.; 28,2; Ex 6,20, Num 26,59; Num 36,11f.; Tob 4,12; 6,12f; 7,11. Da die Frau in der Regel in das Haus des Mannes zog, wurde ein Brautpreis (mohar) bezahlt. Ein Mann konnte mehrere Frauen haben.

9. Die Mišpāḥā vermittelt die Nachkommen mit dem Ursprung und ist Veranstalter kultischer Feste und Träger der Kollektiverinnerungen: Ri

---

[19] M. Burrows, 1938, S. 26 u. 36; R. Patai, 1962, S. 137—148; P. Volz, Die biblischen Altertümer. Stuttgart 1925, S. 332—356. Zu den Fremden, die Klientelstatus besaßen, A. Bertholet, 1896.

[20] M. Burrows, 1940; R. Patai, 1962, S. 97—104; O. J. Baab, Art. Marriage, Interpreter's Dictionary Bible 2, 1962, S. 278—287.

[21] A. Jepsen, 1957, S. 158—163. Ferner H. Ringgren, Art. גאל, ThWAT 1, 1973, S. 884—890.

[22] Der Terminus dôd unterscheidet den väterlichen Onkel vom mütterlichen.

[23] D. R. Mace, Hebrew Marriage. A Sociological Study. London 1953; R. Patai, 1962, S. 25—31, 56—63; M. Burrows, 1938.

18,19; 1Sam 20,6.29; Ex 12,21 (J); 1Kö 8,1f. Opfer konnten in früheren Zeiten von den Ältesten dargebracht werden: 1Sam 1,3f.; Gen 22; 31,54; 46,1. In prophetischen Worten wird Israel als Objekt der Verheißung des Landes Mišpāḥā genannt bzw. in mišpāḥā gegliedert dargestellt Jer 2,4ff.; 31,1; 33,23—26; Am 3,1f.

10. Die Mišpāḥôt bilden Teile eines Stammes (Ri 6,15; Jos 7,14; Num 1,16; 26; 36,1; 1Sam 10,20f.), der wiederum mit anderen Stämmen eine sakralen Stämmebund bildet.

Der Zweck dieser Systematisierung der at. Aussagen bestand — um es noch einmal zu sagen — nicht in der Ermittlung empirischer Gegebenheiten, sondern in der Erkenntnis typischer Elemente der Mišpāḥā.

Der Typus des israelitisch-judäischen Clans konvergiert aufs genaueste mit der Struktur mittelöstlicher Verwandtschaftsgruppen. R. Patai nennt sechs Grundzüge, die in dieser Konstellation nicht außerhalb des Mittleren Ostens gefunden werden, im Mittleren Osten dagegen verbreitet sind. „In anthropologischer Ausdrucksweise . . . würde man die biblische und mittelöstliche Familie bezeichnen als endogam, patrilineal, patriarchalisch, patrilokal, als erweiterte d.h. Großfamilie und als polygyn."[24]

Das im Vergleich mit anderen ethnographischen Gebieten Besondere zeigt sich an der patrilateralen Parallelkousinenheirat. Der Austausch der Frauen und Heiratsgüter transzendiert nicht die Abstammung, wie dies in den exogamen Gruppen geschieht, sondern wird von ihr bestimmt. Begründet ist dies in dem Interesse, das Eigentum auch dann innerhalb der Familie zu halten, wenn nur Töchter vorhanden sind. Dazu tritt als weiteres Motiv die Stärkung der verwandtschaftlichen Bande: „Im System der patrilinearen Verwandtschaftsverhältnisse des Mittleren Ostens ist es für das Oberhaupt der Familie von außerordentlich großer Bedeutung, stets mit der durch nichts ins Wanken zu bringenden Unterstützung seiner Brüder und Söhne rechnen zu können."[25]

Die an der Heiratsregel erkennbare Bedeutung agnatischer Verwandtschaft ist auch an anderen sozialen Regelungen erkennbar. So deutet die unterschiedliche Benennung des väterlichen Onkels als dôd gegenüber dem mütterlichen die besondere soziale Beziehung zu diesem an. Das agnatische[26] Differential wird wirksam bei der Übertragung der

---

[24] 1962, S. 16f. (ohne Unterscheidung zwischen Clan und Familie).
[25] R. Patai, 1962, S. 29.
[26] Ein Begriff aus dem römischen Recht, der innerhalb der Blutsverwandtschaft allgemein (cognatio) die Beziehung der Männer bezeichnet (M. Fortes, 1969, S. 267—269).

patriarchialen Gewalt, bei der Weitergabe von Grundbesitz, beim Levi-
rat und in den Regeln der Wiederherstellung, der g^e'ullā. Die beiden
Ebenen der Organisation: Haus und Clan sind durch die agnatische
Verwandtschaftsbeziehung miteinander verbunden. Der Austausch von
Frauen, Gütern und Diensten ist relativ zur agnatischen Gruppe: zum
Haushalt hin wird er intensiver, zu den entfernten Verwandten des
Clans hin schwächer. Die Gegenseitigkeit ist relativ zum Verwandt-
schaftssystem, woraus resultiert, daß die Begriffe der Verwandtschaft
eine Erwartung solidarischen Verhaltens implizieren[27].

Tafel 1: Verwandtschaftsstruktur

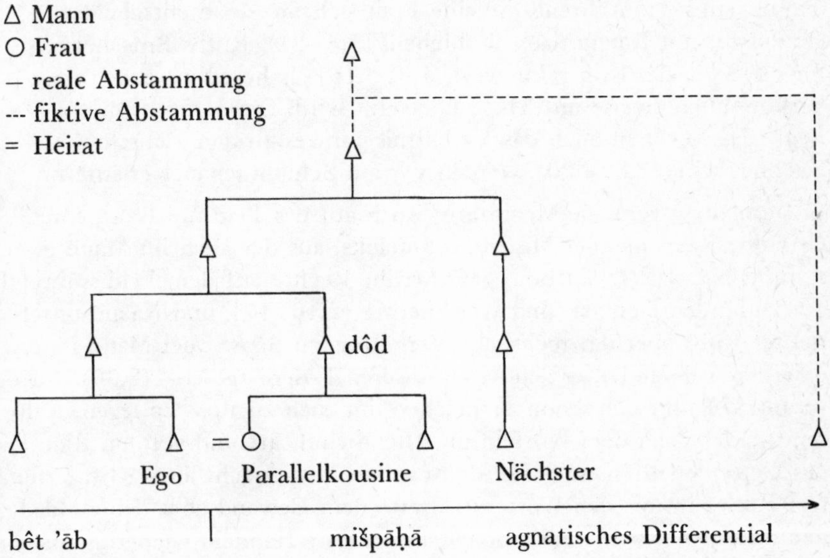

△ Mann
○ Frau
— reale Abstammung
··· fiktive Abstammung
= Heirat

Ego   Parallelkousine   Nächster

dôd

bêt 'āb   mišpāḥā   agnatisches Differential

Die Darstellung der Clan-Verfassung im Buche Ruth

Das bisher Dargestellte deutet auf die Möglichkeit, die antiken judäischen Verhältnisse mit Begriffen zu interpretieren, die an der Ethnographie orientalischer Völker entwickelt worden sind. Eine Kontrolle
durch Anschauung allerdings haben wir für das antike Judäa nicht. Um

---

[27] Hierzu allgemein M. D. Sahlins, 1974, S. 185–230 (On the Sociology of Primitive Exchange).

so wichtiger ist eine at. Erzählung, in deren Zentrum die Bedeutung der Clan-Institutionen steht: das Buch Ruth[28].

Zur Zeit der Richter zog anläßlich einer Hungersnot Elimelek mit seiner Frau Naemi und seinen Söhnen aus Bethlehem in Juda nach Moab, wo die drei Männer starben und nur Naemi mit ihren beiden moabitischen Schwiegertöchtern übrig blieb. Naemis Entschluß, nach Juda zurückzukehren, stellt die Schwiegertöchter vor eine Entscheidung: sollen die Moabiterinnen in das Haus ihrer Mutter (1,8) zurückkehren oder nach Bethlehem, dem Heimatort der Männer ziehen. Gegeneinander stehen zwei Prinzipien, die in der Wahl der Lokalität entschieden werden müssen: das der Kindschaft (Filiation) oder das der Heirat (Kontrakt), wobei der Ausdruck ‚Haus der Mutter' das Biologisch-Natürliche akzentuiert. Während die eine Frau sich für Moab entscheidet, geht Ruth mit Naemi nach Bethlehem (1,8–21). Ruths Entscheidung für die Seite des Kontrakts wird (1,8; 3,10) als ḥesed gewürdigt, das herkömmlicherweise mit Treue übersetzt wird. Die Struktur dieses Begriffes, mit dem auch das Verhältnis Jahwes zu den Menschen bezeichnet wird (1,8; 2,20), werden wir am Schluß genauer erläutern.

In Bethlehem geht die Moabiterin Ruth auf das Feld des Boas, eines Grundbesitzers aus der Mišpāḥā Elimeleks, aus der auch ihr Mann gestammt hatte (2,1–9). Boas gewährt ihr Rechte auf dem Feld während der laufenden Gersten- und Weizenernte (2,10–17), und Naemi unterrichtet Ruth über das rechtliche Verhältnis zu Boas: „der Mann ist uns nahe (sc. verwandt), er gehört zu unseren Lösern (gōʾēl)" (2,20). Naemi veranlaßt Ruth, sich schön zu machen und sich zu Boas zu legen, während dieser nach dem Worfeln im Abendwind satt und voll am Rande des Getreidehaufens schläft. Als Boas um Mitternacht aufwacht, ermuntert Ruth ihn mit den Worten: „Breite dein Gewand über deine Magd, denn du bist Löser" (3,9). Boas rühmt dieses Handeln wiederum als ḥesed, sei Ruth doch nicht jungen Männern nachgegangen (3,10). So wird erneut an den Konflikt zwischen Natur und Gesellschaft erinnert, der auch hier wieder zugunsten des Gesellschaftlichen entschieden wird. Doch birgt dieses eine Gefahr in sich: es gibt noch einen ande-

---

[28] Für eine zeitliche Einordnung liefert das Buch kaum Hinweise. O. Eißfeldt zieht aus einigen Aramaismen der Sprache den Schluß auf das 4. Jh. v.Chr. (1964, S. 646-654); andere bevorzugen die vorexilische Zeit. – E. Leach stellt das Buch in den Zusammenhang mit anderen at. „Mythen", die zwischen endogamem Gebot und Mischehenpraxis vermittelt hätten (The Legitimacy of Solomon, in: Genesis as Myth and other Essays. London 1969, S. 25 – 83). Eine Darstellung des hebräischen Alltagslebens auf der Grundlage aller in Frage kommender Texte hat L. Köhler, 1953, geschrieben.

ren Löser, der näher verwandt ist (3,12). Vor zehn Ältesten im Tor trägt Boas die Situation vor. Naemi will das Grundstück Elimeleks verkaufen, doch erwirbt der Käufer aus ihrer Hand zugleich auch die Frau des verstorbenen Sohnes, Ruth, damit dessen Name auf dem Erbbesitz wieder auflebt (4,1—5). Da der bevorrechtigte Verwandte davor scheut, tritt er öffentlich vor den Ältesten und dem Volk als Zeugen das Erwerbsrecht an Boas ab. Der von Ruth geborene Sohn gilt als Sohn Naemis und zugleich als ihr gō'ēl (4,6—17a).

Auch aus dieser Erzählung können wir nicht auf die soziale Wirklichkeit schließen. Lediglich die Relevanz, die das Verwandtschaftssystem für den Verfasser hat, können wir erkennen.

Für die Bedeutung der Clan-Organisation im antiken Judäa (bzw. Israel) ist erstens wichtig, daß Land nicht von Naemi frei verkauft wird, sondern daß der Verkauf durch das Vorrecht der Agnaten begrenzt wird. Das Land wird als naḥᵃlā (4,5) klassifiziert. Diese Klassifizierung hat eine ökonomische Wirkung, insofern sie Grund und Boden einem freien Tausch entzieht[29]. Der Produktionsfaktor Land kann nicht beliebig gegen Güter anderer Art getausch werden. Über dem Prinzip des Tausches steht steht das der Verwandtschaft[30].

Die Rechtstellung des Landes als Erbbesitz beinhaltet, daß der Besitz exakt den Linien der Verwandtschaft folgt, wie Pedersen es ausdrückt[31].

Für die Bedeutung der Clan-Organisation ist zweitens die Ehe zwischen Ruth und Boas wichtig. Das Levirat ist eine Substitutionspraxis, in welcher ein agnatisch Verwandter die Stelle des verstorbenen Ehemannes einnimmt und der gezeugte Sohn als Nachkomme des Toten gilt oder diesen ersetzt[32].

Beide Bedeutungen der Clan-Organisation lassen das Geschichtsbild einer an Bestand und Identität interessierten dörflichen Kommune erkennen, die nicht an Fortschritt in der Dimension leerer Zeit orientiert ist, sondern an Ersatz von Dingen, Tieren und Menschen innerhalb eines Kreises der Zeit[33].

---

[29] Zur israelitischen Konzeption des Eigentums: J. Pedersen, 1920, S. 81—91. Eine Bestimmung des rechtlichen Sachverhaltes bei R. Westbrook, Redemption of Land, Israel Law Review 6, 1971, S. 367—375.
[30] Exemplarisch läßt auch der Ackerkauf des Propheten Jeremia in Anatot, der im Jahre 587 v.Chr. stattfand, diese Grundzüge erkennen (Jer 32,6—15) (s.u. S. 33).
[31] 1920, S. 84.
[32] T. u. D. Thompson, Some Legal Problems in the Book of Ruth, Vetus Testamentum 18, 1968, S. 79—99 sieht als Prinzipien des Levirats die Unterstützung für die Frau des Verstorbenen und die Bewahrung von Familien-Besitz.
[33] Hierzu F. G. Bailey, The Peasant View of the Bad Life, in: Peasants and Peasant Societies, hg. von T. Shanin. Penguin 1971, S. 299—321.

Die Erzählung gründet die Wirksamkeit dieser Institutionen nicht auf G‹
setz oder auf Gewohnheit, sondern auf Entscheidung, die ḥesed heißt.
Da eben dieser Begriff Schlüsselwort für die Beziehung Jahwes zu Israel
ist, hat seine Interpretation an theologischen Diskussionen über Gesetz
und Gnade teilgenommen. Gilt der einen Seite ḥesed als ein Recht-
Pflicht-Verhältnis innerhalb eines Bundes, so der anderen als ein spontaner Güteerweis. W. Zimmerlis Ergebnis, daß ḥesed die Bewährung
einer Gemeinschaftsbeziehung bezeichne[34], erlaubt eine ethno-soziolo-
gische Präzisierung.

In Gesellschaften, in denen die Verhältnisse zwischen Menschen nicht
von einer zentralen Instanz reguliert und kontrolliert werden, regieren
Gegenseitigkeitsverhältnisse die Vergesellungen. Die Gegenseitigkeit wird
praktiziert in der Form des Austausches von Gütern und Diensten sowie
eventuell von Frauen. Sie bestimmt aber auch die Institutionen des
Rechts, der Religion, der Leitung der Gemeinschaft[35].

Die alternativen Interpretationen von ḥesed als Rechtsverhältnis und als
spontaner Güteerweis verdanken sich der Perspektive der eigenen Gesell‹
schaft, in der die Institutionen sich von den persönlichen Handlungsmo‹
tivationen getrennt haben[36]. Innerhalb der Erzählung des Buches Ruth
läßt sich diese Unterscheidung von Institution und Person nicht ver-
nünftig treffen.

Der Begriff ḥesed − so wie die Ruth Erzählung ihn benutzt − bezeichnet ein Handeln, das weder staatlich sanktioniert noch spontan ist, sondern das ein solidarisches Handeln in einer vorpolitischen Lebenswelt
bezeichnet.

Die Clan-Verfassung hat in der Regel die Solidarität auf die agnatische
Verwandtschaftsgruppe beschränkt. Was die Heirat zwischen Ruth aus
Moab mit einem Israeliten angeht, so ist die Darstellung des Buches aty
pisch. Für unsere Frage nach den sozialen Verhältnissen Judäas ist sie jedoch insofern erhellend, als sie den Sinn der Verwandtschaftsordnung
darstellt und ein Interesse an ihrem Bestand bekundet.

---

[34] ThW IX, 1973, S. 372, 30−33.
[35] Für die at. sozialen Verhältnisse hat L. Köhler die Grundform des Zusammen-
lebens folgendermaßen dargestellt: „Der einzelne Hebräer lebt mit seinem Nachbarn und seinem Dorfgenossen auf der Grundlage der gegenseitigen Anerkennung
und des billigen, gerechten Ausgleiches der gegenseitigen Ansprüche und Rechte"
(1953, S. 134).
[36] H. H. Ritter, Art. Gegenseitigkeit, Historisches Wörterbuch der Philosophie 3,
1974, S. 119−129.

Loskauf von Familienbesitz in Judäa und Attika

Noch ein wenig näher an die tatsächlichen Verhältnisse führt uns die prophetische Handlung Jeremia Kapitel 32. Inmitten der Belagerung Jerusalems durch die Neubabylonier 587 v.Chr. tätigte der Prophet Jeremia einen Ackerkauf, was als gutes Vorzeichen für Zeiten gewertet wird, in denen man wieder Häuser, Äcker und Weinberge kaufen wird (Jer 32,15). Dieser Kauf vollzieht sich in der Form eines Loskaufes. Ḥanam'ēl, Sohn von Jeremias Vaters Bruder (dôd), kommt zu Jeremia und fordert ihn auf, seinen Acker in Anatot zu kaufen, da Jeremia das Besitzrecht (gemeint ist das Erbrecht)[37] und das Recht der g^e'ullā innehabe. Daraufhin kaufte Jeremia den Acker für siebzehn Schekel Silber (Jer 32,6–10). Auch die Erzählung des Buches Ruth hatte nebenbei mit einem Kauf geendet: Boas kauft der Naemi das Grundstück ab (Rt 4,3f.9)[38].

Die Übertragung von Familienbesitz folgte jenen Wegen, denen auch die Übertragung des Erbrechtes an Land folgte[39]. Hätte etwa Jeremia sein Recht nicht wahrgenommen – wozu die Möglichkeit bestand (vgl. Rt 4,1–8)[40] – dann hätte Ḥanam'ēl den Acker eben dem nächsten Blutsverwandten aus der Mišpāḥā angeboten. Wäre das Land durch besondere Umstände gleich an Fremde verkauft worden, wie Lev 25,25 voraussetzt, dann hätte der berechtigte agnatische Verwandte auch nachträglich noch das Recht gehabt, den veräußerten Familienbesitz zu erwerben – ein im vorderen Orient verbreitetes Gewohnheitsrecht[41]. Lev 25,25 ist auch aus anderem Grunde noch lehrreich, nennt es doch als Grund für den Verkauf die Verarmung. Der verarmte Bauer erhielt als Entgelt für seinen Acker Silbergeld, das – so müssen wir vermuten – er für die Begleichung von Schulden bzw. für den Ankauf von Lebensmitteln benötigte. Dafür gab er die Nutznießung seines Feldes auf. Wie die Höhe des Preises festgestellt wurde, bleibt uns leider undurchsichtig[42]. Auch wie der Käufer anschließend das Land verwendete, ist unklar. Sicher kann aber nicht von vorneherein ausgeschlossen werden, daß der verarmte Clan-Genosse das Feld nun für seinen reicheren Verwandten bestellte und von diesem abhängig wurde. S. Eisenstadt zieht aus einer rechtsvergleichenden Untersuchung die

---

[37] R. Westbrook, 1971, S. 370.
[38] Der Interpretation von Westbrook (a.a.O., S. 371ff.), daß Boas gar nicht von Naemi das Land kauft, sondern das aus Naemis Clan stammende Land zurückkauft, vermag ich nicht zu folgen.
[39] Westbrook, 1971, S. 370.
[40] E. Neufeld, 1961, S. 34f.
[41] R. Westbrook, 1971, S. 368.
[42] Siehe hierzu die Möglichkeiten, die Westbrook, a.a.O., S. 370f. erwägt.

Folgerung, daß sich im 6. Jh. die Dorfgemeinschaft „im Übergang vom herkömmlichen heredium zur Einzelwirtschaft befand"[43]. Die Institution des Loskaufsrechtes hat daher nicht etwa egalisierende Wirkung, sondern kann sogar ökonomische Ungleichheiten innerhalb der Deszendenzgruppe begründen. Zu Recht weist R. Westbrook in diesem Zusammenhang auf die parallele Institution des Loskaufes aus der Fremdsklaverei hin. Ein solcher Loskauf brachte oft nur einen Wechsel der Herren, wobei vielleicht die Chancen der späteren Wiedererlangung der Freiheit ein wenig zunehmen konnten[44]. Ebenso hat der Verkauf von Grund und Boden an den bevorrechtigten Verwandten den verarmten Eigentümer vor einer unaufhörlichen Pflicht zur Entrichtung von Zins und Abgaben an einen fremden Gläubiger oder vor Schuldknechtschaft oder gar dem Verkauf in die Fremdsklaverei bewahren können, er hat ihn aber zugleich in eine andere Abhängigkeit gebracht, von der wir leider wenig wissen[45].

Die g^e'ullā-Institution stellt in der antiken judäischen Sozialgeschichte die Form dar, in welcher Grund und Boden legitimerweise Verkehrsobjekt wurde. Dies möchte ich wenigstens aus dem Umstand folgern, daß Jeremias Loskauf als Vorzeichen für eine allgemeine Belebung des Handels mit Immobilien gilt (Jer 32,15). Der Handel in dieser Form scheint eher die Regel denn die Ausnahme gewesen zu sein. Dies verbindet die judäische Institution mit der griechischen πρᾶσις ἐπὶ λύσει. Diese Wendung bedeutet: ‚Verkauf unter der Bedingung, daß der Verkäufer seinen Besitz später zurückkauft' und nicht: ‚Verkauf mit dem Recht eines Rückkaufs'[46]. Die Wendung begegnet als technischer Begriff auf den horoi: Belastungssteinen, die anzeigen, daß das Land, auf dem sie stehen, unter der Bedingung eines späteren Rückkaufes verkauft worden ist. Auf 122 vornehmlich attischen horoi befindet sich eine Inschrift dieser Art[47]. Neben diesem Typ gibt es noch andere, die wir nicht behandeln werden[48]. Bei diesen anderen Arten von Inschriften wird festgestellt, daß Land und Häuser als hypothekarische Sicher-

---

[43] Paralleleinblicke in das jüdische und römische Familien- und Erbrecht, Klio 40, 1962, S. 244–259; Zitat auf S. 245.

[44] R. Westbrook, a.a.O., S. 369.

[45] E. Neufeld, 1961, S. 34.

[46] M. I. Finley, Studies in Land and Credit in Ancient Athens. 500–200 B. C. The Horos – Inscriptions. New Brunswick 1951, S. 35.

[47] M. I. Finley hat in dem genannten Buch in Appendix I und III die Texte der Inschriften publiziert. Die Zahl 122 stammt von A. R. W. Harrison, The Law of Athens. The Family and Property, Oxford 1968, S. 279.

[48] Hierzu alles Wichtige bei M. I. Finley, a.a.O., S. 29–52.

heiten für Schulden dienen[49]. Die Loskauf-Beschriftung besagt, daß der und der sein Land und sein Haus gegen so und so viele Silberdrachmen epi lysei verkauft hat und daß der Verkäufer dem neuen Besitzer jährlich eine Rente zu zahlen hat (so eine späte, aber beredte Inschrift)[50]. Der griechische ‚Verkauf unter der Bedingung des Loskaufes' hält an dem Grundsatz fest, daß Familienbesitz nicht das Eigentum Fremder werden soll. Er zieht aus diesem Grundsatz die Konsequenz, daß der frühere Eigentümer bzw. dessen Erben das Land zurückkaufen müßen. In der Zwischenzeit aber lag das Besitzrecht bei dem neuen Besitzer des Landes. W. J. Woodhouse — dessen Erklärung dieser Institution ein großer Wurf war[51] — formuliert den vorausgesetzten sozialen Zusammenhang folgendermaßen. „Die Institution galt von Anfang an nur für Familienland und wurde vor Solon nur so angewendet. ... Zweitens übertrug ein solcher Vertrag im vorsolonischen Gebrauch nicht Eigentum, nur Besitz"[52]. Ursache für diese Übertragung war Verschuldung. Das Geld aus dem „Verkauf" diente der Begleichung von Schulden. Welche Auswirkungen dieser Umstand auf den Geldpreis hatte, ist zu ahnen, auch wenn hierüber nichts bekannt ist[53]. M. I. Finley bringt die Besonderheit der Übertragung auf den Begriff. „Im heutigen Pfandwesen und bedingten Verkauf ist der Käufer der Schuldner, während der Verkäufer der Gläubiger ist. In der griechischen prasis epi lysei ist die Situation genau umgekehrt. Der ‚Verkäufer' ist der Schuldner, der ‚Käufer' der Gläubiger"[54]. Diese Abhängigkeit des „Verkäufers" zeigt sich vor allem an der Folgewirkung des „Verkaufs". Der alte Eigentümer bebaute nämlich in der Regel das Familienland weiter und entrichtete für die Nutzung eine Rente[55]. Diese abhängigen Bauern hießen in Attika pelatai und hektēmoroi (Aristoteles, Ath. Pol. 2). So war der „Verkauf" nur die äußere Form, während es inhaltlich um die Etablierung ökonomischer Abhängigkeit ging.

Kommen wir zum Schluß noch zu einem Vergleich der griechischen und der judäischen Institution. Bereits M. Smith hat einmal bemerkt, „daß im griechischen Gesetz der ‚Verkäufer' gewöhnlich im Besitz des Landes bliebt, während im priesterlichen Gesetz der ‚Käufer' es auch in Besitz

---

[49] M. I. Finley, a.a.O.

[50] M. I. Finley, a.a.O., S. 32 und Inschrift Nr. 102 S. 146.

[51] Solon the Liberator. A Study of the Agrarian Problem in Attika in the Seventh Century. London 1938. Das diesbezügliche Kapitel in deutscher Übersetzung bei Kippenberg, 1977, S. 136—157.

[52] A.a.O., S. 141.

[53] Hierzu A. R. W. Harrison (s.o. Anm. 47), S. 278.

[54] M. I. Finley, a.a.O., S. 37.

[55] M. I. Finley, a.a.O., S. 35.

nahm" (Lev 25,25ff.)[56]. Diese Beobachtung möchte ich präzisieren. Denn es bleibt meines Erachtens in den Quellen ungeklärt, ob in Israel der frühere Eigentümer tatsächlich vom Land vertrieben wurde. Genausogut ist es denkbar, daß er als Knecht oder als Tagelöhner in den Dienst des Großbauern trat. Nicht hier liegt die Differenz zwischen den beiden Institutionen, sondern an anderer Stelle. Die Loskauf-Institution ermöglichte in Attika die Übertragung des Familienbesitzes an einen Fremden, während sie in Judäa ein Vorkaufsrecht der übrigen Mitglieder des Clans begründete und eine Übertragung an Fremde gerade erschwerte. Im griechischen Fall war ein Loskauf letztlich wohl nicht beabsichtigt, in Judäa hingegen war der Loskauf die übliche Form, unter der Immobiliengeschäfte getätigt wurden. So sind in beiden Gesellschaften jeweils andere Gruppen von dieser Institution begünstigt worden. In Judäa begünstigte sie eine Übertragung des Grund und Bodens an die reicheren Familien im Clan, sprich innerhalb des Dorfes. In Attika erlaubte sie eine Übertragung des Landes an Familien außerhalb von Clan und Dorf. Man wird an die ortsfremden, den Handel betreibenden Metöken denken können. Auch die judäischen Verhältnisse kennen eine solche ökonomische Bedeutung von Fremden. So setzt Lev 25,47 den Fall voraus, daß ein Israelit verarmt und sich an einen reicheren Fremden verkauft. Die je verschiedene Funktion der Loskauf-Institution in Attika und Judäa ist auf dem Hintergrund dieser ökonomischen Bedeutung der Fremden zu sehen. In Attika haben sie ihren durch Handel erworbenen Reichtum in Grundbesitz überführen können, in Judäa nicht. Gemeinsam aber ist den beiden Institutionen, daß sie die Übertragung von Familienbesitz an ökonomisch Reichere ermöglichen, ohne die alten Postulate der Unverkäuflichkeit von Familienbesitz formal zu verletzen.

Elemente der Ungleichheit im judäischen Clan

Resultat dieser Detailuntersuchung einer wichtigen Institution des judäischen Verwandtschaftssystems ist die Erkenntnis, daß es innerhalb der Familien der Mišpāḥôt und auch zwischen ihnen beträchtliche Unterschiede gab. Ehe wir untersuchen, wie sich diese Unterschiede mit den ökonomischen Veränderungen vom 6. Jh. v.Chr. an verbunden und auf diese Weise eine besondere Wirkung gehabt haben, möchten wir die formalen Elemente dieser Ungleichheit darstellen. Es handelt sich dabei um folgende Elemente: eine zunehmende Autonomie der einzelnen Fa-

---

[56] Palestinian Parties and Politics that Shaped the Old Testament. New York 1971, in: H. G. Kippenberg, 1977, S. 326 Anm. 29.

milie im Verhältnis zum Clan; Vorrechte einzelner Familien gegenüber anderen desselben Clans; ökonomische Funktionen den Familienvorsteher.

Zunehmende Autonomie der einzelnen Familien im Clan

Indizien sprechen dafür, daß die Familie in nachexilischer Zeit gegenüber dem Clan an Bedeutung gewonnen hatte und ihre Interessen sich unabhängig von denen des Clans entfalteten. So setzt die Priesterschrift eine geringere Bedeutung des Clans als des bêt'āb voraus [57]. Das Levirat, das u.a. den Zusammenhalt des Clans mit den einzelnen Familien bewirkte, ist Lev 18,16; 20,21 formell aufgegeben und war schon im Dtn nicht mehr obligatorisch (Dtn 25,5—10) [58]. Auch an den Ehen, die zwischen Israeliten und Fremden geschlossen wurden (Esr 9f.; Neh 10,31; 13,23—27), erkennen wir eine ‚Emanzipation' der Familie vom Clan. Wir können nur vermuten, daß entsprechend der sozialen Bedeutung der Familie Regeln der Clan-Solidarität an Bedeutung verloren, ohne daß sie vollkommen vergessen wurden.

Vorrechte einzelner Familien

Innerhalb der Clane und zwischen ihnen bestand eine Hierarchie. Bei einem Vergleich der Bücher Esra/Nehemia mit den um 300 v.Chr. verfaßten Chronikbüchern hat Ed. Meyer erkannt, daß bei letzteren häufig Clan-Namen durch Genealogien von Familienhäuptern ersetzt werden (1Chr 5,7; 6,4; 9), und daraus geschlossen:

„Die Geschlechter, auf denen zu Nehemias Zeit noch die Organisation der Gemeinde beruhte, haben sich aufgelöst, die einzelnen Familien sind an ihre Stelle getreten."[59]

Der Prozeß, den Ed. Meyer hier durch einen Vergleich feststellt, reicht allerdings in die frühe nachexilische Gesellschaft zurück, die von den Häuptern der Häuser beherrscht war. Die Gaben für den wiederzuerrichtenden Tempel entrichteten die rā'šê hā'ābôt (Esr 2,68; Neh 7,70).

Statthalter, erster Priester und Familienvorsteher sind Esr 4,2 das Gremium, das den Tempel erbaut. Andere Ausführungen (5,5.9; 6,7) nennen

---

[57] Dargestellt von L. Rost, 1938, S. 50—56.
[58] Das kann nicht heißen, daß das Levirat nicht mehr praktiziert wurde. Noch im 1. Jh. v.Chr. wurde die Frau des verstorbenen Aristobulos die Frau seines Bruders Alexander Jannai (Josephus AJ XIII 320). Weitere Belege bei Jeremias, 1962, S. 408f. Anm. 114.
[59] 1896, S. 163—165.

sie die Ältesten Judas (śābê jᵉhûdājē), die dieses Werk zusammen mit
dem Statthalter verrichtet hätten. G. Bornkamm hat die terminologische
Bevorzugung der Begriffe Familienhäupter, Oberste, Vorsteher gegenüber
dem alten Terminus zᵉqēnîm als Folge eines sozialen Wandels interpretiert: „Verdankten die Ältesten früher ihre Autorität der Stellung, die
sie innerhalb der Großfamilien und Sippen einnahmen, so gründet sie
sich nun auf die besondere Stellung ihrer Familien im Volke selbst."[60]
Und wenn — wie wahrscheinlich — die chronistische Schilderung der
Gerichtsreform des Josaphat den Verhältnissen der nachexilischen Zeit
entspricht, dann war die oberste Gerichtsbehörde in Jerusalem aus Leviten, Priestern und Häuptern der Häuser zusammengesetzt gewesen
(2Chr 19,8; LXX πατριαρχοί[61]).

Die Wortbildung Häupter der Häuser bezeichnet eine über die erweiterte Familie, der der Vater vorstand, hinausgehende Funktion, die
sich auf mehrere agnatisch verwandte Familien erstreckte. Sie ist mit
Vorsteher von Familienverbänden eines Clans zu übersetzen[62]. Das
gibt Neh 10 zu erkennen, wo die Häupter des Volkes eine Vereinbarung besiegeln, indem sie mit dem Namen der Mišpāḥā unterschreiben.
In der Liste der mit Esra Heimgekehrten sind ebenfalls die Familienhäupter verantwortlich für den Clan (Esr 8,1—14).

Das Amt des Vorstehers von Familienverbänden war erblich (Neh 11,4f.)
und der Darstellung des Chronisten zufolge an die Erstgeburt gebunden
(1Chr 5,1f.7; 1Chr 9,5), so daß eine Ungleichheit innerhalb des Clans
zwischen älteren und jüngeren Brüdern bestand (1Chr 24,31). Die Ersetzung der Clan-Namen durch eine Genealogie von Familienhäuptern ist
daher nicht an sich bereits ein Zeichen der Auflösung der Clane (so
Ed. Meyer)[63], sondern Ausdruck einer Hierarchie in ihnen, die durch

---

[60] ThW VI, 1959, S. 658.

[61] J. Jeremias, 1962, S. 253. G. C. Macholz erachtet den Kern von 2 Chron 19,
5—11 für vorexilisch: Zur Geschichte der Justizorganisation in Juda, ZAW 84,
1972, 314—340.

[62] Zum Begriff des Hauptes: L. Rost, 1938, S. 65—69. J. R. Bartlett, The Use of
the Word ראשׁ as a Title in the Old Testament, VT 19, 1969, 1—10. Aus Neh 12,
12 geht hervor, daß die Häupter nicht die Häupter der einzelnen Familien waren
(d.h. im at. Sprachgebrauch die Väter), wie H. C. M. Vogt, 1966, S. 103f. es an-
nimmt, sondern Vorsteher aller Familien eines Clans. S. Mowinckel, 1964, S. 76,
vermutet auf Grund Esr 8,17, sie seinen Dorfvorsteher der Juden in Babylonien gewesen.

[63] Auch L. Rost schließt aus einer Auflösung des Clanbegriffes auf die der
Sache selbst, die eine Folge der Verstädterung und der Hausbildung des Großgrund-
besitzes gewesen sei, 1938, S. 55. In gleicher Weise argumentiert H. C. M. Vogt,
1966, S. 102.

die Vorrechte der Erstgeborenen begründet war[64]. Genealogien wurden angelegt, um diese Verhältnisse zu verzeichnen (1Chr 5,1). Auch die Vorrangstellung der Judäer gegenüber den Benjaminiten gehört in diesen Zusammenhang (s. Tafel 2).

Diese Hierarchie wurde Basis der persischen Verwaltung. Als Nehemia daran ging, die Mauern Jerusalems erneuern zu lassen, da stützte er sich auf Verwaltungsbeamte israelitischer Abstammung (śārîm), die fünf territoriale Bezirke verwalteten: Jerusalem (Neh 3,9.12), Bêt-Hakkārem (3,14), Miṣpā (3,15.19), Bêt-Ṣûr (3,16) und Qᵉ'îlā (3,17f.). Dieser territoriale Ordnung basierte nebenbei auf einer Abhängigkeit der Dörfer von den Städten (Neh 11,25).

Tafel 2: Soziale Hierarchie

Ältere Söhne jeweils links

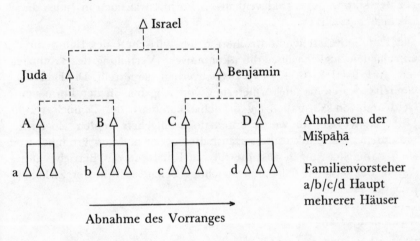

Abnahme des Vorranges

(Das Schema orientiert sich an dem von M. D. Sahlins, 1968, S. 25.)

Die Śārîm hatten ihren Amtssitz in Jerusalem (Neh 11,1; 12,31) und waren identisch mit den Familienhäuptern (Esr 8,29; 10,5). Das Nehemia Buch erzählt, daß hundertfünfzig Sᵉgānîm an der Verwaltung der Provinz beteiligt waren und dafür mit Naturalien entlohnt wurden (Neh 5,17; 7,4f.; 12,40; 13,11). Sie waren in besonderer Weise mit den Abgaben an den Tempel betraut (Neh 13,11f.; Esr 8,29) und besaßen Herrschaftsgewalt (Esr 10,8.14). Die persische Verwaltungsord-

---

[64] Er erhielt zudem einen doppelten Erbanteil (Dtn 21,17) und folgte seinem Vater als Familienhaupt nach (Gen 27,29.40).

nung setzte die soziale Ungleichheit im judäischen Verwandtschaftssystem voraus und verstärkte sie (ebenso die Verwaltungsordnung Jerusalems, Neh 11).

Ökonomische Funktionen der Familienvorsteher

Zum Abschluß sei noch die implizit bereits angesprochene ökonomische Funktion der Familienvorsteher dargestellt. Hier ist erstens an die
oben skizzierte (S. 27) patriarchale Verfügungsgewalt über Frau und
Kinder zu erinnern. Wichtiger noch aber war, daß die judäische Familie
der Form nach eine extended family war, die um andere mehr oder min-
der abhängige Personen wie Kaufsklaven, Schuldsklaven, Lohnarbeiter,
Klienten, Gäste erweitert werden konnte. Diese Familienform hatte in
Griechenland und in Italien die Bedingung der Möglichkeit gebildet, daß
der oikos aus einem komplexen Familienverband zu einem autoritär
geleiteten Sklavenbetrieb werden konnte und aus dem Familienvorsteher der oikodespotes (Sklavenhalter). Formal war auch in Judäa diese
Bedingung erfüllt.

Die Familienvorsteher kontrollierten die Wirtschaft des Hauses und
entschieden zugleich über die ökonomische Verteilung des Produzierten. Auf Tafel 3 (S. 41) ist der Sachverhalt dargestellt. Die Familienvorsteher waren für die Ablieferung von Abgaben in der Form von
Geld und von Naturalien an die Schatzkammern des Tempels verpflichtet, worauf wir weiter unten noch eingehen werden. Zugleich
tauschten sie Produkte ihres Haushaltes gegen anderen Produkte und
auch Arbeitsleistungen aus, die für die Erhaltung des Betriebes nötig
waren. Sie bildeten daher eine wichtige Schaltstelle in der Zirkulation der Produkte.

Zusammenfassung

Die in das judäische Gebiet zurückgekehrten Israeliten waren nach Deszendenzgruppen untergliedert, deren Typus im modernen nahen und
mittleren Osten Parallelen hat. Er ist gekennzeichnet durch die Bedeutung der agnatischen Verwandtschaftsgruppe für die Regelung sozialer
Beziehungen. In der nachexilischen Zeit sind eine Reihe dieser Regelungen nicht mehr in Kraft (wie z.B. die kultischen), andere sind (wie z.B
Blutrache und Gerichtsbarkeit) auf lokale Institutionen übergegangen. So
wird man die Frage zu beantworten haben, welche Institutionen des Verwandtschaftssystems im Judäa der persischen Zeit noch Teil der sozialen
Struktur waren.

Die Analyse der Quellen läßt mehrere Institutionen erkennen, von denen
dies gesagt werden kann.

Tafel 3: Zirkulation

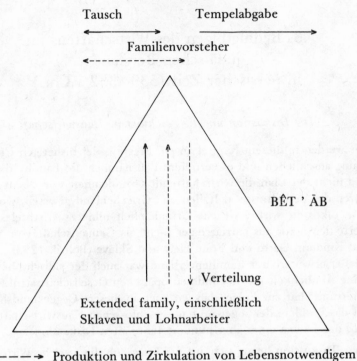

Tausch   Tempelabgabe

Familienvorsteher

BÊT ' ĀB

Verteilung

Extended family, einschließlich
Sklaven und Lohnarbeiter

- - - - -→ Produktion und Zirkulation von Lebensnotwendigem

――――→ Produktion und Zirkulation von Surplus

(Das Schema orientiert sich an dem von C. Meillassoux in Eder, 1973 S. 49).

1. Die Verwandtschaftsstruktur bestimmte die Reproduktion der Familien und die sozialen Beziehungen zwischen Älteren und Jüngeren, Männern und Frauen. Sie räumte vor allem dem Familienvorsteher Rechte
über die Mitglieder des Hauses wie Verfügung über das gemeinsam Produzierte ein.

2. Die Verwandtschaftsstruktur verband Familien untereinander in einer
Hierarchie, die durch Vorrechte der älteren Brüder gegenüber jüngeren
begründet war, schuf zwischen diesen aber auch Beziehungen der Solidarität (etwa bei Versklavung und bei Landverkauf).

3. Die Verteilung von Grund und Boden folgte festen Erbregeln (heredium). Land konnte in der Verwandtschaft gegen andere Werte getauscht
werden, nicht aber außerhalb von ihr. Dieses Prinzip führte zu einer Ansammlung von Land in reicheren Familien (Aristokratien).

3. Bedingungen des Wirtschaftens im judäischen Bergland in persischer Zeit (539–332 v.Chr.)

Die Diskussion um die geschlossene Hauswirtschaft

Wir werden in diesem Kapitel an ein Ergebnis der bisherigen Untersuchung anschließen und es vertiefen: daß nämlich die Familie (bêt'āb) und nicht der Clan die wirtschaftende Grundeinheit war. Nicht anders waren die Verhältnisse in Italien und Griechenland gewesen, wo familia bzw. oikos die wirtschaftliche Grundeinheit bildete. Aristoteles definierte den oikos aus patriarchaler Sicht als Gemeinschaft von Vater und Kindern, Gatte und Frau, Herr und Sklave (Politik 1253b). Ein solcher erweiterbarer Familienverband war auch der jüdische bêt'āb. Seine Ähnlichkeit mit der indo-europäischen Gesellschaftsstruktur des Altertums[1] hat zur Folge, daß wir auch in diesem Gegenstandsbereich auf das Problem der sogenannten „geschlossenen Hauswirtschaft" stoßen, das Thema einer über hundert Jahre alten Diskussion[2].

Diese Diskussion bezog sich auf die Frage, ob die attische Wirtschaft des 5./4. Jh. bereits Züge der Moderne trug — so sah es Ed. Meyer[3] — oder die Stufe der ‚geschlossenen Hauswirtschaft' nur unwesentlich überschritten hatte und im wesentlichen primitiv war — so J. Hasebroek[4]. Rückschauend betrachtet erweisen sich jedoch die Mittel, die zur Beantwortung herangezogen wurden, als unzureichend. Das Urbild eines allein für den Eigenbedarf produzierenden Haushaltes war zu simpel. Hatten nicht bereits die frühen wirtschaftsethnologischen Bücher wie das von M. Mauss die Existenz eines entwickelten Austauschsystems gerade in archaischen Gesellschaften nachgewiesen[5]? Haben nicht neuere, empirisch abgestützte Arbeiten dieser ethnologi-

---

[1] E. Benveniste, Le vocabulaire des institutions indo-européennes, Vol. 1. Paris 1969, S. 309f.

[2] Ebenso konzise wie intelligente Darstellung dieser Debatte von H. W. Pearson, 1957.

[3] Die wirtschaftliche Entwicklung des Altertums; Die Sklaverei im Altertum. Beide Aufsätze in: Kleine Schriften Band 1. Halle 2.A. 1924, S. 79–212.

[4] Staat und Handel im alten Griechenland. Tübingen 1928.

[5] M. Mauss, Die Gabe, Form und Funktion des Austauschs in archaischen Gesellschaften. Frankfurt 1968 (zuerst 1925 erschienen).

schen Disziplin gezeigt, daß in der „domestic mode of production"
(M. Sahlins) Ressourcen und Arbeitskraft nicht vollausgeschöpft werden[6]? In Sahlins Diktum: „Kurz, es ist eine Wirtschaft, die für den
Gebrauch, für den Lebensunterhalt der Produzenten produziert."[7] Nicht
anders beurteilt der französische Wirtschaftsethnologe M. Godelier diesen Sachverhalt: „In fast allen Fällen könnten die primitiven Gesellschaften ein Surplus hervorbringen, tun es aber nicht."[8] Ob dieses potentielle
Surplus aktualisiert wird oder nicht, das hängt von nicht-ökonomischen
Faktoren ab wie zum Beispiel der Herausbildung von Führertum[9]. Diese wirtschaftsethnologischen Thesen verbieten es, eine geschlossene Hauswirtschaft, die notwendigerweise nur für den eigenen Bedarf zu produ-
zieren vermag, als den Grundzug primitiven Wirtschaftens anzusehen.

Das besagt allerdings nicht, daß die Gegenthese von E. Meyer nun zutreffend sei. Deren Mängel hat Pearson außerordentlich genau beschrieben:
„In bezug auf die Position von Meyer und der ‚Modernisten' ist der entscheidende Punkt, daß sie aus der *Existenz* von Fabrikation in großem
Maßstab, von Handel und Geld auf die *Organisation* nach Art des Mark-
tes geschlossen haben. Ob aber die Teile einer spezifischen Wirtschaft
in dieser Weise organisiert sind oder nicht, ist ein ebenso wichtiger Un-
tersuchungsgegenstand wie die Tatsache ihrer Existenz. Daß die Debatte
sich so sehr um die ausschließliche Bedeutung des oikos drehte, hat diesen Punkt verdunkelt und auf diese Weise die Position der ‚Primitivisten'
noch geschwächt. Die ‚Tatsachen' sprachen zu eindeutig gegen sie."[10]
Pearson erwägt dagegen „die Möglichkeit einer relativ hoch entwickelten ökonomischen Organisation in einem gesellschaftlichen Rahmen, der
grundsätzlich von dem modernen Marktsystem verschieden ist"[11]. Ab-
schließend beurteilt er die Widersprüche in der Diskussion folgendermaßen: „Die Quelle der Verwirrung erscheint jetzt klar. Beide Seiten waren − mit teilweiser Ausnahme von Weber − unfähig, sich eine komplette Wirtschaft mit Handel, Geld und Marktplätzen vorzustellen, die
in anderer Weise als das Marktsystem organisiert war."[12]

Was ist nun die Konsequenz aus diesem allem für unsere Thematik? Ich
sehe sie darin, daß die Systeme des Austausches ein besonderes Augen-
merk verdienen. Gab es irgendwelche Zwänge, die zu einem Austausch

---

[6] M. Sahlins, 1974.
[7] 1974, S. 68f.
[8] 1971, S. 214.
[9] M. Sahlins, 1974, S. 140.
[10] 1957, S. 7f.
[11] 1957, S. 9.
[12] S. 10.

zwischen Haushalten geführt haben? Gab es Notwendigkeiten, die zu einem Austausch zwischen Judäern und Fremden geführt haben? Gab es wirtschaftliche Entwicklungen, die den Zusammenhalt der nach Verwandtschaftsgruppen organisierten judäischen Gesellschaft bedrohten?

Anders als in dem vorangehenden Kapitel werden wir uns hier auf die Provinz Judäa im persischen Reich beschränken. Das wichtigste historische Quellenmaterial, das für die persische Zeit zur Verfügung steht, ist folgendes: 1. die alttestamentlichen Bücher Esra, Nehemia, Chronik; 2. die Elephantinepapyri, die von A. E. Cowley und G. Kraeling herausgegeben worden sind; 3. die prophetischen Bücher Haggai, Sacharja, Maleachi, Joel sowie Teile aus den Propheten Ezekiel und Jesaja; ferner Hiob und Ruth; 4. die Priesterschrift[13].

Aus der Sekundärliteratur zum Thema möchte ich H. Kreissig, 1973, und A. Ben-David, 1974, hervorheben.

Landwirtschaft

Die persische Provinz Judäa, über deren geographische Grenze die Karte im Biblisch-Historischen Handwörterbuch Aufschluß gibt, lag fast zur Gänze im Gebirgsland Juda[14]. Lediglich im Nordosten erstreckte sie sich auch ein Stück in die Jordanebene hinein. Hier war denn auch Bewässerungsfeldbau möglich, während im Bergland Regenfeldbau vorherrschte. Dieser erbringt durchschnittlich geringere Erträge, da eine regelmäßige Wasserzufuhr nicht gesichert ist. Der Steilabfall des Gebirges im Osten schloß eine landwirtschaftliche Nutzung aus. Besser waren die Bedingungen in Richtung Küstenebene, da hier das Gebirge flach abfiel[15]. Hier wechselte jedoch die Beschaffenheit der Böden. Während die eisenhaltigen Roterden (terra rossa) für den Getreideanbau vor-

---

[13] Bei der hier vorausgesetzten historischen Einordnung biblischer Schriften folge ich im wesentlichen O. Eißfeldt, Einleitung in das Alte Testament. 3.A. Tübingen 1964.
[14] Biblisch-Historisches Handwörterbuch 2, 1964, S. 1299f. Die Bezeichnung y^chûdā bezieht sich in der Esra-Nehemia-Literatur auf einen Stamm (Esra 1,5; 4,1; 10,9; Neh 11,4.36), aber auch auf ein Territorium (Neh 11,25) und eine politische Provinz (Esra 5,8; Neh 5,14). y^chûdāye bzw. y^chûdîm bezeichnet die Bewohner der Provinz (z.B. Neh 13,12), die Angehörigen einer ethnischen Gruppe (z.B. Neh 5,8), die Mitglieder einer Religionsgemeinschaft (z.B. Neh 13,27). Zum Begriff: H. C. M. Vogt, 1966, S. 66–75.
[15] H. Kreissig, 1973, S. 40.

züglich geeignet waren, konnten auf den verkalkten Böden nur Tief-
wurzler wie Ölbaum, Weinstock und Feigenbaum gedeihen[16].
Über die Bebauung des Landes in achämenidischer Zeit gibt ein Wort
des Propheten Haggai Aufschluß. Weil noch immer der Tempel in
Trümmern liege, so erklärte der Prophet Ende des 6. Jh., rief Jahwe
„eine Dürre über das Land wie über die Berge, über das Korn wie über
den Wein (ungegorener Most ist gemeint), über das Öl wie über das,
was der Boden hervorbringt" (Hagg 1,11). Getreide, Wein und Oliven
werden in gleicher Weise auch im 5. Jh. (Neh 5,11 und 13,15) als die
hauptsächlichen Nutzpflanzen im judäischen Bergland genannt. Erwähnt
werden muß noch die Viehzucht, die unter den Bedingungen des judäischen Berglandes recht günstig war[17].

Wir wollen an dieser Stelle auf zwei Berichte aus der Zeit der griechischen Herrschaft (2. Jh. v.Chr.) vorgreifen, da sie die Verhältnisse anders darstellen. Aus einem von Euseb überlieferten Exzerpt aus Eupolemos (2. Jh. v.Chr.) geht hervor, daß Galiläa, Samaria, Moab, Ammon
und Gilead als Lieferanten von Getreide galten, Judäa aber von Öl
und anderen Produkten[18]. Der Aristeasbrief, der aus demselben Jahrhundert stammt, betont, daß die Bergbewohner besonders fleißig in
Ackerbau und Bodenbestellung sein müßten, damit auch sie einen reichen Ertrag haben (Aristeas 107). „Die Anstrengungen in der Landwirtschaft sind nämlich gewaltig, und ihr Land ist dicht bepflanzt mit
Ölbaumhainen, Getreide und Hülsenfrüchten, dazu (gibt es) noch Wein
und viel Honig; Obst und Feigen sind unermeßlich bei ihnen. Auch
vielerlei Vieh (findet man) und reichliches Weideland dafür" (Aristeas
112)[19]. Aus diesen beiden Texten hat J. Jeremias den Eindruck gewonnen, daß die Kalkböden in der engeren Umgebung Jerusalems
mehr für Olivenbäume, denn für Getreide- und Weinanbau geeignet waren[20]. Mir scheint diese Beurteilung zutreffend. Zugleich aber stellt
sich die Frage, ob vielleicht im judäischen Bergland zwischen dem 5.
und dem 2. Jh. Ackerland in Olivenhaine und Weinberge umgewandelt

---

[16] W. Klaer, Art. Bodenverhältnisse in Palästina. Biblisch-Historisches Handwörterbuch 1, 1962, S. 263f.
[17] H. Kreissig, 1973, S. 47–49.
[18] Text: Eusebios, Praeparatio Evangelica IX 33. Übersetzung und Erläuterung
durch N. Walter, Jüdische Schriften aus hellenistisch-römischer Zeit. Band 1. Historische und legendarische Erzählungen Gütersloh 1976 S. 102.
[19] Aristaeae ad Philocratem. Ed. P. Wendland. Leipzig 1900, S. 33; Übersetzung
von N. Meisner in Jüdische Schriften aus hellenistisch-römischer Zeit. Hg. v. W. G.
Kümmel II,1. Gütersloh 1973, S. 60.
[20] J. Jeremias, 1962, S. 42 und 45.

worden ist. Selbst wenn die Indizien hierfür nicht ausreichen, ist doch diese Möglichkeit nicht von der Hand zu weisen.

Olivenpflanzungen konnten auf Böden angelegt werden, die für den Getreideanbau nicht sehr ertragreich waren. Sie erforderten weniger Arbeit als der Ackerbau. Das wenigstens behaupten die lateinischen Agronomen, die mit einer Relation von einem Mann zu 6,25 ha Ackerland, aber zu 7,5 ha Olivenpflanzungen rechneten[21]. Ackerflächen, deren Ertrag das Aussaat: Ernte-Verhältnis 1 : 4 unterschritt, waren rentabler genutzt, wenn sie als Olivenhaine oder Weinberge genutzt wurden[22]. Allerdings erforderte diese Nutzung Reichtum, da Olivenbäume erst im 10. Jahr nach der Pflanzung Erträge brachten[23]. Außerdem war der Produzent von Oliven darauf angewiesen, sein Produkt gegen Lebensmittel zu verkaufen, während der Ackerbauer seine Lebensmittel im großen und ganzen selbst erzeugte. Es spielten daher sowohl Momente des Reichtums wie des Austausches eine Rolle, ob ein Landstück in der einen oder anderen Weise genutzt wurde.

Das bestätigt ein Seitenblick auf die attische Landwirtschaft des 7. und 6. Jh. v.Chr., wo die dortige Aristokratie das Land der Parzellenbauern in ihre Gewalt gebracht und in Olivenpflanzungen verwandelt hatte. Öl war im Attika dieser Zeit das einzige agrarische Überschußprodukt, weshalb Solon es auch für den Export freigab (Plutarch, Solon 24,1)[24]. In Attika war die Alternative gewesen: Ackerbau oder Olivenpflanzung. Und diese Alternative war eng mit einer anderen verbunden gewesen: Produktion für den Erhalt der bäuerlichen Familie oder Erzeugung eines Überschusses, der als Rente von Investoren angeeignet werden konnte. Daß im zweiten Falle eine Abwanderung der − an der erforderlichen Arbeit gemessen − nutzlosen Familienmitglieder nötig war, folgt auch aus der geringeren Arbeitsintensität der Olivenpflanzungen. Die Verwendung von Kaufsklaven in der Landwirtschaft war eng mit solcher Rationalisierung verbunden.

Eine Entwicklung anderer Art vollzug sich im 2. Jh. v.Chr. in Italien. Nach den punischen Kriegen, die zur Verheerung gerade der ländlichen Regionen geführt hatten, ging man dort zum Anbau von Obst und Gemüse sowie zur Viehzucht über. Dabei trat bald der Weinanbau in den Vordergrund und wurde eine Kapitalanlage ersten Ranges. Columella hat

---

[21] R. Duncan-Jones, The Economy of the Roman Empire. Quantitative Studies. Cambridge 1974.
[22] H. G. Kippenberg, 1977, S. 27f.
[23] H. G. Kippenberg, 1977, S. 28.
[24] Hierzu E. Will, Die ökonomische Entwicklung und die antike Polis, in: H. G. Kippenberg, 1977, S. 100−135, insbes. S. 110.

die Profite des Weinanbaus peinlich genau errechnet. Er war wesentlich arbeitsintensiver als Ackerbau (ein Mann pro 1,75 ha), auch waren die Kosten für die Investition sehr hoch. Für den Anbau wurden vor allem Sklaven verwendet. Der Wein wurde auf dem Markt verkauft und erbrachte große Gewinne[25].

Beide Entwicklungen, die in Attika wie die in Italien, lassen erkennen, daß die Art der Nutzung des Landes von anderen Faktoren abhing: von der Existenz einer über Geld verfügenden Aristokratie sowie von der Möglichkeit des Tausches von Olivenprodukten und Wein gegen Getreide. Zumindest dieser zweite Faktor existierte auch zur Zeit Nehemias. Denn Neh 10,32a setzt voraus, daß die Völker des Landes — gemeint sind Bewohner Palästinas außer den aus dem Exil Heimgekehrten — in Jerusalem Waren und Getreide verkauften. Sicher spiegelt sich hier der größere Reichtum an Getreide in den umliegenden Gebieten. Vielleicht darf man daraus sogar schließen, daß die Getreideerträge des judäischen Berglandes nicht für die Ernährung der Bevölkerung ausgereicht haben. Würde diese Annahme zutreffen, dann wäre die judäische Bevölkerung dazu gezwungen gewesen, solche agrarischen oder handwerklichen Produkte zu erzeugen, die von den Gebieten mit den höheren Getreideüberschüssen benötigt wurden und die als Tauschwerte mehr Getreide einbrachten, als der Boden je hervorbringen konnte. Olivenprodukte und Wein wären solche Produkte gewesen. In diesem Sinne ließen sich die Aussagen von Eupolemos und Aristeas interpretieren. Sie würden als Zeugen einer wirtschaftlichen Entwicklung im judäischen Bergland gelten können. Doch sind die Indizien noch zu schwach, um eine solche Hypothese zu verifizieren.

Handwerk und Handel

H. Kreissig hat die These aufgestellt, daß der bäuerliche Betrieb kaum als Konsument für spezialisierte Handwerksprodukte in Frage kam, sondern in dieser Hinsicht autark war[26]. Man wird nicht von einer nennenswerten Quantität handwerklicher Produkte ausgehen können.

Der älteste Typ des Handwerkers in Israel war — nach einer einleuchtenden Vermutung von F. M. Heichelheim — der ḥārāš, der auch in dem nachexilischen Schrifttum (Esr 3,7; Neh 11,35 u.ö.) erwähnt wird. Die etymologische Abkunft von ḥrš = einschneiden verweist dar-

---

[25] H. G. Kippenberg, 1977, S. 28f.
[26] 1973, S. 63.

auf, daß der ḥārāš nicht nur Metall bearbeitete, sondern auch Stein und Holz[27]. Anders war es in Attika gewesen, wo Schmied, Zimmermann und Lederarbeiter von früh an verschiedene Professionen gewesen waren.

Einige der Handwerker, vielleicht auch alle waren als oder wie Clane organisiert. Neh 3,8.31f. erscheinen Jerusalemer Clane als Berufsgenossenschaften: Goldschmiede, Salbenmischer, Händler. 1Chr 2,55 spricht von drei Clanen von Schreibern, die in Jabez wohnten, 1Chr 4,14 von einem Vater des Tals der Zimmerleute (so auch Neh 11,35), 1Chr 4,21 von Clanen von Byssoswebern in Bêt 'Ašbēa', 4,23 von Töpfern als Bewohnern von Netaim und Gedera. Diese Produkte spielten im Handel, soweit wir von ihm wissen, keine größere Rolle[28].

In bezug auf diesen Handel ist zwischen einem interlokalen Großhandel und einem regionalen Kleinhandel zu unterscheiden. Die Völker des Landes verkaufen in Jerusalem Waren und Getreide, heißt es Neh 10,32. Die Tyrer brachten — am Sabbat — Fische und verschiedene Waren nach Jerusalem (Neh 13,16). Und auch in Juda verletzten etliche die Ruhe des Sabbats und traten die Traubenkelter, luden Getreide auf ihre Esel, dazu Wein, Weintrauben, Feigen sowie andere Lasten, brachten diese nach Jerusalem und verkauften sie dort (Neh 13,15). Die Produzenten werden meistens ihre Waren selbst verkauft haben, zuweilen sie auch Händlern (rōkēl) in Kommission gegeben haben. Neh 13,20 führt wenigstens aus, daß Nehemia die Händler und die Verkäufer dieser Waren am Sabbat aus Jerusalem fern hielt.

Über den internationalen Handel in achämenidischer Zeit haben wir wenig Kenntnis. Nur für den Beginn des 6. Jh. existiert eine aufschlußreiche Quelle, nämlich das 27. Kapitel des Ezechielbuches. Es schildert en détail, wie der internationale Tauschhandel in Tyrus (Anfang des 6. Jh.) blühte. Als Handelspartner treten auch das einstige Südreich Juda und das ehemalige Nordreich Israel auf. „Juda und das Land Israel trieben Handel mit dir. Minnithweizen, pannag (wohl auch ein bäuerliches Produkt)[29], Honig, Öl und Mastixharz gaben sie dir zum Austausch[30]

---

[27] F. M. Heichelheim, An Ancient Economic History. Band 1 Leiden 1958, S. 261-264; A. S. Kapelrud, Art. Schmied. Biblisch-Historisches Handwörterbuch 3, 1966, S. 1704f.

[28] Zum Handel H. Kreissig, 1973, S. 65—70.

[29] Zum Text siehe W. Zimmerli, Ezechiel. BK Band 13,2. Neukirchen 1969, S. 630f.

[30] מערב könnte von „Pfand geben" abgeleitet sein oder mit einem im Südarabischen und Syrischen bekannten 'rb = geben zusammenhängen (W. Zimmerli, a.a.O., S. 629).

(Ez 27,17). Hier werden die Produkte aufgezählt, die Judäa und Israel als Überschußprodukte zum Tausch anbieten konnten. Es handelt sich dabei ausschließlich um landwirtschaftliche Erzeugnisse. Wenn es Esr 3,7 heißt, die Judäer hätten den Sidoniern für ihre Dienste beim Tempelbau „Speise, Getränke und Öl" gegeben, so entspricht dies dem Bild, das wir auch sonst gewonnen haben. Eingeführt wurden in Judäa Gold, Edelsteine, Edelholz und vor allem griechische Keramik[31].

Die Ausbreitung des Münzgeldes

Die Ausbreitung des Münzgeldes unterscheidet die Zeit der persischen Herrschaft von den vorausgehenden Epochen. Die Bedeutung dieser Neuerung für das Wirtschaften im judäischen Bergland soll hier dargestellt werden.

Zuvor sei auf den Unterschied zwischen Geld und Münzgeld verwiesen. Geld als ein Wertmesser beim Austausch von Produkten hat selbstverständlich schon lange vor dem Münzgeld existiert. Das hat B. Laum für die Verhältnisse des archaischen Griechenlands nachgewiesen[32] und das trifft auch auf die israelitisch-jüdischen Verhältnisse zu. Auch hier sind die archaischen Verhältnisse durch eine Identität von Reichtum und Viehbesitz gekennzeichnet, wie sie auch im archaischen Griechenland bestand. Darauf deuten eine Reihe alttestamentlicher Texte (Gen 13,2; 32,5; 1Sam 25,2; Hiob 1,3; 2Sam 12,2) sowie der etymologische Zusammenhang von miqne (Besitz von Vieh) und miqnā (Erwerbung durch Kauf). Daneben aber wurde — ebenfalls wie in Griechenland — Silber und Gold bei Transaktionen verwendet (Gen 20,16; 37,28). Es hatte die Form von Schmuckstücken — vergleichbar den Kleinodien der homerischen Helden — (Num 31,50; Jos 7,21; Gen 24,22; Hiob 42,11), die nach sumerisch-babylonischer Methode gewogen wurden (dem Šekel) (Gen 23,16; Jer 32,9). Schon lange vor der Einführung des Münzgeldes gab es Geld in der Form des gewogenen Silbers bzw. Goldes[33].

---

31 H. Kreissig, 1973, S. 66f. „Die Bedeutung der bemalten Keramik für den griechischen Handel" hat R. M. Cook im Jahrbuch des deutschen archäologischen Instituts 74, 1959, S. 114—123 dargestellt.
32 B. Laum, Heiliges Geld. Eine historische Untersuchung über den sakralen Ursprung des Geldes. Tübingen 1924.
33 Eine zusammenfassende Darstellung dieser auf das Münzgeld zulaufenden Praxis verdanken wir M. Balmuth, The Monetary Forerunners of Coinage in Phoenicia and Palestine, in: A. Kindler (Ed.), The Patterns of Monetary Development in Phoenicia and Palestine in Antiquity. Jerusalem 1967, S. 25—31.

Die ersten Münzen, die im Alten Testament erwähnt werden, sind die persischen Golddareiken gewesen: Esra 2,69 und Neh 7,70—72. Neben dieser vom persischen Herrscher (nach 517 v.Chr.) geprägten Goldmünze waren in Judäa athenische Silbermünzen im Umlauf, wie entsprechende archäologische Funde gezeigt haben[34]. Das griechische Silbergeld nahm im 6. und 5. Jh. in den Ländern des östlichen Mittelmeeraumes eine geradezu beherrschende Stellung ein, während Silberschekel aus den persischen Prägestätten nur eine zweitrangige Rolle spielten[35]. Silbermünzen konnten auch von den Provinzen des persischen Imperiums selbst geprägt werden, wie die judäischen Y^{c}hud-Münzen des 4. Jh. zeigen[36]. Die Neh 5,15 und 10,33 erwähnten Silberschekel werden solche Silbermünzen gewesen sein (so B. Kanael). Die Golddareike wog ca. 8,4 Gramm, der persische Silberschekel 5,6 Gramm. Sie wurden 1 zu 20 getauscht, entsprechend einem Wechselverhältnis 1 : 13 zwischen Gold und Silber[37].

Die Verbreitung der athenischen Tetradrachme war sehr wahrscheinlich eine Folge des Handels mit Griechenland gewesen. Darüberhinaus aber waren die Silbermünzen wesentlich praktischer gewesen als Goldmünzen, deren Wert sehr hoch lag[38]. Ein Golddareikos hatte eine Kaufkraft von ungefähr 300 Litern Gerste[39], während man mit einer Silbermünze entsprechend kleinere Quantitäten erwerben konnte. So war die 2,08 Gramm wiegende Silbermünze vom Typ der Y^{c}hud-Prägung besonders für die Entlohnung der Söldner geeignet[40].

Über den Zweck der Münzprägung im persischen Reich sind wir gut informiert. Dareios habe — so schreibt Herodot — als erster die Abgaben festgesetzt, die von den Völkern an den Staat zu zahlen seien.

Herodot, Historien III 89:

„Danach teilte er das Perserreich in zwanzig Provinzen, die bei ihnen Satrapien heißen. Nachdem er die Satrapien errichtet und die Statthalter eingesetzt hatte, setzte er die Steuern fest, die ihm von den Völkern eingehen sollten. Die Völker faßte er mit ihren Grenznachbarn zusam-

---

[34] B. Kanael, 1963, S. 40.
[35] M. A. Dandamayev, 1972, S. 46.
[36] B. Kanael, 1963, S. 40.
[37] Herodot III 95 nennt dieses Wechselverhältnis. Zum Gewicht der Münzen M. A. Dandamayev, 1972, S. 45. Laut Dubberstein, 1939, ist der Wert des Goldes in Babylonien im Laufe der Jahre gewachsen (S. 23).
[38] Hierzu C. M. Kraay, Hoards, Small Change and the Origin of Coinage, Journal of Hellenic Studies 84, 1964, S. 76—91.
[39] A. Ben-David, 1969, S. 43.
[40] B. Kanael, 1963, S. 40.

men, und auch über die nächste Umgebung hinaus wurden weiter wegliegende Stämme diesem oder jenem Volk angeschlossen. Die Verteilung der Satrapien und der jährlichen Abgaben erfolgte so: Denen, die Silber abzuführen hatten, war aufgegeben, das Talent nach babylonischem Gewicht zu entrichten, denen, die Gold abgaben, nach euboischem Gewicht. Das babylonische Talent gilt 78 euboische Minen. Unter der Herrschaft des Kyros nämlich und des Kambyses gab es noch keine festen Bestimmungen über die Tribute; die Völker brachten vielmehr Geschenke. Wegen dieser Abgabenordnung und noch einiger ähnlicher Maßnahmen sagen die Perser, Dareios sei ein Kaufmann, Kambyses ein Herr, Kyros aber ein Vater gewesen; denn Dareios habe in allem nach Krämerart gehandelt; Kambyses sei hart und rücksichtslos gewesen, Kyros mild; und ihm verdankten sie alles Gute."[41]

Judäa lag laut Herodot III 91 im fünften Steuerbezirk, der eine Gesamtsumme von 350 Talenten Silber zu entrichten hatte[42]. Mit der Einführung des Münzgeldes schuf sich der persische Zentralstaat der Achämeniden ein Instrument, Einnahmen und Ausgaben berechenbar zu machen[43]. Grund der Münzprägung war das staatliche Interesse an der Normierung des Tributs. Zugleich aber war mit dieser Neuerung eine beträchtliche Wirkung verbunden, die sich vor allem in einer durchgehenden Bewertung von Gütern und Menschen niederschlug und zu einer Regelung bzw. Normierung sozialer Beziehungen beitrug[44].

Die Bewohner Judäas verfügten über keine Silberbergwerke, aus deren Förderung sie das erforderliche Silbergeld hätten entrichten können. So mußten sie den geforderten Tribut durch den Verkauf agrarischer Surplusprodukte aufbringen. Es wurde eine Grundsteuer festgesetzt, die von dem jeweiligen Eigentümer in Silbergeld abzuführen war (Neh 5,4). Die Größe der bäuerlichen Familienbetriebe wird in aller Regel die Erwirtschaftung eines solchen Surplus nicht zugelassen haben, war doch bei der Zuteilung des Grund und Bodens an die Heimgekehrten sicher erst einmal von dem Bedarf der wirtschaftenden Familie, nicht aber von dem des Staates an ein Surplus ausgegangen worden. Erbtei-

---

[41] Text und Übersetzung: Herodot Historien. Hg. v. J. Feix. München 1963, S. 444—447.
[42] Die von Herodot überlieferte Satrapienliste stimmt nicht mit den Angaben auf den altpersischen Inschriften überein und scheint erst aus der Zeit nach Dareios (522—486) zu stammen: so M. A. Dandamayev, 1972, S. 19f.
[43] Ein ähnliches Interesse vermutet C. M. Kraay (s. S. o. Anm. 38) auch bei den ersten Münzemissionen in Griechenland (1964, S. 89), doch würde ich hier eher der Hypothese von E. Will (die ersten Münzemissionen als Folge einer Umverteilung konfiszierten Reichtums) zustimmen (1977, S. 205—222).
[44] Dies legt Will in dem genannten Aufsatz dar.

lungen und Bevölkerungswachstum werden in die gleiche Richtung gewirkt haben. Selbst wenn aber ein Betrieb ein Surplus erwirtschaftete, mußte dieses ja erst verkauft werden, ehe der Eigentümer Silbergeld in den Händen hielt. Es herrschte daher ein eiserner Zwang, die betrieblichen Ressourcen ganz in den Dienst einer Produktion von begehrten Tauschwerten zu stellen.

In diesem Zusammenhang ist noch von der Wertrelation zwischen den bäuerlichen Produkten und dem Silbergeld zu sprechen. Im Alten Testament finden sich an einigen Stellen Hinweise auf diese Relation. Ein Homer Gerste (= ca 370 Liter) hatte laut Lev 27,16 einen Wert von 50 Schekel Silber. Da ein Schekel 11,5 Gramm Silber hatte, ergibt sich hier das Verhältnis von 7,4 Liter Gerste pro Schekel[45]. Doch sind solche Angaben mit Vorsicht zu nehmen. Es wird sicherlich ganz beträchtliche Schwankungen im Laufe eines Jahres gegeben haben, je nachdem, ob man die Erntezeit oder die knappen Monate vor der nächsten Ernte ins Auge faßt[46]. Auch scheint es langfristige Schwankungen gegeben zu haben. Dubberstein hat an Hand chaldäischer Urkunden nachgewiesen, daß die Gerstenpreise, aber auch die anderen Preise in Babylonien während des 6. und 5. Jahrhunderts permanent gestiegen sind[47]. Davon werden sicherlich auch jene profitiert haben, die in Judäa über ein agrarisches Surplus verfügten. Ob allerdings die Bauern in den Genuß dieser Deflation gekommen sind, die ja einer steuerlichen Entlastung gleich kam wird man zumindest fragen müssen. In der griechischen Zeit hat es dann offenbar die umgekehrte Entwicklung gegeben. „Zur Zeit des Darius — so schreibt A. Ben-David — war Gerste im Verhältnis zum Währungssilber sehr teuer, mit einem Gramm Silber konnte man nur 2,7 Liter Gerste kaufen, während man zur Zeit der Mischna mit derselben Silbermenge 7,2 Liter Gerste erwerben konnte."[48] Vom Gesichtspunkt des Bauern aus war eine solche Entwicklung der Preise außerordentlich ungünstig, da sie die Relation von Silber und Agrarprodukt zu seinen Ungunsten verschob.

Zusammenfassung

Die judäischen Haushalte der persischen Zeit sind keine geschlossenen, allein für den Eigenbedarf produzierenden Oiken gewesen. Vor allem

---

[45] Weiteres Material im Art. von H. Hamburger, Money. The Interpreter's Dictionary of the Bible 3, 1962, S. 423—435.
[46] W. H. Dubberstein, 1939, S. 27.
[47] A.a.O., S. 26 mit Anm. 23 und 24.
[48] A. Ben-David, 1969, S. 43.

die Entrichtung einer Grundsteuer in Silbergeld schloß solche Autarkie aus. Da Judäa nicht über Silberbergwerke verfügte, auch eine nennenswerte handwerkliche Produktion — etwa den attischen Keramik-Ergasterien vergleichbar — nicht existierte, oblag die Last der Erwirtschaftung der vom Staat eingezogenen Werte ganz den bäuerlichen Betrieben. Sie waren gezwungen, ein Surplus zu erzeugen und dieses gegen Silbergeld zu verkaufen. Praktisch hieß das: sie mußten die Zahl der vom Ertrag lebenden Familienmitglieder vermindern und sich auf einträgliche Produkte spezialisieren. Getreide, Olivenprodukte, Wein und Vieh kamen für den Verkauf in Frage. Allerdings war Getreide im judäischen Bergland wohl kaum im Überfluß vorhanden. Blieben Olivenprodukte und Wein, deren Anbau hier durchaus rentabel war. Die besondere Stellung, die Olivenanbau und Weinbau in zwei Texten des 2. Jh. v.Chr. einnehmen, könnten für eine Veränderung der Landwirtschaft in diese Richtung sprechen. Allerdings war man beim Verkauf eines solchen Überschußproduktes auf fremde Händler angewiesen, wie man auch auf das Getreide der ertragreichen Bewässerungsfelder der umliegenden Gebiete angewiesen war. Diese wirtschaftlichen Notwendigkeiten hatten ihre Folgen für den Zusammenhalt des judäischen Ethnos. Hiervon soll im folgenden Kapitel gehandelt werden.

4. Agrarkrise, bäuerlicher Widerstand und die Reform Nehemias (446–434 v.Chr.)

Zur Typik antiker Entwicklung

Ehe wir Etappen und Auflösung der ökonomischen und politischen Krise in Judäa darstellen, sei ein Blick auf die Entstehung der attischen, speziell athenischen Polis geworfen. Denn deren Einzelheiten sind außergewöhnlich gut dokumentiert. Ferner zeigt sich in der Geschichte Athens zur Zeit Solons eine Verflechtung dreier Prozesse, die ähnlich auch in der Geschichte Judäas zur Zeit Nehemias zu erkennen sind. Gehen wir von der Darstellung des Aristoteles aus. Er schreibt in der Athēnaiōn Politeia Kap. 2:

„Danach (d.h. dem Streit um Kylon) gab es für lange Zeit Auseinandersetzungen zwischen den Aristokraten und der Volksmenge. Denn es war die damalige Verfassung oligarchisch, und die Armen waren zusammen mit ihren Frauen und Kindern Sklaven der Reichen. Und sie wurden pelatai und hektēmoroi (die, die ein Sechstel vom Ertrag der Ernte entrichten[1] – d. Verf.) genannt. Denn sie bearbeiteten die Länder der Reichen gegen Entrichtung dieser Rente. Alles Land aber war in den Händen weniger. Und wenn sie diese Renten nicht entrichteten, konnten sie und ihre Kinder versklavt werden (ἀγώγιμοι). Alle Darlehen waren bis zur Zeit Solons auf die Person ausgeliehen."[2]

Aristoteles stellt hier in knappen Worten zwei aufeinander folgende Stufen der Abhängigkeit dar. Der verarmte Bauer wird zum Hektemoros, der das Land gegen die Entrichtung einer Rente von $^1/_6$ des Ertrages bearbeitet; kann er diese Rente nicht mehr entrichten, kann er und seine Familie in die Sklaverei verkauft werden. Die parallele Ausführung von Plutarch, Solon 13 sieht zwar in den Positionen des Hektemoros und des Sklaven zwei voneinander unabhängige Wege in die Abhängigkeit. Sachlich aber – das haben die neueren Arbeiten von E. Will und M. I. Finley bestätigt[3] – gebührt Aristoteles der Vorrang, weil die In-

[1] K. v. Fritz, The Meaning of ἐκτήμορος, American Journal of Philology 61, 1940, S. 54ff. und 64, 1943, S. 24ff.
[2] Text und Kommentar: J. E. Sandys, Aristotle's Constitution of Athens. London 1912, S. 4f.
[3] Diese Annahme hat bereits W. J. Woodhouse begründet: Solon the Liberator. A Study of the Agrarian Problem in Attika in the Seventh Century. London 1938,

stitution der personalen Haftung eben nicht erst die Versklavung begründet hat, wie Plutarch meint (Solon 13)[4], sondern bereits den Hektemoros-Status. Verbunden sind die Etappen der Abhängigkeit durch den Zwang, ein Surplus zu erzeugen. Der Zusammenhang von Rentabilität und Rente ist nicht zu übersehen. Vermag der abhängige Bauer eine Rente nicht mehr zu erwirtschaften, dann wird sein Leib in die Sklaverei verkauft.

Auf die Zunahme von Ungleichheit reagierten die Betroffenen mit Forderungen nach sozialen Veränderungen. Befreiung der Schuldner und Sklaven sowie Neuverteilung von Grund und Boden waren die wichtigsten Forderungen (Plutarch, Solon 13). Die letztere ging von enteigneten und landlosen Produzenten aus, während die erstere Forderung wohl vor allem von den Zinshörigen vorgebracht wurde. Beide Forderungen wollten, jeweils entsprechend der sozialen Lage, ein und dasselbe Ziel erreichen: die unabhängige Familie auf dem eigenen Grund und Boden. Wichtig scheint mir auch, daß beide Forderungen mit traditionalen Institutionen (agnatischem Erbrecht und personaler Haftung) brachen.

Die Reform Solons, drittes Element in diesem ganzen Prozeß, rühmte sich, nicht der radikalen Forderung einer Neuaufteilung des Landes gefolgt zu sein (Aristoteles, Athēnaiōn Politeia 11,2), sondern einen Schuldenerlaß durchgesetzt und die Institution personaler Haftung für Schulden untersagt zu haben (Aristoteles a.a.O. 5,3—6,2). Damit war den aristokratischen Grundherrschaften die wirtschaftliche und herrschaftliche Basis entzogen. Die neue Ordnung aber war nicht durch eine egalitäre Verteilung des Grund und Bodens gekennzeichnet, sondern durch die Macht des Geldes.

Die Agrarkrise in Judäa

Die Nehemia-Denkschrift[5] ist durchzogen von sozialen Auseinandersetzung, deren Inhalt von Kap. 5 her entwickelt werden kann[6].

Kapitel 12 (übersetzt in Kippenberg, 1977, S. 136—157). Auch die Arbeiten von E. Will (Die ökonomische Entwicklung und die antike Polis) sowie von M. I. Finley (Die Schuldknechtschaft) sind in diesem Band zu finden.
4 Text: Plutarchi Vitae Parallelae. Vol 1,1. Ed. K. Ziegler. Leipzig 1960.
5 Zu dieser: G. v. Rad, Die Nehemia-Denkschrift, ZAW 76, 1964, S. 176—187; U. Kellermann, 1967, S. 4—73.
6 Kommentare: W. Rudolph, HAT 1. Reihe, Bd. 20, 1949, S. 128—131; F. Michaeli, Commentaire de l'Ancien Testament 16, 1967, S. 325—329. Literarkritische Analyse:

Neh 5,1–5:

„Und es erhob sich eine große Klage im Volk und besonders bei den Frauen gegen ihre jüdischen Brüder. Die einen sagten: ‚Unsere Söhne und Töchter müssen wir verpfänden[7], damit wir Korn bekommen und zu essen haben und leben können.‘ Andere sagten: ‚Unsere Felder und Weinberge und Häuser müssen wir verpfänden, damit wir Korn in der Hungerzeit bekommen‘. Wieder andere sagten: ‚Wir haben zur Bezahlung der Königssteuer (middā) Geld leihen müssen. Jetzt aber ist unser Fleisch wie das Fleisch unserer Brüder und unsere Kinder sind wie ihre Kinder, und doch müssen wir unsere Söhne und unsere Töchter zu Sklaven erniedrigen lassen. Ja, von unseren Töchtern sind bereits einige entwürdigt, und wir können nichts dagegen tun, weil unsere Felder und Weinberge bereits anderen (oder: den Vornehmen) gehören.“

Die Klagenden sind in drei Gruppen geteilt: die erste mußte – um Nahrung zu bekommen – die Kinder verpfänden; die zweite mußte in der Hungerszeit ihren Grundbesitz verpfänden; die dritte war auf Grund fiskalischer Schuld[8] gezwungen, ihre Kinder in die Sklaverei zu verkaufen. Einige der Töchter sind bereits Sklavinnen von Heiden geworden.

In Erinnerung an die von Aristoteles dargestellten Stufen der Abhängigkeit wird auch diesem Text die Frage gestellt werden können, ob er unterschiedliche Gruppen nebeneinander stellt, oder ob er über die Stufen von Abhängigkeiten etwas aussagt. H. Kreissig entscheidet sich ohne viel Federlesen fürs Erstere. „Die ersten besitzen also offenbar nichts als ihre Kinder als Tauschobjekt. Die dritten müssen Geld leihen, da sie nicht über ihre Felder und Weinberge verfügen können. Die mittlere Gruppe aber kann dies: sie müssen also Eigentümer ihres Landes sein.“[9] Eine solcher Interpretation unterschätzt jedoch den letzten Satz Neh 5,5, der einen Zusammenhang herstellt: weil die Verschuldeten nicht über ihre Felder und Weinberge verfügen, sind sie gegenüber einer Versklavung ihrer Kinder ohnmächtig. In den Worten des Aristoteles: die Kinder werden agōgimoi. Davon unterschieden ist die Verpfändung (von ערב)[10] von Kindern. Diese entspricht dem israelitisch-jüdischen

---

U. Kellermann, 1967, S. 19–21. Das Kapitel zählt bis auf unbedeutende Veränderungen zur Nehemia-Denkschrift.

[7] Statt רבים ist ערבים zu lesen: W. Rudolph, Biblia Hebraica Stuttgartensia 14, 1976, S. 57.

[8] Persische Steuern sind auch Esra 4,13.20; 7,24 erwähnt. Die middā versteht H. Kreissig als Grundsteuer entsprechend der Größe des Grundstückes (1973, S. 90).

[9] 1973, S. 79.

[10] ‘ārab V. 2 und 3 bedeutet – wie Z. W. Falk formuliert – die Übergabe eines Gegenstandes an den Gläubiger zur Sicherung der Schuld (Zum jüdischen Bürgschaftsrecht, Revue internationale des droits de l'antiquité 3ᵉ série 10, 1963, S. 43–54).

Haftungsrecht, das vorsieht, einen insolventen Schuldner persönlich oder in Gestalt von Familienmitgliedern zur Abarbeitung seiner Schuld heranzuziehen[11]. War eine solche direkte Ableistung nicht möglich, dann konnte der Schuldner bzw. dessen Familie in die Schuldknechtschaft eines Dritten verkauft werden und vom Erlös wurde der Gläubiger befriedigt (Ex 21,2ff.; 22,3; Dtn 15,12–18; Lev 25,39). Besaß ein Schuldner noch Land und Familie, dann wird er sicher als erstes seine Kinder zur Abdienung der Schuld hergegeben haben. Die von Neh 5,5 postulierte Abfolge Verpfändung von Land — Versklavung der Kinder wird daher m.E. mit der Verpfändung von Kindern begonnen haben.

Diese unsere Hypothese von einer bestimmten Sequenz in der Herausbildung der Abhängigkeit wird durch das Sabbat- und Yobeljahrkapitel des Heiligkeitsgesetzes bestätigt und modifiziert. Es zählt folgende Fälle der Verarmung des Bruders auf:

— er verkauft Land bzw. sein Haus (Lev 25,26.29.31)
— er nimmt Geld oder Naturalien als Darlehen auf und ist zu Zins und Abgabe verpflichtet (V. 35–37)
— er wird an einen Israeliten verkauft (V. 39)
— er wird an einen Fremden verkauft (V. 47).

Anders als Nehemia 5 tritt Schuldknechtschaft (allerdings die des Familienoberhauptes, nicht der Familienmitglieder) erst nach Verpfändung der Immobilien auf. Offenbar war beides möglich, je nach Lage der Dinge. Der zuerst genannte Fall eines Verkaufes ist ein Verkauf mit Loskaufsrecht. Vielleicht kann man daraus folgern, daß der Verkauf von Land an den agnatischen gō'ēl der erste Schritt war, den ein verarmter Bauer tat. Erst wenn ein solcher Verkauf nicht möglich war, traten die anderen Formen der Kompensation ein.

Besondere Beachtung verdient die zweite Gruppe vom Neh 5. Die ihr Angehörenden haben Felder, Weinberge, Häuser und — wie Vers 11 ausführt — Ölpflanzungen den Gläubigern als Pfand (maššā — Neh 5,10f.) überlassen müssen. Damit ist aber nicht ein fremdes Eigentumsverhältnis am Land begründet. Vielmehr ergeben sich daraus, wie Neh 5,11 ausführt, Rechte des Gläubigers auf Geld, Korn, Wein und Öl. Wie H. Weil erkannt hat, bezeichnet maššā nicht etwa das Darlehen, das der Schuldner dem Gläubiger schuldet. Es handelt sich um ein Pfand, dessen Nießrecht an den Gläubiger übergegangen ist — um ein antichretisches Pfand[12]. Es sind

---

11 Siehe hierzu weiter unten S. 72ff.
12 Gage et cautionnement dans la Bible, Archives d'histoire du droit oriental 2, 1938, S. 176–198.

hier die Surplus-Erträge, auf die der Gläubiger Anrecht hat. Nicht anders war auch in der attischen Sozialgeschichte die hypothekarische Belastung von Grundstücken der formale Ausdruck einer Zinspflicht des Bauern[13]. Wenn Lev 25,35—57 die Forderung aufstellt, vom verarmten Bruder keinen Zins für geliehenes Geld und keine zusätzliche Menge für ein Naturaldarlehen zu fordern, dann steht auch hier diese Praxis zur Rede. Waren die Produzenten nicht in der Lage, ihren Feldern oder ihren Mägen solche zusätzlichen Erträge abzuringen, dann drohte ihnen der Verkauf in die Sklaverei. Anders als die Schuldknechtschaft war dieser Akt definitiv und irreversibel[14].

Die Pfandinstitution wird bereits von dem Propheten Micha (8. Jh. v.Chr.) als Instrument der Herrschenden angeprangert.

Micha 2,1f.:

„Wehe denen, die Gewalttat sinnen auf ihrem Lager und sie ausführen, wenn es Tag wird. Denn es steht ja in ihrer Gewalt! Sie begehren Felder — und nehmen sie mit Gewalt, Häuser — und nehmen sie als Pfand (von nš'). Sie üben Gewalt an Mann, Haus und Bodenanteil".

Die Institution des Pfandes wird als Gewaltverhältnis verstanden. Détails dieser Institution sind einigen Schuldurkunden der Elephantine — Papyri (5. Jh. v.Chr.) zu entnehmen. Es handelt sich um Cowley Pap. 10 und 11 sowie Kraeling Pap. 11. Zu betonen ist allerdings, daß eine schriftliche Beurkundung sich von dem alltäglichen Wirken dieser Institution unterscheiden kann. Noch gravierender ist, daß die Papyri von Juden aus Ägypten, nicht aber aus Judäa stammen.

In Cowley Pap. 10 leiht eine Frau gegen Zins von 60% per annum vier Schekel Silbergeld:

„Wenn der Zins (מרביתא) dem Kapital (ראש) hinzugefügt wird, werden beide, Zins wie Kapital, zunehmen. Wenn das zweite Jahr kommt, und ich dir nicht dein Silbergeld samt Zins zurückgezahlt habe, wie es schriftlich vereinbart wurde, dann hast du, Mešullam samt deinen Kindern das Recht, alles, was du von mir im Schatzhaus findest: Silber und Gold, Bronze und Eisen, Sklave und Sklavin, Gerste, Weizen und Lebensmittel, die du bei mir findest, als 'arabon zu nehmen, bis dir Geld und Zins ersetzt sind" (Pap. 10,6—11)[15].

---

[13] S.o. S. 34f.
[14] Diese ganze wesentliche Unterscheidung hat M. I. Finley in seinem Aufsatz ‚Die Schuldknechtschaft' (in: Kippenberg, 1977, S. 173—204) ausgearbeitet.
[15] Text und englische Übersetzung: A. E. Cowley, 1923, S. 30.

Das Pfand kann also erst nach einer bestimmten Frist vom Gläubiger „genommen" werden. Der Wert der zur Pfändung freigegebenen Werte übersteigt bei Weitem jene lächerlichen vier Silberschekel, die geliehen wurden. Diese Diskrepanz könnte die üblen Wirkungen dieser Institution mit bewirkt haben. Schließlich fällt auf, daß der Schuldner in den Papyri 10 und 11 (A. E. Cowley) auf Rechtsmittel gegen diese Pfändung ausdrücklich verzichtet. „Und ich werde nicht das Recht haben, gegen dich vor dem Statthalter und dem Richter zu klagen, daß du von mir 'arabon genommen hast, solange sich diese Urkunde in deiner Hand befindet" (10,12–14)[16]. Daß der Statthalter Appellationsinstanz war, bestätigt ja auch die Darstellung Nehemia 5. Wenn Micha die Pfandinstitution als ein Mittel der Gewalt und des Unrechtes anprangert, dann hat dies seinen Grund darin, daß sie einen direkten Zugriff des Gläubigers auf das Eigentum und die Familie des Schuldners gestattete und daß es keine Äquivalenz zwischen dem Darlehen und dem Objekt der Pfändung gab.

Nehemia Kapitel 5 geht auch noch ein wenig auf die Hintergründe der Krise seiner Zeit ein. Einmal wird eine handfeste Subsistenzkrise angedeutet: die Familienbetriebe erzeugten nicht mehr das zu ihrer Reproduktion Notwendige. Die Gründe hierfür werden nicht genannt, sind daher nur zu erraten: die Bodenqualität könnte gesunken sein, das Wetter mag die Erträge gemindert haben, die Zahl der Familienmitglieder könnte zu groß geworden sein, die Erbteilungen haben vielleicht die Betriebsflächen verkleinert. Zweitens trieben die staatlichen Ansprüche an die Entrichtung einer Grundsteuer entsprechend der Größe des Grundstückes die Familienbetriebe in die Krise. Und diese Steuer mußte noch in Münzgeld entrichtet werden. Was blieb dem Bauern, dessen Felder und Weinberg bereits verpfändet waren, anderes übrig, als Söhne und Töchter in die Sklaverei zu verkaufen? Tyros und Sidon, so klagt Joel 4,6, haben die Kinder Judäas und Jerusalems den Griechen verkauft. Es ist hier der Hinweis nicht unangebracht, daß die Preise für Sklaven in der persischen Zeit gestiegen waren und über sechzig Silberschekel lagen[17]. Die wichtigste Ursache aber war nach der Darstellung des Nehemia das Interesse der Vornehmen und Vorsteher an der Verschuldung ihrer ärmeren Mitbürger. Diesen Aspekt werden wir weiter unten noch genauer behandeln. Zuvor seien noch die terminologischen Merkmale dieser Klassenbildung erörtert.

---

16 „Gib 'arabon" war eine übliche Wendung beim Abschluß eines Darlehenskontraktes (Pap. 42,5 Cowley).
17 W. H. Dubberstein, 1939, S. 35.

Unmißverständlich sind die Termini 'ebed = Sklave und śākîr = Lohnarbeiter. Das 'ebed-Verhältnis ist die letzte Stufe der Abhängigkeit, in
der ein Mensch zum Kaufobjekt wurde. Dabei unterschieden die alttestamentlichen Gesetzesbücher zwischen einem Kaufsklaven und einem
hebräischen (Schuld-)Sklaven, der nach sechs Jahren Dienst freigelassen
werden soll (Ex 21,2; Dtn 15,12; Lev 25,39–41). Die verpfändeten Kinder von Neh 5,2 waren solche hebräischen Schuldsklaven. Auch die Position des Lohnarbeiters ist nicht weiter problematisch: wer sein Land
verloren, seine Schulden abgearbeitet hatte, dem wird nichts anderes
übrig geblieben sein, als seine Arbeitskraft zu verdingen. Daß dies zuweilen für einen festen Zeitraum von drei Jahren geschah, sagt Jes 21,
16[18].

Der Terminus tôšāb greift über diese ökonomischen Kategorien hinaus.
Wörtlich wäre er mit „Ansässiger" zu übersetzen, ist er doch von jšb =
„wohnen, siedeln" gebildet. Der zuerst in der Priesterschrift übliche Begriff gehört der Rechtssprache an und bezeichnet den in Israel ansässi-
gen Fremden nach seiner sozialen (nicht aber religiösen) Stellung in
der Gemeinschaft[19]. Er kann ebensogut wohlhabend sein (Lev 25,47)
wie ohne Vermögen (Lev 22,10; 25,40). Ihn pointiert einen abhängigen
Besitzer zu nennen — wie es H. Kreissig und I. P. Vejnberg tun[20] —
überzeugt mich nicht. Allerdings darf hier der Hinweis auf Lev 25,35
nicht fehlen, wo — bei allen Bedenken angesichts der schwierigen Textbasis — gēr und tôšāb die soziale Lage eines Israeliten ohne Grundeigentum bezeichnen[21].

Ein weiterer Begriff 'ikkār ist aus sieben alttestamentlichen Texten bekannt. Dreimal bezeichnet er einen vom Grundherren abhängigen Bauer
Jes 61,5; 2Chr 26,10 und Joel 1,11. Die zeitlich späte Herkunft dieser
Texte erlaubt den Schluß, daß es erst nach dem Ende des Exils ein Ab-
hängigkeitsverhältnis dieser Art gegeben hat[22].

---

[18] M. Sulzberger, The Status of Labour in Ancient Israel, Jewish Quarterly Review
13, 1922/23, S. 245–302; 397–459; Hinweis auf die entsprechende Stelle: S. 277.
[19] A. Bertholet, 1896, S. 159f.
[20] H. Kreissig, 1973, S. 86–91; I. P. Vejnberg, Probleme der sozial-ökonomischen
Struktur Judäas vom 6. Jahrhundert v.u.Z. bis zum 1. Jahrhundert u.Z., Jahrbuch
für Wirtschaftsgeschichte, 1973, S. 237–251.
[21] A. Bertholet, 1896, S. 161.
[22] Ganz anders M. Weber, der bereits in ältester Zeit die Teilpacht (die er mit dem
römischen Begriff des Kolonats bezeichnet) ansetzt (1966, S. 26 und 1924, S. 83–
93). W. Caspari (1922) hat Webers These sorgfältig an den at. Texten kontrolliert
und ist zu dem kaum bezweifelbaren Schluß gelangt, daß die Teilpacht (der Kolonat) zuerst in der nachexilischen Zeit bezeugt ist (Hiob 24,4–11; 31,38f.), während
die gesetzlichen Texte des AT eine Landpacht nicht kennen.

Nach dieser ausführlichen Analyse von Neh 5,1—5 wollen wir uns der restlichen Darstellung zuwenden.

Neh 5,6—12:

„Da wurde ich (Nehemia) sehr zornig, als ich ihre Klage und diese Worte hörte. Ich ging mit mir zu Rate. Dann nahm ich mir die Vornehmen (ḥōrîm) und die Vorsteher (sᵉgānîm) vor und sprach zu ihnen: ‚Eine Pfandhaftung[23] legt ihr einer wie der andere auf seinen Bruder‘. Und ich berief gegen sie eine große Volksversammlung ein und hielt ihnen vor: ‚Wir haben unsere judäischen Brüder, die an die Heiden verkauft worden waren, so gut wir konnten (los)gekauft. Und jetzt verkauft ihr sogar selbst eure Brüder, sodaß sie von uns zurückgekauft werden müssen‘. Da schwiegen sie und fanden keine Gegenrede. Und ich sprach: ‚Was ihr da macht, ist nicht gut. Solltet ihr nicht (schon) wegen der Verhöhnungen unserer heidnischen Feinde in der Furcht unseres Gottes wandeln? Auch ich sowie meine Brüder und Dienstleute haben bei ihnen Silbergeld und Korn ausstehen, und wir wollen von der (daraus folgenden) Pfandhaftung (maššā) lassen. Gebt ihnen unverzüglich ihre Felder, Weinberge, Ölpflanzungen und Häuser (zur eigenen Nutznießung) zurück und (erlaßt) die Pfandhaftung[24] an Geld und Korn, Wein und Öl, die ihr bei ihnen ausstehen habt‘. Da sprachen sie: ‚Wir wollen sie zurückgeben und nichts mehr von ihnen fordern; so, wie du es sagst, wollen wir es tun‘. Und ich rief die Priester und ließ sie ihnen einen Eid abnehmen, daß sie es so machen“.

Die Gläubiger, von denen soviele Judäer auf Gedeih und Verderb abhängig geworden waren, sind die ḥōrîm und sᵉgānîm: die Vornehmen und die Vorsteher, die im Nehemiabuch als einflußreiche, begüterte, jüdische Oberschicht vom armen Volk unterschieden wird[25]. Sie sind es, die ihren Brüdern Schuldforderungen auferlegen. Nehemias Vorhaltung geht von einer Absichtlichkeit aus: die Verschuldung verfolgt Zwecke, vor allem den Zweck des Verkaufes von bankrotten judäischen Bauern an Fremde. Es ist hier indirekt auch eine Rückwirkung des intensiven mediterranen Sklavenhandels auf Judäa zu spüren. Verschuldung und erst recht Insolvenz entspringen eben nicht direkt Faktoren wie demographischem

---

[23] K. Rudolph schlägt die Lesung משא = Last vor (Biblia Hebraica Stuttgartensia 14, 1976, S. 57). Doch stimmt gerade die Lesung des masoretischen Textes präzis mit dem sachlichen Angelpunkt des Abschnittes überein.

[24] Zu lesen ist משאת (W. Rudolph a.a.O.).

[25] Die ḥōrîm sind uns auch aus dem Elephantine-Papyrus Cowley 30 bekannt, wo sie neben Statthalter und Priesterschaft eine eigene Instanz sind (s.u. S. 69). Zur sozialen Stellung dieser Gruppe siehe H. C. M. Vogt, 1966, S. 107—111 und M. Smith, 1971, S. 151—153.

Zwang oder Erbteilungen, verschlechterter Bodenqualität oder ungünstigem Wetter. Folgenreich für die Herausbildung von Klassen werden sie erst, wenn sie Instrumente der relativ Reicheren und Mächtigeren werden neue Abhängigkeiten zu stiften, Immobilien sich anzueignen oder auch Sklaven zu verkaufen. Die traditionale Institution personaler Haftung kann Zwecken nutzbar gemacht werden, die am besten in dem Begriff der Rentabilität (Ausbeutung der Produzenten / Aussiebung der hierzu untauglichen Betriebe) summiert werden können.

Nehemias Maßnahme gegen die agrarische Krise ähnelt im ganzen der des Solon. Er setzte einen Schuldenerlaß durch, der hier wie auch in Attika den Verzicht auf Rente aus gepfändeten Liegenschaften bedeutete. Selbstverständlich war erst recht die Versklavung von Judäern nun ausgeschlossen. Diese Maßnahme ist sicher — auch wenn es nicht explizit gesagt wird — im Sinne des deuteronomischen Gesetzes gemeint: „Jeder Gläubiger verzichte (šmṭ) (im siebten Jahr) auf das in seiner Hand befindliche Pfand für ein Darlehen, das er bei seinem Nächsten ausstehen hat" (Dtn 15,2). Wie Solons Schuldenerlaß so ist auch Nehemias Maßnahme alles andere als eine Durchsetzung der revolutionären Wünsche der Armen. Wiewohl die bereits Landlosen eine Neuaufteilung des Grund und Bodens gewünscht haben werden, wird darüber kein Wort verloren. Auch wurde die personale Haftung für Schulden nicht untersagt wie in Athen. Dieses Verbot stand in Athen im Zusammenhang mit der Entmachtung der ländlichen Grundherrschaften, deren wirtschaftliche und politische Macht auf der persönlichen Abhängigkeit der Bauern ruhte. Nicht anders war es in Judäa gewesen, wo die Institution der personalen Haftung in gleicher Weise wirkte und Bauern an die Vornehmen und Vorsteher band. Hier aber fehlte eine städtische Händlergruppe, die — den bäuerlichen Widerstand gegen die Aristokratie nutzend — das ländliche Klientelsystem aufheben konnte. Eine soziale Struktur, die die Individuen rein quantitativ, nach dem ökonomischen Vermögen klassifizierte, hat sich in Athen[26] nicht aber in Judäa durchsetzen können.

Bäuerlicher Widerstand und Religion

Alle drei Formen der Abhängigkeit (Schuldknechtschaft — Pflicht zu Zins und Abgabe — Versklavung) waren Gegenstand der Klage der Betroffenen gewesen. Diese beriefen sich auf die Gleichheit der Judäer, die eigentlich solche Abhängigkeiten verbieten müßte. Der Begriff des

---

[26] Hierzu siehe E. Will, 1977a, S. 129.

Bruders, der in der verwandtschaftlich organisierten Gesellschaft die engste Solidaritätsbeziehung anzeigt, wird von den Klagenden emphatisch auf ganz Israel ausgeweitet. Er beinhaltet die Gleichheit und Solidarität *aller*, die eine gemeinsame Deszendenz besitzen. Enteignung und Versklavung sind innerhalb solcher Beziehungen undenkbar[27].

Eine ähnliche Ausweitung der Egalität zwischen Brüdern auf alle Judäer bzw. Israeliten findet sich auch im Sabbat- und Yobeljahrkapitel des Heiligkeitsgesetzes Leviticus 25. Um diesen Sachverhalt verständlich zu machen, möchte ich zuerst auf die soziale Lage der judäischen Priesterschaft eingehen.

Max Weber hat der Hierokratie eigenständige Interessen zugeschrieben, die die Entstehung emanzipationslustiger weltlicher Mächte verhindern würden. Sie hemme die selbständige Machtentfaltung des Königtums, das Aufsteigen eines weltlichen Kriegsadels sowie die Entwicklung neuer ökonomischer Mächte wie des Kapitalismus[28]. Diese Interessen sind jedoch nicht allen Hierokratien zuzuschreiben[29], sondern sind an die soziale Struktur von Kult und Priestertum gebunden.

Dem judäischen Kult und dem judäischen Priestertum fehlte — im Gegensatz z.B. zu den kleinasiatischen Tempelstaaten — ein eigener Grundbesitz[30]. Der wiederaufgebaute Tempel war — wie der vorexilische — ein staatliches Heiligtum, dessen Aufwendungen für den Kult von der Staatskasse getragen wurden (für die vorexilische Zeit: 2Sam 8,17; für die persische Zeit: Esr 4,3; 5,11.17; 6,4.9; Neh 2,8; Esr 7,20—23)[31]. Die Priester und Leviten, die von den Abgaben der Bauern lebten und selbst abgabenfrei waren (Esr 7,24), taten in der heiligen Stadt nur zeitweilig Dienst und wohnten in der übrigen Zeit des Jahres in den Städten und

---

[27] Daß gemeinsame Deszendenz und Versklavung als problematisches Verhältnis empfunden wurden, zeigt J. P. M. van der Ploeg, Slavery in the Old Testament, VT Suppl 22, 1972, S. 72—87. Daß der Begriff des 'āḥ (Bruder) wie der des 'āmît (Volksgenosse) und der des rē'a (Freund) nicht mechanisch gelten, sondern Mitglieder einer solidarischen Gemeinschaft bezeichnen, legt Pedersen (1920, S. 57—60) dar. Zum Begriff des Bruders Neh 5 H. C. M. Vogt, 1966, S. 113f.
[28] 1964, S. 876, 880f.
[29] Die kleinasiatischen Tempelstaaten, deren Transformation in hellenistischer und römischer Zeit M. Rostovtzeff beschreibt, sind sang- und klanglos kaiserliche Domänen geworden (1910, S. 270ff.).
[30] Das schließt gelegentliche Übertragung von Land an den Tempel nicht aus (Lev 27,16—24). Hierzu K. H. Rengstorf, Ḥirbet Qumran und die Bibliothek vom Toten Meer. Stuttgart 1960.
[31] Eine Ausbreitung der at. Nachrichten bei R. de Vaux I, 1964, S. 184—186; II, 1960, S. 147—153, 217, 244f.

Dörfern auf dem Land (Neh 11,20.36; 1Chr 24,1—19)[32]. Hier hatten —
dem Deuteronomium zufolge — die Leviten keinen Erbbesitz an Ackerland (Dtn 10,9) und war ihre Rechtsstellung ähnlich der von Klienten
(gērîm) (Dtn 12,12; 14,29; 26,12). Man darf diese Aussagen sicher nicht
als Beschreibung sozialer Verhältnisse auffassen, da Indizien auch für
den Grundbesitz von Priestern und in geringerer Häufigkeit von Leviten
vorhanden sind (Jer 1,1; 32,6—15; Amos 7,17; Neh 11,20; 13,10; Lev
27,21; 1Chr 9,2)[33], sondern muß sie als Ausdruck einer — den tatsächlichen Verhältnissen nicht immer konformen — Selbstinterpretation vor
allem der Leviten verstehen. Mit einer Einschränkung: die Leviten hatten
am gemeinschaftlichen Weideland (migrāš) (Allmende) von Städten ('îr)
Nutzungsrechte (Jos 14,4; 21,2f.; Lev 25,34; Num 35,1—8; 1Chr 6,
39—41)[34].

Dieses Selbstverständnis der Leviten ist zu berücksichtigen, wenn man
die Bodenrechtsordnung im Heiligkeitsgesetz Lev 25 untersucht, die ins
6. Jh. v.Chr. zu datieren ist[35]. Die Interpretationen, die zu diesem Kapitel vorgetragen wurden, sind zu verschiedenen Ergebnissen gelangt.
H. Schmidt sieht das Kapitel als Teil der Verfassung des Esra und versteht es als Ausdruck eines Systemwechsels. „Der Gesetzgeber will offenbar erzwingen, daß die ihm vorschwebende Landesverteilung auf
Dauer bestehen bleibt" und unterwirft „die Verfügung des Einzelnen
über seinen Grund und Boden einer starken Beschränkung."[36] H. D.
Schaeffer interpretiert die Yobelbestimmungen in Analogie zum Kollektivbesitz bäuerlicher Gemeinden als periodische Umverteilung des
Landes[37]. R. North schließlich sieht das Yobelgesetz Lev 25 als eine
theologische Bearbeitung sozialer Regeln an: von Sklaven- Eigentum-
und Bankrottregelungen[38].

Die Widerstände, die dieses Kapitel einer Interpretation bisher entgegengesetzt hatte, werden durch eine Identifizierung seines Inhalts mit
politischen, ökonomischen oder rechtlichen Verhältnissen nur noch

---

[32] Zum Priestertum: A. H. J. Gunneweg, Leviten und Priester. Göttingen 1965; R.
Abba, Art. Priests and Levites. Interpreter's Dictionary of the Bible 3, 1962, S.
876—889.

[33] H. Kreissig, 1973, S. 70—75 erörtert das Problem.

[34] Zum rechtlichen Status von Weideland in Arabien W. R. Smith, 1967, S. 104f.;
in Israel F. Horst, 1961, S. 208f.

[35] W. Thiel, Erwägungen zum Alter des Heiligkeitsgesetzes, ZAW 81, 1969, S. 40—
73; H. Reventlow, Das Heiligkeitsgesetz formgeschichtlich untersucht. Neukirchen
1961.

[36] 1932, S. 10, 12.

[37] 1922.

[38] 1954, Kap. 9.

verstärkt. Wie ist es zu erklären, daß zwei Sabbatjahr-Bestimmungen des Deuteronomiums, die Š°miṭṭā (die später Neh 10 vorgeschrieben wird) und die Freilassung der Sklaven im siebten Jahr, fehlen (Dtn 15,1f.12), und daß für eine Praktizierung des Yobeljahres keine Hinweise existieren? Daraus geht m.E. hervor, daß die Verfassung und Redaktoren keine Verfassung entwarfen, und daß sie keine ökonomische und rechtliche Ordnung beschreiben wollten[39]. Was aber ist dann die Absicht der Verfasser dieses Kapitels gewesen?

Leviticus 25 setzt den später von Nehemia Kap. 5 dokumentierten Prozeß der Klassenbildung bereits voraus und fordert Abhilfe. Wenn der Bruder von seinem Grundbesitz etwas verkaufen muß, dann soll der nächste agnatische Verwandte sein Loskaufrecht ausüben. Besteht dazu keine Möglichkeit, dann soll er im Yobeljahr (das 49. bzw. 50. Jahr) wieder in den Genuß seines Besitzes kommen (25,25—34). Wenn der verarmte Bruder Geld oder Naturalien als Darlehen aufnehmen muß, dann sollen ihm kein Zins und keine zusätzlichen Abgaben abverlangt werden (Lev 25,35—38). Wenn er an einen Israeliten verkauft wird, dann soll er nicht Sklavendienst tun müssen, sondern einem Lohnarbeiter oder tôšāb gleichgestellt sein. Im Yobeljahr soll dieses Dienstverhältnis ein Ende finden und der Israelit zu seinem Clan und zu seinem Besitz zurückkehren (Lev 25,39—46). Wird der Verarmte in die Fremdsklaverei verkauft, dann soll er von dem nächsten Verwandten losgekauft werden. Andernfalls soll auch er im Yobeljahr freikommen (Lev 25,47—55). Jeweils wird der Klassenbildung ein einschränkendes Mittel entgegengesetzt. Neben der segmentären Solidarität in der Form des Loskaufes oder der nachbarschaftlichen Hilfe werden auch sakrale Institute in Anspruch genommen: der Ritus des Yobeljahres und das sakrale Bodenrecht. Auf die Verbindung dieser beiden Legitimationen, der sozialen und der religiösen, wollen wir noch ein wenig genauer eingehen.

Beginnen wir mit der Idee des göttlichen Eigentums an Land.

Lev 25,23:

„Das Land soll nicht unwiderruflich verkauft werden, denn das Land ist mein eigen, und ihr seid nämlich Fremde und Beisaßen bei mir."

Die Regel der israelitischen Clanordnung, nach der Land unverkäuflich ist und vom Clan im Falle eines Verkaufs ausgelöst werden soll, ist

---

[39] K. Elliger löst die Unstimmigkeiten, indem er Yobeljahr- und Siebenjahrklausel als konkurrierende Institutionen des Süd- und Nordgebietes ansieht (1966, S. 360).

von einem priesterlichen Redaktor[40] mit der Vorstellung eines sakralen
Grundeigentums verbunden worden[41]. Gemäß diesem Verständnis ist
der Landbesitz ein Nutzungsrecht und kein Eigentum, ein possessori-
sches, kein iuristisches Verhältnis[42], das nicht auf abstraktem Recht,
sondern auf konkretem Besitz beruht. Verschuldung räumt demgemäß
dem Gläubiger kein Eigentumsrecht an Land und Menschen ein, sondern nur eine begrenzte Nutzung als Gegenwert für das Darlehen (Lev
27,22—24). Die Zeit dieser Nutzung beträgt 49 Jahre (25,10). Drei der
Geʿullā-Regeln: das Vorkaufsrecht auf das Land von Deszendenzgenossen
(V. 24—28), das Loskaufsrecht von Häusern, wobei zwischen Städten
und Dörfern, Israeliten und Leviten unterschieden wird (V. 29—34) sowie der Loskauf eines in Fremdsklaverei geratenen Israeliten (V. 47—
55), werden mit dem postulierten Nutzungsrecht kasuistisch verbunden.
Der Preis für das Objekt des Rückkaufes bemißt sich an der noch zu ver-
bleibenden Zeit der Nutzung (25,27.50). Auch der Preis im Falle eines
Verkaufs wird nach dem Nutzen berechnet, den Land wie Menschen
dem Erwerber auf fünfzig Jahre einbringen würden (25,14—16). Ob
diese Kasuistik jemals praktiziert wurde, ist höchst fraglich. Wichtig
ist die religiöse Neuinterpretation verwandtschaftlicher Normen: die
Solidarität ist nicht im Verwandtschaftssystem begründet, sondern im
sakralen Eigentumsverhältnis an Land und Menschen (25,23 und 55).
Der Geltungsbereich dieser Institutionen müßte von dieser Begründung
her auf alle Israeliten ausgeweitet werden (siehe die Zweideutigkeit
in der Formulierung Lev 25,25). Der bäuerliche Widerstand gegen Ungleichheit Neh 5 argumentierte mit einem solchen ethnisch geweiteten
Begriff des Bruders.

Auch die Idee des Yobeljahres knüpft an verwandtschaftliche Normen
an.

Lev 25,10:

„So sollt ihr das fünfzigste Jahr weihen[43] und Befreiung (deʿrôr)[44] aus-
rufen im Land für alle, die darin wohnen. Es soll für euch ein Yobel-

---

[40] Eine traditionsgeschichtliche Schichtenanalyse des Textes bei F. Horst, 1961,
S. 216—220.
[41] K. Elliger, 1966, S. 347—357.
[42] Diese Differenzierung in Anlehnung an J. J. Bachofen, Urreligion und antike
Symbole. Hg. v. C. A. Bernoulli. Leipzig 1926, Bd. 2, S. 445—451.
[43] Es besteht zu den V. 8f. ein Widerspruch, da diese vom 49. Jahr sprechen.
[44] Bereits das Ezechiel-Buch führt die Vorstellung eines Freijahres (šeʿnat haddeʿrôr)
ein, in welchem Grundbesitz, den der Naśî seinem Diener überlassen hat, wieder in
die fürstliche Verfügungsgewalt fällt (Ez 46,16—18). Die Ausführung Ez 46,16—
18, nach der Fürstenland den Beamten nur bis zum Jahr der Befreiung (deʿrôr) gehören soll (zitiert auch 1 QS 10,8), läßt offen, ob es sich um ein Sabbat- oder ein

jahr[45] sein. Und ihr sollt zurückkehren, ein jeder zu seinem Besitz und jeder zu seinem Clan".

Die älteren g^e'ullā-Regeln sahen die sofortige Auslösung von Grundbesitz und den sofortigen Freikauf aus der Sklaverei vor. Das Heiligkeitsgesetz von Lev 25 setzt die teilweise Unwirksamkeit dieser Institutionen voraus und setzt ein Datum fest, an dem Grund und Boden, der zum Zwecke der Schuldbegleichung verkauft worden war (V. 25ff.), zurückzugeben ist und israelitischen Schuldknechten und an Fremde Versklavten (V. 39ff.) die Freiheit zu geben ist. Vorausgesetzt ist das israelitische Haftungsrecht, das dem Gläubiger auf Familie und Güter des Schuldners im Falle der Zahlungsunfähigkeit (nur) ein Nutzungsrecht einräumt. Dessen Dauer ist hier auf 49 Jahre festgelegt, während es sonst 7 Jahre sind. Eine Konkurrenz zwischen Sabbatjahr und Yobeljahr ist deshalb nicht zu übersehen. Sie könnte sich aus einer besonderen Vorgeschichte des Yobeljahres erklären, dessen anfänglicher Zweck die Neuverteilung des Grund und Bodens unter die Familien der Clane gewesen sein könnte[46].

Es gibt keine Indizien, daß das Yobeljahr auch tatsächlich gehalten wurde. Wichtiger ist seine Bedeutung als ein Konzept. Es verband Absichten der verwandtschaftlichen Ordnung mit der Idee einer rituellen Wiederholung der Landnahme, die jeden zu seinem Besitz und zu seinem Clan zurückbringt. Die religiöse Fundierung segmentärer Gleichheit bedeutete auch in diesem Falle eine Ausweitung egalitärer Normen auf die Mitglieder des gesamten Verbandes.

Eine solche Egalisierung verwandtschaftlicher Beziehungen ist allen Verwandtschaftssystemen potentiell inhärent. M. Fried definiert in seinem Buch ‚The Evolution of Political Society' den Clan als eine inklusive Einheit, die dahin tendiert, allen Mitgliedern gleiche Anrechte an gemeinsamen Ressourcen einzuräumen. Er unterscheidet ihn in dieser Hinsicht von der Lineage, die exklusiv die Mitgliedschaft an nachweisbare genealogische Abstammung bindet und den Zugang zu den Res-

---

Jobeljahr handelt (R. North, 1954, S. 40). Vom Jahr der Befreiung handelt auch Jer 61,1f.

[45] yôbēl wird von der LXX mit ἄφεσις übersetzt = Erlassung. Eine Worterklärung bietet Kapitel 4 von Norths Buch: yôbēl von yabel bring abundantly. Jedoch hängt der Name eher mit dem Blasen des Widderhorns zusammen: K. Elliger, 1966, S. 352.

[46] H. Schaeffer, 1922, S. 109f.; R. North, 1954, S. 161–165; K. Elliger, 1966, S. 353; E. Neufeld, 1958. Unabhängig von diesem Konzept finden wir bei Micha 2,1–5 die Vorstellung, die Versammlung Jahwes (der q^{c}hal yhwh) werde auf Befehl Jahwes die Latifundien der Jerusalemer Oberschicht vermessen und verteilen (A. Alt, 1959, S. 373–381). Zum Latifundismus: Jes 5,8f.; Amos 2,6–8; 8,4–7; Ez 18,7f.16f.; 45,9; 46,18.

sourcen limitiert[47]. Ob die exklusive oder die inklusive Tendenz dominiert, wird ganz wesentlich davon abhängen, ob in einer Verwandtschaftsgruppe bereits soziale Hierarchien ausgebildet sind oder nicht. Befindet sich eine Verwandtschaftsgruppe im Übergang zu einer hierarchischen Gesellschaft, dann wird die Aristokratie dem exklusiven Verständnis, das arme Volk dem inklusiven zuneigen.

Daß eine solche inklusive Clan − Solidarität nicht des religiösen Rückgriffs bedarf, das zeigt die 'aṣabīya, über die Ibn Ḥaldun gehandelt hat[48]. Daß die Solidarität der judäischen Bauern sich dagegen durch einen Rückgriff auf religiöse Überlieferungen legitimierte, hatte seinen Grund in einer Interessenübereinstimmung von verarmten Bauern und Priestern.

Die Interessen der Priesterschaft waren durch zwei soziale Merkmale geprägt. Das erste bestand darin, daß weder der Tempel noch die Leviten über nennenswertes Grundeigentum verfügten und möglicherweise nur bei Priesterfamilien Grundbesitz zu vermuten ist. Das begründete eine Abhängigkeit des Tempelkultus vom Staat sowie der priesterlichen Einkünfte von Abgaben der Produzenten bzw. Aristokraten. Zweitens war die landlose Priesterschaft an einer öffentlichen Kontrolle des Landbesitzes interessiert und nicht an einer Privatisierung des Grundeigentums. Nur auf diese Weise konnte sie der Ablieferung der Abgaben sicher sein. Vergleichen wir diese Interessen mit den aristokratischen und den bäuerlichen, so zeigt sich eine Übereinstimmung darin, daß landlose Priester/Leviten und verschuldete Bauern gleicherweise an sozialen Institutionen interessiert waren, die eine Klassenbildung in Israel verhinderten. Das Verbot der Zinsnahme (Lev 25,35−38) war vielleicht der radikalste − aber wohl auch der wirkungsloseste − Ausdruck dieses Interesses, da es die Aneignung fremder Arbeit unmöglich machen sollte[49]. Diese Konstellation von Interessen hatte zur Folge, daß Institutionen bäuerlicher Solidarität religiös begründet wurden. Dies war eine der Funktionen von Lev 25.

---

[47] 1967, S. 124−128.
[48] Hierzu Y. Lacoste, Ibn Khaldoun. Naissance de l'histoire passé du tiers-monde. Paris 1966, S. 134ff; J. Henninger hat sie als ein Kennzeichen von Stammesgesellschaften allgemein verwendet: La société bédouine ancienne, Studi Semitici 2, Rom 1959, S. 69−93.
[49] H. Gamoran, The Biblical Law against Loans on Interest, Journal of Near Eastern Studies 30, 1971−72, S. 127−134; J. Hejcl, Das alttestamentliche Zinsverbot im Lichte der ethnologischen Jurisprudenz sowie des altorientalischen Zinswesens. Freiburg 1907.

Die traditionale Verfassung Judäas unter Nehemia

Der judäische Staat nach dem Exil war auch ein Werk der persischen Herrscher. Sie waren beteiligt am Rückzug der Verbannten, dem Wiederaufbau von Tempel und Stadt Jerusalem, der Errichtung einer von Samaria unabhängigen Satrapie und der Einführung des jüdischen Gesetzes unter Esra. Diese Vorgänge sind allein noch nicht als Zeugnis für die Toleranz der persischen Herrscher zu werten. Ihnen liegt eine Zielrichtung zugrunde, die als Begünstigung eines Priesterstaates angesehen werden kann. Der „Gegensatz gegen das politische Heldencharisma hat die Hierokratie überall den Erobererstaaten als ein Mittel der Domestikation unterworfener Völker empfohlen", schreibt Max Weber und fährt fort: „Hellenentum und Judentum sind, scheint es, in ihren wichtigsten Zügen Produkte der Abwehr der Perserherrschaft auf der einen Seite, der Unterwerfung auf der andern."[50]

Man muß beachten, daß in der iranischen Tradition eine Herrschaftstheorie entwickelt ist, die Priester (āθravān), Krieger (raθaēštār) und Bauern (vāstryō. fšuyant) — wozu später die Handwerker traten — als Stände (mit Endogamie, aber ohne eigenen Kult: daher keine Kasten) hierarchisch anordnete[51]. In einer ähnlichen Weise werden in den Esra- und Nehemia-Urkunden Israeliten, Priester, Leviten als Stände unterschieden (Neh 11,9.14.22).

Die Organisation der Provinz in der Zeit nach Nehemia ist uns aus den Elephantine-Papyri bekannt. Die jüdische Gemeinde zu Elephantine in Ägypten hatte die jüdischen Genossen im Jahre 410 v.Chr. um Hilfe gebeten. Dieser Brief war adressiert worden an den Statthalter Bagoas, an den Hohenpriester Jehoḥanan (Neh 12,22) und die Priester in Jerusalem sowie an Ostanes, den Bruder des Anani, und die Vornehmen (ḥôrîm) der Juden[52]. Neben dem persischen Statthalter standen ein priesterliches und ein aristokratisches Gremium, das jeweils einen Vorsteher hatte. Die Trennung Israels in Priester und Juden (— Benjaminiten), die Herausbildung zweier Gremien und die Vorrangstellung der Priesterschaft bildete die organisatorische Grundstruktur Israels in persischer Zeit.

Neben dieser organisatorischen Ordnung bestand seit 432 v.Chr. eine soziale, die die Form einer Verfassung besaß und die in Neh 10,31—38 überliefert ist[53].

---

[50] 1964, S. 876.

[51] E. Benveniste, Les classes sociales dans la tradition avestique, JA 221, 1932, S. 117—134.

[52] A. E. Cowley, 1923, Papyrus 30, Z. 17—19; K. Galling, 1964, S. 162.

[53] Zu den quellenkritischen Verhältnissen: W. Rudolph, 1949, S. 172—181. Nach

Wir treffen eine schriftliche Abmachung,

1. „daß wir unsere Töchter nicht den Völkern des Landes geben und deren Töchter nicht für unsere Söhne nehmen" (V. 31);

2. „wenn die Völker des Landes ihre Waren und allerhand Getreide am Sabbat zum Verkauf bringen, werden wir ihnen nichts abnehmen, weder am Sabbat noch an einem (anderen) heiligen Tag" (V. 32a);

3. „und wir verzichten im siebten Jahr (auf den Ertrag des Landes) und

4. auf das Pfand, das sich in der Hand des Gläubigers befindet" (V. 32b)

5. „und wir legen uns die Verpflichtung auf, jährlich ein Drittel Schekel für den Kultus am Hause unseres Gottes zu geben" (V. 33), „und die Erstlinge unseres Ackers und die Erstlinge aller Früchte jeden Fruchtbaumes Jahr um Jahr abzuliefern beim Haus des Herrn" (V. 36), „und die Erstgeburten unseres Groß- und Kleinviehs abzuliefern beim Haus unseres Gottes an die Priester, die im Hause unseres Gottes amtieren" (V. 37b), „und das Beste von unserem Brotteig[54] und von allerlei Baumfrüchten, von Wein und Öl liefern wir ab für die Priester bei den Kammern am Hause unseres Gottes wie auch den Zehnten unseres Ackers den Leviten" (V. 38a).

Diese Urkunde ist für die Bestimmung der sozialen Ordnung Judäas wichtig. Sie zeigt, daß zur Zeit Nehemias bestimmte literarische Überlieferungen des AT als Normen sozialer Beziehungen galten. Eine solche Möglichkeit hatte M. Weber mit dem Begriff der Tradition bezeichnet. „Legitime Geltung kann einer Ordnung von den Handelnden zugeschrieben werden kraft Tradition: Geltung des immer Gewesenen."[55] Die Überlieferungen werden gerade auf Grund ihres Ursprungs in der Vergangenheit zu Normen sozialer Beziehungen. Tradition als soziale Norm ist jedoch nicht — wie Weber es darstellt — eine eingelebte Gewohnheit, die sich an der Grenze sinnhaften Handelns bewegt[56], sondern sie ist Folge eines bewußten Aktes der Ratifizierung von Überlieferungen. Die von Weber vertretene Annahme einer mechanischen

---

Galling muß Neh 10 als Abschluß der zweiten Nehemia-Mission gelten, die Kap. 13 schildert: RGG IV, 3.A. 1960, Sp. 1395f. Sie datiert dann aus den Jahren nach 432 v.Chr. Kellermann, 1967, S. 37—41 versucht den Nachweis, Kap. 10 setze ein späteres Stadium der Gemeinde voraus als Kap. 13. Doch sind Handelsverbot am Sabbat und Verzicht auf Gläubigerpfand mit Kap. 5 und 13 eng verbunden, und die übrigen Unterschiede sind zu geringfügig, als daß Kellermanns Schluß zwingend wäre.

[54] tᵉrûmotênû ist zu streichen: W. Rudolph, 1949, S. 178.

[55] 1964, S. 26.

[56] 1964, S. 17.

Geltung der Tradition, die erst von der Aufklärung durchbrochen werde, ist daher abzulehnen.

Daß die Tradition Ausdruck eines Interesses an der Geltung bestimmter Überlieferungen ist, läßt sich im einzelnen daraus erkennen, daß im Kapitel 5 des Nehemiabuches die Beschränkung der Haftung sowie im 13. Kapitel die Zehntabgabe für die Leviten (13,10), das Handelsverbot am Sabbat (13,15) sowie das Verbot des Konnubiums (13,23) gegen die aristokratischen Interessen durchgesetzt werden mußten. Die Zusammenstellung dieser vier Bestimmungen, zu der man auch die Brache des Landes alle sieben Jahre rechnen wird, verdankte sich offenbar einem Widerstand gegen Tendenzen der Aristokratie, sich von religiösen und segmentären Institutionen der judäischen Gesellschaft loszusagen.

1./2. Trennung von den 'ammê hā'āreṣ

Der Begriff Völker des Landes erscheint in der nachexilischen Literatur in verschiedenen Formen und bezeichnet alle diejenigen Bevölkerungsgruppen, die nicht zur Heimkehrergemeinde gehörten[57]: Asdodider, Ammoniter, Moabiter etc. Das Verbot der Ehe mit Fremden stützte sich auf Ex 34,16 und Dtn 7,3. W. Rudolph sieht als Zweck dieser Anordnung religiöse und rassische Gründe[58]. Wahrscheinlicher erscheint es mir, daß diese Anordnung gegen sozial desintegrierende Tendenzen gerichtet war, die die innerisraelitischen Solidaritätsbeziehungen schwächten. Das Verbot des Handels am Sabbat stützte sich auf das allgemeine at. Gebot der Sabbatruhe. Ferner zählte Amos 8,5 den Sabbat zu den Tagen, an denen der Handel verboten war[59].

3. Brache des Landes im siebten Jahr

V. 32b zitiert eine Bestimmung des Bundesbuches, gemäß der man alle sieben Jahre das Land ruhen lassen soll (nṭš) Ex 23,10f.[60]. Im Bundesbuch wird als Zweck angegeben, daß die Armen sich von dem Ertrag des Landes in diesem Jahr nähren sollen. Im sehr viel späteren Kapitel Leviticus 25 tritt neben diese soziale Begründung (V. 6f.) eine religiöse, gemäß der der ursprüngliche Zustand des Landes wiederhergestellt werden soll (V. 4f.)[61]. Die Einstellung der Arbeit am Land soll

---

[57] H. C. M. Vogt, 1966, S. 152–154. Weitere Literatur: J. P. Weinberg, Der 'am hā 'āreṣ des 6.–4. Jh. v.u.Z. In: KLIO 56 (1974) 325–335; A. Oppenheimer, The 'Am Ha-aretz. Leiden 1977.
[58] 1949, S. 87–89 zu Esra 9,1.
[59] W. Rudolph, a.a.O., S. 176f.
[60] Hierzu M. Noth, 1961, S. 153f.; E. Neufeld, 1958.
[61] K. Elliger, 1966, S. 349–351.

daher kollektiv erfolgen, was in Ex 23,10f. wahrscheinlich nicht vorgesehen war[62].

In der vorexilischen Zeit wurde das Brachjahr nicht eingehalten. Daß Israel ins Exil gehen muß, hatte nach Lev 26,34; 2Chr 36,21 darin seinen Grund, daß das Land die ihm zustehenden Sabbatjahre nachholen mußte. Seit dem 2. Jh. v.Chr. ist die kollektive Einhaltung der Brache im Sabbatjahr bezeugt[63], u.a. auch deshalb, weil sie Versorgungsprobleme zur Folge hatte. Eine Erklärung der Institution muß davon ausgehen, daß sie zu verschiedenen Zeiten verschiedenen Interessen gehorcht hat. Neben wirtschaftlichen Gründen, regelmäßig das Land brach liegen zu lassen, mag mit ihr ursprünglich eine Neuverteilung des Landes verbunden gewesen sein[64]. Die sozial-karitativen Gründe haben sich mit ihr später verbunden, und die religiöse Begründung war die letzte Stufe in der Entfaltung der Begründung. Die Institution des Sabbatjahres motiviert umgekehrt ein gesellschaftliches Bewußtsein, demzufolge der individuelle Besitz an Land vermittelt war durch die Zugehörigkeit zu Israel als Kollektiv. Vor allem die religiöse Begründung von Lev 25,4f., gemäß der das Sabbatjahr Ausdruck des göttlichen Eigentums am Land ist, bestärkten ein solches Bewußtsein. Neh 10,32b setzt deutlich die spezifischen Züge der Sabbatjahrvorstellung Lev 25,1–6 (kollektive Durchführung – religiöse Begründung) voraus.

4. Verzicht auf Verfügung über das Pfand.

Neh 10,32b knüpft an Dtn 15,2 an: „Jeder Gläubiger verzichte auf das Pfand in seiner Hand für das Darlehen, das er bei seinem Nächsten ausstehen hat."[65] Das zu Erlassende wird Neh 10,32 und Dtn 15,2 maššā kāl yād bzw. maššā yādô genannt. Hierbei handelt es sich nicht um das Darlehen, sondern um das Pfand, über das der Gläubiger verfügt[66].

---

[62] F. Horst, 1961, S. 79–81.
[63] 164/3   v.Chr. (AJ XII 378; BJ I 46; 1Makk 6,18ff.)
    136/5   v.Chr. (1Makk 16,14; AJ XIII 230ff.; BJ I 60)
    38/7   v.Chr. (AJ XIV 475; XV 7)
    54/55   n.Chr. (Mur 18,1 und 7)
    68/69   n.Chr. (rabbinische Quellen)
    131/132   n.Chr. (Mur 24)
Literatur E. Lohse, Art. σάββατον, ThW VII, 1964, S. 18f.; R. North, 1953, S. 501–515; S. Safrai, The Practical Implementation of the Sabbatical Year after the Destruction of the Second Temple, Tarbiz 35, 1965–66, S. 304–328; 36, 1966–67, S. 1–21.
[64] So K. Elliger, 1966, S. 350f.; E. Neufeld, 1958, S. 70.; kritische Diskussion solcher Interpretation: R. North, 1954, S. 158–175.
[65] Eine sprachliche Konstruktion wie Neh 5,7.
[66] E. Neufeld interpretiert den Terminus in Übereinstimmung mit den Rabbinen als Darlehen (1958, S. 60). Doch setzt das Rabbinat gerade in diesem Fall eine spätere

nš' bezeichnet das Recht des Gläubigers auf den Schuldner. Eine Interpretation der at. maššā-Stellen ergibt, daß es eine Institution war, die die Rückerstattung von Darlehen sicherstellte. Sie ist zu unterscheiden von anderen Formen des Pfandes, die auf Mobilien bezogen waren und die dem Gläubiger bei der Darlehensgewährung freiwillig überlassen wurden[67]. „Die bei נשא ausdrücklich vereinbarte Haftung bezieht sich ursprünglich und in der Hauptsache auf den Zugriff des Gläubigers auf die Person des Schuldners, erst daneben … auch auf sein Vermögen bzw. das von ihm gestellt Pfandobjekt."[68] In der Regel übernahm nicht der Schuldner persönlich die Folgen der Haftung, sondern ein Mitglied seiner Familie und zwar, nachdem die Rückzahlung fällig geworden war[69].

In der Zeit Nehemias haben nicht nur Menschen als maššā gedient. Auch Äcker, Weinberge, Ölpflanzungen und Häuser haben sich als maššā in der Hand der Vornehmen befunden (Neh 5,1—11). Sowohl die freiwillig anläßlich der Darlehensgewährung überlassenen Pfänder wie die vom Gläubiger mit Gewalt ergriffenen Haftungsobjekte waren unverkäuflich. Der Gläubiger erwarb nur das Nutzungsrecht, während das Eigentumsrecht beim Schuldner und dessen Verwandten verblieb. „An keiner Stelle gibt es historisch und konzeptionell eine direktere Verbindung zwischen Eigentum und Verwandtschaft, als in dem Charakter der Unveräußerlichkeit der Pfänder."[70]

Der Inhalt des Gebotes von Dtn 15,2 ist leider mehrdeutig: er kann als Verzicht auf ein Zugriffsrecht des Gläubigers oder als Verzicht auf Verfügung über das Pfand interpretiert werden[71]. Diese letzte Interpretation entspricht der Aussage des Textes, daß sich das zu Erlassende in

---

Rechtspraxis voraus (s.u. S. 139). Es handelt sich — wie die von Neufeld genannten Autoren darlegen — um ein antichretisches Pfand, das dem Darlehensgeber ein Recht auf die Nutznießung des Pfandes einräumt (R. North, 1954, S. 32f.).

[67] R. Sugranyes, 1946, S. 75f.; A. G. Barrois, Art. Debt/Debtor, The Interpreter's Dictionary of the Bible 1, 1962, S. 809f.; E. Neufeld, 1962.

[68] F. Horst, 1961, S. 85; Die grundlegenden at. Texte sind 2Kö 4,1—7; Neh 5,1—13; Jes 50,1; Ex 22,24—26; Dtn 24,10—13; 1Sam 22,1f.; Jer 50,10; Ps 109,11.

[69] Das wird in der Regel zur Zeit der folgenden Ernte gewesen sein. E. Neufeld sieht in der Haftung der Familie die Kehrseite kollektiver Solidarität (1961, S. 37). Diese Argumentation trifft jedoch nicht genau zu, da die Schuldhaftung auf die Angehörigen des Familienverbandes (vor allem also die Kinder) beschränkt war, während die Solidarität auch von Agnaten, die eine eigene Familie hatten, wahrgenommen wurde.

[70] E. Neufeld, 1962, S. 40.

[71] Die erste Interpretation vertritt F. Horst, 1961, S. 86f.; die zweite A. G. Barrois, 1953, Bd. 2, S. 219f.

der Hand des Gläubigers befindet[72]. Das Neue an dem Gebot von Dtn 15,2 liegt wahrscheinlich darin, daß es die Zeit des Verfügungsrechtes verbindlich auf sechs Jahre beschränkte, um eine endgültige Aneignung durch den Gläubiger auszuschließen[73]. Neh 10,32 hat diese Regelung mit dem Brachjahr synchronisiert, wobei wir über eine Einhaltung diese Anordnung weniger wissen als über die des Brachjahres[74]. Weil es sich bei dieser Bestimmung um eine zeitliche Begrenzung von persönlicher und dinglicher Haftung handelt, ist von der Freilassung eines hebräische Sklaven nach sechs Jahren Dienst (Ex 21,2; Dtn 15,12; Jer 34,14) an dieser Stelle nicht gesondert die Rede. Sie ist eingeschlossen.

Sugranyes hat einen Vergleich zwischen dem hebräischen bzw. allgemein orientalischen[75] Schuldrecht auf der einen, dem römischen auf der anderen Seite angestellt und deren Unterschied folgendermaßen bestimmt. „Das orientalische Recht will die Zahlung der Schuld als ökonomischen Wert sichern (Schuld, wie das deutsche Recht sagt). Die alten Römer, von einem harten Wunsch nach gesetzlicher Vergeltung getrieben, richten sich vor allem auf die gesetzliche Verantwortung (Haftung), die der Schuldner mit der Schuld eingegangen ist, und die die Person des Leihenden direkt an den Gläubiger bindet. Die Vollstreckung ist nur gegen den Schuldner selbst möglich, in keinem Fall gegen seine Kinder oder Dritte."[76] Im römischen Recht wurde der säumige Schuldner bestraft (Gefängnis, Tod, Verkauf in die Sklaverei), während im Orient zeitlich begrenzte Schuldknechtschaft die Folge war

5. Abgabenregelung

Die Forderung einer Tempelsteuer (V. 33) hat an den at. Bestimmungen von Ex 30,11ff. einen Anhalt, wo eine Kopfsteuer von einem halben Schekel gefordert wird. Auch die anderen Bestimmungen ratifizieren biblische Bestimmungen[77]. Der Drittel Schekel war $1/3$ einer 5,6 gr. sch

---

[72] R. North, 1954, S. 32f.

[73] P. Koschaker spricht in diesem Zusammenhang von geteiltem Eigentum (1931, S. 46, 53, 87f.).

[74] Einen Überblick über die Geschichte der Šᶜmiṭṭā-Institution gibt E. Neufeld, 1958.

[75] Ein Beispiel, daß diese Institution über Judäa hinaus verbreitet war, ist § 117 des Codex Hammurapi. In der englischen Übersetzung in ANET, S. 170, heißt es: „If an obligation come due against a seignor and he sold (the services of) his wife, his son, or his daughter, or he has been bound over to service, they shall work (in) the house of their purchaser or obligee for three years, with their freedom reestablished in the fourth year".

[76] R. Sugranyes, 1946, S. 94f.

[77] W. Rudolph, 1949, S. 179—181.

ren persischen Silbermünze, der zu dieser Zeit ein Gegenwert von 5 Litern Gerste entsprach. In der hellenistischen Zeit trat langsam an ihre Stelle der tyrische Halbschekel, der vom 1. Jh. v.Chr. an auch von den Juden außerhalb Palästinas entrichtet wurde und der zur Zeit der Mišnā ungefährt 52 Litern Gerste entsprach[78]. Jede Abgabe setzt voraus, daß die Produzenten mehr erwirtschaften, als sie zur Ernährung der Familie, zur Ersetzung verbrauchter Objekte sowie für zeremonielle Ausgaben benötigen[79]. Ein Mehrprodukt solcher Art kann in unterschiedlicher Form in die Zirkulation eingehen. Es kann von den Produzenten selbst nach dem Prinzip der Gegenseitigkeit vergeben oder es kann von Aristokraten angeeignet und verteilt werden. Da die judäische Aristokratie daran interessiert war, die Produkte sich auf der Ebene des erweiterten Haushaltes anzuzeigen und mit ihnen Handel zu treiben, widersetzte sie sich einer Ablieferung des Zehnten (Neh 13,10—12). Es war daher notwendig, für Einziehung und Verteilung einen eigenen Apparat einzurichten (Neh 13,13). Diese Verteilungsorganisation diente nicht der Versorgung des Kultes mit Opfern (diese wurden von der Staatskasse getragen), sondern der Versorgung von Priestern und Leviten (2Chr 31,3f.). Grundlage dieser Organisation war die vielleicht öffentliche und kollektive Teilung des Erntehaufens, die von Hagg 2,16 und rabbinischen Ausführungen vorausgesetzt wird. Wir werden diese Möglichkeit weiter unten erörtern. In diesem Zusammenhang ist vorrangig die Erkenntnis wichtig, daß das Surplus zu einem Teil über die Hierokratie verteilt wurde und zu einem anderen Teil über den Tausch. Dieses Nebeneinander einer Verteilung des Surplus über zentrale Institutionen an die Konsumenten und über einen von Aristokraten kontrollierten Tausch kennzeichnet die Situation Judäas in der Perserzeit und hat in der Grundstruktur der griechischen Wirtschaft dieser Zeit eine Parallele[80]. — Nehemia hatte auf Agrarkrise und bäuerlichen Unmut mit gesetzgeberischen Maßnahmen geantwortet, die eine Wiederkehr der alten, schlimmen Zustände verhindern sollten. Dazu gehörte die Šeminṭā, der Verzicht auf die Nutznießung eines Pfandes nach sechs Jahren. E. Neufeld hat die Intention der Šeminṭā im Sinne eines permanent wiederkehrenden Erlasses von Schulden verstanden[81]. Seine Absicht, diese Institution wie auch andere in die israelitische Frühzeit zu verlegen, leuchtet mir dagegen nicht ein. Die quellenkritischen Befunde sprechen zu deutlich für eine späte Aus-

---

[78] A. Ben-David, 1969, S. 22—24 und 43f.
[79] E. Wolf, 1966, S. 6—10.
[80] S. C. Humphreys, Economy and Society in Classical Athens, Annali della Scuola Normale Superiora di Pisa. Cl. di Lettere e Filosofia 39, 1970, S. 1—26.
[81] 1958, S. 60.

bildung dieser Institution[82]. Die soziale Situation der Nehemia-Denk-schrift zeigt klar, daß die Š^{c}miṭṭā auf eine späte Entwicklung reagiert. Sie verdankt sich primär einem Widerstand gegen die antike Klassen-bildung und ähnelt formal dem Solon'schen Verbot der personalen Haf-tung für Darlehen. An diesem Punkte sind aber auch die Unterschiede zwischen beiden Reformen zu erkennen. Solons Gesetz zog eine Aus-weitung der dinglichen Haftung und der Verwendung von Fremdskla-ven nach sich. Begünstigt waren jene, die über Geld verfügten. Denn ihnen stand die Möglichkeit offen, Land zu kaufen und Fremdsklaven zu erwerben. Nehemias Gesetz der Š^{c}miṭṭā reformierte die aristokrati-sche Herrschaft und machte sie für die abhängigen Bauern erträglicher. Dagegen begünstigte sie in keiner Weise jene, deren Macht auf dem Reichtum an Geld, nicht aber auf persönlichen Abhängigkeiten ruhte. Diese wären wohl an einer Käuflichkeit von Land und Sklaven interes-siert gewesen, an klaren sozialen und ökonomischen Verhältnissen. Da-gegen begünstigte Nehemias Reform die Selbständigkeit des Stamm-bauerntums[83].

Zusammenfassung

Die von Nehemia in Judäa angestrengte Reform war auch das Werk der persischen Zentralmacht. Ohne ihre Unterstützung wäre die Koali-tion von Bauern und Tempelangehörigen wohl kaum gegen die Vorneh-men und Vorsteher erfolgreich gewesen. Im Athen des 6. Jh. hatten die landbesitzenden Bauern zusammen mit den städtischen Händlern, aus deren Reihen Solon kam, die aristokratischen Grundherrschaften politisch weitgehend entmachtet: statt der alten persönlichen Abhän-gigkeiten, die aus der Schuldknechtschaft resultierten, sollte nun die Macht des Geldes über die Größe des Landes und die Zahl der Skla-ven entscheiden. Für eine solche Koalition fehlte in Judäa die Voraus-

---

[82] So sieht es auch M. Smith, 1977, S. 324f.

[83] H. Bobek: „Mit wachsender Entfernung von den städtischen Zentren nimmt der von diesen ausgeübte Druck ab und erreicht schließlich ein Minimum in den Gebie-ten, die der staatlichen und städtischen Durchdringung verschlossen blieben. Das sind einerseits die Bereiche unabhängiger Nomadenstämme der Wüste oder der Ge-birge, andererseits entlegene oder besonders zerklüftete Gebirgsmassive, in denen sich freie Bauernstämme erhalten konnten. Nach den bekannten nordafrikanischen Beispielen wollen wir sie „Kabyleien" nennen. Hier erweisen sich nicht nur grund-herrliche Ansprüche, sondern auch die Verschuldungspraktiken der Stadtleute als wirkungslos, so daß wir hier die Bauern als freie Inhaber ihrer Scholle sitzen sehen" (1948, S. 200).

setzung. Stattdessen wurden die Ziele der verschuldeten Bauern vom persischen Gouverneur der Provinz — Nehemia — aufgegriffen. Er traf im Namen der Zentralmacht Anordnungen, die das freie Stammbauerntum sowie den Tempel gegen das Heranwachsen einer Klasse von Sklavenhaltern in Schutz nahm. Um noch einmal Max Weber zu zitieren (s.o. S. 69): „Hellenentum und Judentum sind, scheint es, in ihren wichtigsten Zügen Produkte der Abwehr der Perserherrschaft auf der einen Seite, der Unterwerfung auf der andern".

Die Koalition von Bauern und Tempelangehörigen kristallisierte einen neuen Traditionskomplex aus, in welchem verwandtschaftliche Normen der G$^{e'}$ullā und religiöse Vorstellungen von Š^{e}miṭṭā, Yôbēl und göttlichem Landeigentum kontaminierten. Eine neue Auslegung der Verwandtschaftsbeziehungen war die Folge. Immer sind ja in den Verwandtschaftssystemen zwei Interessen anzutreffen. Eines richtet sich auf die Sicherung von Rechtstiteln durch Genealogie, das andere auf Institutionen solidarischen Zusammenhalts. Das erste zielt auf die Exklusivität der Verwandtschaftsbeziehungen, das zweite auf die Ausweitung der Solidaritätsbeziehungen auf die Gruppe insgesamt. Die Anbindung der Institution segmentärer Solidarität an die religiösen Vorstellungen war eine Folge des egalitären, inklusiven Interesses. Zugleich führte sie auch eine prägnante gesellschaftliche Bedeutung in die religiöse Symbolik ein.

Die persische Zentralmacht unterstützte in Gestalt von Nehemia Bauern und Tempelangehörige gegen eine städtische Zivilisation vom griechischen Typ. Andererseits aber förderte die persische Steuerpolitik die innere Differenzierung in Judäa. Sie institutionalisierte die Geldzirkulation sowie den Verkauf von Surplus. Dies aber hatte Folgen. So weitete sich die Abhängigkeit der Bauern von den über Geld Verfügenden aus, was sich in der Verpfändung von Kindern und Bodenerträgen ausdrückte. Ferner wird bereits im 6. Jh. ein Unterschied zwischen dörflichen und städtischen Häusern in Bezug auf das Loskaufsrecht gemacht. Die Frist für den Rückkauf eines städtischen Wohnhauses endet Lev 25, 29f. mit dem Kaufjahr. Hier bahnt sich eine Neuerung an: an die Stelle verwandtschaftlicher Erbnormen (heredium) tritt in der Stadt die freie Verfügung des Eigentümers über sein städtisches Anwesen.

5. Griechische Staatspacht
und makkabäischer Freiheitskampf (332—142 v.Chr.)

Staatspacht und Mobilisierung von Surplus

Die Polis, so schreibt J. Kaerst, „beruhte auf einer Personalunion von
Herrschen und Gehorchen ..., die der einzelne Bürger in beständigem
Wechsel vollzog"[1]. Auf ein staatliches Beamtentum, das die gesetzliche
und fiskalische Verwaltung des Gemeinwesens beruflich ausübte, ver-
zichteten die Bürger. Was die öffentlichen Finanzen anging, so verpachtete die Polis das Recht der Steuereintreibung auf begrenzte Zeit an
Privatleute, ohne daß sie die Art der Eintreibung kontrolliert hätte[2].
Diese Staatspacht verschwand nicht, als in den hellenistischen Staaten
ein Beamtentum auf der Grundlage orientalischer Verwaltungsordnungen
entstand, und eine dauernde sachliche Scheidung in Herrschende und
Untertanen eintrat[3]. M. Rostovtzeff hat dargelegt, wie in der hellenistischen Monarchie Ägyptens dieses Beamtentum zwar in die Staatspacht
intervenierte und sowohl Berechnung der Steuer wie ihre Eintreibung
tendenziell staatlicher Kontrolle unterwarf, das Prinzip der Verpachtung staatlicher Einkünfte an Privatleute jedoch das politische Unter-
scheidungsmerkmal zu den vorhellenistischen Staatsstrukturen blieb[4].
Es hat den Vornehmen in den orientalischen Völkern die Möglichkeit
einer Beteiligung an wirtschaftlicher Ausbeutung und staatlichem Einfluß eröffnet.

Die Dokumentierung der Geschichte Judäas im 3. Jh. v.Chr. ist spärlich.
Neben den wenigen Nachrichten bei Josephus, denen zufolge Judäa
zwischen 301 und 198 Teil des ägyptischen Reiches war (AJ XII 1—

---

[1] 1926 II, S. 159.

[2] M. Rostovtzeff, 1904, S. 332-336. An der Spitze der Einnahmequellen lagen
dabei die Zölle auf dem Handel: W. Schwahn, Art. Τέλη, PW 5 a, 1934, S. 206-
310. Der Begriff der Staatspacht, den Rostovtzeff verwendet, ist dem der Steuerpacht vorzuziehen, da nicht nur Steuern, sondern auch Tribute, Zölle, Abgaben
aller Art verpachtet wurden und das Kennzeichen dieser Ordnung die Funktion des
Staates als Verpächter war.

[3] V. Ehrenberg, Der hellenistische Staat. Leipzig 1958. Die Fortdauer der Staatspacht basiert auf dem eigenständigen Interesse des wohlhabenden Bürgertums, an
der tributären Ausbeutung beteiligt zu werden (W. Schwahn, 1939, S. 64f.).

[4] 1904, S. 338-349.

137), sind es Papyri, die der Form wie dem Inhalt nach Dokumente der ägyptischen Verwaltung der Provinz „Syrien und Phoenizien" gewesen sind[5]. Der von H. Liebesny edierte Papyrus aus der Sammlung Rainer[6] enthält fragmentarisch zwei Prostagmata (Erlasse) des Ptolemaios II Philadelphos (283—246 v.Chr.), die zu einer steuerlichen Deklarierung (Apographe) von Vieh und Sklaven vor einem Oikonomos der Hyparchie aufrufen: einem Finanzbeamten eines territorialen Distriktes. Dieser Distrikt gliederte sich wiederum in Dörfer, denen Komarchen vorstanden. In dem Distrikt gab es Staatspächter, die dorfweise gepachtet hatten ($\kappa\omega\mu o\mu\iota\sigma\theta\omega\tau\alpha\iota$). Die Parallelen zur ägyptischen Administration legen den Schluß nahe, daß die Rechtstellung des Landes die des Königslandes war. Als Grundeigentümer des Landes war der König mit einer bestimmten, lokal verschiedenen Quote am Ernteertrag der Königsbauern beteiligt, und der Staatsapparat verpachtete die Eintreibung dieser Anteile dorfweise an Private[7]. Diese „Mischung von Pächtern und Königsbeamten", wie Rostovtzeff sich ausdrückt[8], ist auch an der Verwendung des Begriffes $\mu\iota\sigma\theta\omega\sigma\iota\varsigma$ erkennbar, der sich im klassischen Griechisch auf eine Grundpacht bezieht, während $\tau\epsilon\lambda\omega\nu\eta\varsigma$ den Steuerpächter bezeichnete. Der Staat hat deshalb ein Interesse an der Erhaltung des Bauerntums, wie der zweite Erlaß zeigt.

Papyrus Rainer R 16—22:

„Und auch in Zukunft soll es niemandem unter keinen Umständen gestattet sein, einheimische freie Leiber[9] zu kaufen oder sich zu Pfand geben zu lassen[10]. Ausgenommen sind die von dem Verwalter der syrischen und phönizischen Staatseinkünfte im Zwangsversteigerungsverfahren[11] Hingegeben, gegen die auch die Personalexekution zusteht, wie in dem Gesetz über die Steuerpacht geschrieben steht".

---

[5] Eine Darstellung der ptolemäischen Administration bei M. Rostovtzeff, 1955/ 56 I, S. 268ff., und Cl. Préaux, 1939.

[6] Ein Erlaß des Königs Ptolemaios II. Philadelphos über die Deklaration von Vieh und Sklaven in Syrien und Phönizien, Aegyptus 16, 1936, S. 257—288; M. Rostovtzeff, 1955/56 I, S. 268—274.

[7] Hierzu Rostovtzeff, 1955/56 I, S. 215—218.

[8] 1955/56 I, S. 272.

[9] Dieser umständliche Ausdruck bezeichnet aus ägyptischer Sicht die besondere soziale Stellung der palästinensischen Bauern, die als alteingesessene frei sind (nicht Königsbauern) und auf deren Arbeit der König seinen Anspruch geltend macht. Ausgenommen sind Haussklaven (Zeile 9).

[10] Nicht berührt sind „Verträge, die sich bloß auf das Abarbeiten der Schuld beziehen" (Liebesny, S. 279).

[11] Griechisch: $\pi\rho\sigma\beta\sigma\lambda\eta$ Eigentumszuschlag an Dritte (Liebesny, S. 280f.).

Der Staatspächter haftete mit seiner Person für die Abgaben, die freien Bauern durften dagegen im Falle der Verschuldung nicht als Sklaven gekauft und verkauft werden[12]. Die Durchführung dieses Erlasses war sicher nicht reibungslos. Daß administrative Maßnahmen an der Macht lokaler Grundherren scheiterten, ist eine Erkenntnis aus den wiedergefundenen Unterlagen[13] eines gewissen Zenon, der 259 v.Chr. Hauptbevollmächtigter des ptolemäischen Finanzministers in Syrien-Phoenizien war. Als Zenon durch Beamte von einem gewissen Jeddus eine Geldschuld eintreiben wollte, warf dieser die Beamten aus dem Dorfe[14]. De ägyptische Staat war offensichtlich auf Zusammenarbeit mit den lokale Gewalten angewiesen.

Zu der einst von Nehemia bekämpften Mišpāḥā des Ṭôbiyyā[15], deren Abkunft von Israel fragwürdig war (Esr 2,59f.) und die im ammonitische Bereich ihre Grundherrschaft ausübte, unterhielten Zenon und das ptolemäische Herrscherhaus gute Beziehungen, die sich in Geschenken des Tobias ausdrückten[16]. Die politische Wende, deren Genese sich hier stu dieren läßt, vollzog sich endgültig Ende des 3. Jh. v.Chr., als der Sohn von Tobias, Joseph, die Staatspacht der Provinz Syria-Phoenicia übernahm. Der Tobiadenroman, dessen Kenntnis wir Josephus AJ XII 158– 236 verdanken, feiert diese Wende überschwenglich, so als sei der Muff des Überkommenen ausgekehrt und in Palästina eine Renaissance ausge brochen[17]. Er bezeichnet Joseph bar Tobia als „einen edlen und mutigen Mann, der das Volk der Judäer aus Armut und unbedeutenden Ver hältnissen zu glanzvolleren Lebensmöglichkeiten geführt hat" (224).

Im Zentrum der Erzählung stehen zwei Vorgänge, deren Zusammenhan undeutlich ist. Ein erster Teil stellt dar, daß dem Hohepriester Onias di προστασία d.h. der Vorsitz des Volkes bzw. des Ältestenrates[18] entzo-

---

[12] Cl. Préaux, 1939, S. 444-450.
[13] Texte und Übersetzungen: V. A. Tcherikover — A. Fuks I, 1957, S. 115–130.
[14] Tscherikover-Fuks I, S. 129f.
[15] Neh 2,10.19; 4,7; 6,1.17–19; 13,4.
[16] Tcherikover-Fuks I, S. 121–129. Zu der Mišpāḥā ebenda S. 115–118.
[17] Text und Übersetzung: Loeb Classical Library 365, 1966 (R. Marcus). Eine genaue Datierung des Vorganges ist dadurch erschwert, daß Josephus seine Vorlage an falscher Stelle in das zeitliche Gerüst der Antiquitates eingelegt hat (nach Beginn der syrischen Herrschaft) und die beiden historischen Querverweise (§ 158 Textvariante: Joseph war Zeitgenosse von Ptolemaios Euergetes [246–221 v.Chr.]; § 223: Joseph stirbt 187 v.Chr., nachdem er 22 Jahre Staatspächter gewesen war) nicht zu harmonisieren sind, sondern um mindestens 12 Jahre differieren. Zur Datierung: Ed. Meyer, 1921-23, II, S. 128ff.; V. Tcherikover, 1959, S. 128-130; R. Marcus, a.a.O., S. 82f.
[18] Hierzu H. Schaefer, Art. προστάτης, PW Suppl 9, 1962, S. 1287–1304 sowie A. Büchler, 1899, S. 79f.

gen und auf Joseph übertragen wurde, so daß jetzt Joseph den Tribut
für Judäa an den Herrscher entrichtete (AJ XIII 158, 167, 172). Die Verweigerung der Tributzahlung von 20 Talenten durch den Hohenpriester
war der Grund hierfür gewesen. Dieser Tribut (φόρος) war eine Abgabe,
die nicht von Personen, sondern von Kommunen entrichtet wurde und
deren Höhe feststehend war [19]. Bezahlt wurde sie vom legitimen Haupt
des tributpflichtigen Gemeinwesens, ohne daß sich der Staat in die in-
terne Finanzierung einmischte. Die Jerusalemer Hohenpriester hatten
ihn aus dem Tempelschatz entrichtet (158). Wenn jetzt Joseph den Tribut für Judäa entrichtete, so war damit eine Verfügungsgewalt über den
Tempelschatz verbunden, die bereits früher zur Zeit Nehemias (Neh 13,
13) und später zur Zeit der judäisch-seleukidischen Krise unabhängig
von dem Hohenpriesteramt institutionalisiert war.

Der zweite Teil der Erzählung schildert die Übertragung der zuvor an
lokale Aristokraten verpachteten Staatseinnahmen (primär Zölle für
Handelswaren) (AJ XII 169. 175) [20] auf den Tobiaden Joseph, der die
Pacht mit samarischen [21] Krediten vorfinanzierte (168). An Stelle von
8000 Talenten für die Provinz Syria-Phoenicia bot Joseph das Doppelte
(175f.). Mit staatlicher Vollmacht für die Anwendung von Gewalt aus-
gestattet (176. 180), zog Joseph von den Städten den Tribut ein und
ließ sich widersetzende Angehörige des Magistrats hinrichten (181.
183) [22]. Die Städte konnten die neuen Lasten wahrscheinlich nur entrichten, indem sie den Bauern eine anteilige Naturalienabgabe aufer-
legten [23], die in dem Eigentum des Herrschers am Land begründet war
(159).

Ein Zusammenhang zwischen beiden Vorgängen wird vom Tobiadenroman nicht explizit hergestellt. Dieser könnte darin bestanden haben,
daß die Tobiaden auch in Judäa den Tribut nicht mehr von der Tempelsteuer entrichteten, sondern aus einer Produktenabgabe [24]. Vor allem
der Hinweis, daß die Tobiaden den Geldwert des Tributes der Provinz
Syria-Phoenicia verdoppelt haben, spricht für diese Annahme. Auch die
Bemerkung des Josephus, Joseph bar Tobia habe dem judäischen Volk

---

[19] E. Bikerman, 1938, S. 106–111.
[20] Hier begegnet die übliche griechische Wendung τελῶν ὠνή: Pacht der Zölle.
Die Zollbezirke wurden offenbar als πατρίς bezeichnet (179).
[21] Schon Nehemia 2,10 u.ö. ist solche Koalition bekannt.
[22] Rechtsgrundlage war nicht das ptolemäische Steuergesetz, das in diesem Falle
Vollstreckung in die Güter und die Person vorsah, sondern das Kriegsrecht. Daraus läßt sich die Annahme stützen, daß die betreffenden Städte gegen die Ptole-
mäer rebelliert hatten bzw. rebellierten (A. Büchler, 1899, S. 61).
[23] S.u. S. 91.
[24] A. Büchler, 1899, S. 82.

Prosperität beschert (AJ XII 224), weist auf eine Steigerung der Surplus-Aneignung hin. Da technische Mittel hierfür kaum bestanden, basierte eine solche Steigerung auf anderen Mitteln. Es war ja — von der Warte der Rentabilität aus gesehen — ein endemisches Übel bäuerlicher Familienbetriebe, daß die Zahl der Mitesser größer war als für die Bearbeitung nötig. Sie schmälerten den potentiellen Umfang der Rente. Konnte die Zahl der zum Betrieb zählenden Köpfe durch Versklavung gesenkt werden, dann ergab das ein Stück Rentabilität. Ein anderes Mittel war, den Betrieb auf die Erzeugung solcher Produkte umzustellen, die auf dem Markt einen höheren Geldwert erzielten als das Getreide. Öl etwa versprach dies. Beide Wege sind begangen worden. Erinnern wir hier nur an die Bedeutung des Olivenanbaus im Judäa des 2. Jh. v.Chr. (s.o. S. 45ff.) sowie an das Ausmaß der Versklavung, das in dem gleich zu erörternden Erlaß AJ XII 142—144 sichtbar wird.

Die Emanzipation der Aristokratie von der Hierokratie

Innerhalb griechischer Staatstheorie sind zwei Staatsbegriffe entwickelt worden. Der eine begründete den Staat in der Vergesellung durch Nachbarschaft. Er bezog sich auf Ortsgemeinden, die er als freie und autonome Einheiten mit dem Begriff Polis bezeichnet. Der zweite begründete den Staat in der Stammesgemeinschaft und definiert die Stammeseinheit mit dem Begriff Ethnos[25]. Diese Begriffe griechischer Staatslehre machten sich die Seleukidenherrscher zu eigen, als sie verschiedene Völker und Orte in ihren politischen Verband zu integrieren suchten. Als nach dem Sieg des Seleukiden Antiochos III. über Ptolemaios V. Epiphanes Palästina Teil des syrischen Reiches wurde (198 v.Chr.), verlieh Antiochos Judäa den Status eines Ethnos. Der Erlaß, der im Geschichtswerk des Josephus überliefert wird (AJ XII 138—144), muß nach E. Bikermans Untersuchungen als authentisch gelten[26]. Er trägt die Form eines Briefes, den der König an den Statthalter von Coele-Syria und Phoenicia geschrieben hatte. Diesem wurde erstens befohlen,

---

[25] Hierzu F. Gschnitzer (Hg.), Zur griechischen Staatskunde. Darmstadt 1969, S. 271—297. In der Zeit, in der Palästina ptolemäischer Herrschaft unterstand, mag Judäa auch schon als Ethnos bezeichnet worden sein, wurde aber nach den Prinzipien der ptolemäischen Administration im Rahmen der Provinz Syrien und Phönizien verwaltet. Die Provinz war unterteilt in Hyparchien, von denen Judaia wahrscheinlich eine war (Hengel, 1969, S. 37).
[26] E. Bikermann, 1935. Ein Resumée der Forschung im Anhang D des siebten Buches der Josephus-Ausgabe der Loeb Classical Library. Hg. von R. Marcus, 1943, S. 751—761.

den Tempelkult materiell zu unterstützen[27] und die Materialien für den Tempelbau vom Zoll zu befreien. Zweitens ordnete der König an:

AJ XII 142—144:

„Alle Mitglieder des Volkes (ethnos) sollen regiert werden in Übereinstimmung mit den väterlichen Gesetzen, und die Gerusia, die Priester, die Tempelschreiber und die Tempelsänger sollen befreit werden von der Kopfsteuer, der Abgabe an die Krone und der Salzsteuer. Damit die Stadt schneller wieder besiedelt wird, bewillige ich den jetzigen Bewohnern und denen, die bis zum Monat Hyperberetaios zurückkommen, Steuerfreiheit für drei Jahre. Auch will ich ihnen ein Drittel der Abgaben erlassen, damit ihr Schaden gutgemacht wird. Und alle, welche aus der Stadt verschleppt und versklavt wurden, erklären wir mit ihren Kindern für frei und befehlen, daß ihnen ihr Vermögen wiedergegeben wird."

Der Erlaß hat eine Parallele in dem Dokument der persischen Verwaltung Esr 7,12—26. In dem Bestallungsbrief des Artaxerxes an Esra (aus dem Jahre 398 v.Chr.)[28] ist ein Erlaß an den Schatzmeister der Provinz Transeuphrat eingebettet, der die materielle Unterstützung des Kultes sowie die Abgabenfreiheit für Priester, Leviten, Sänger, Torhüter und Tempelhörige regelt (V. 21—24). Die Abgabenfreiheit, die dem Kultpersonal zugestanden wird, entspricht dem staatlichen Status des Heiligtums. Der Erlaß des Antiochos lehnte sich an die Zweiteilung des persischen Dokumentes an: staatliche Unterstützung des Kultes und Freiheit des Kultpersonals von Abgaben an den Staat. Er löste deren innere Verbindung jedoch auf, indem er zwischen beide Teile die Gewährung ethnischer Autonomie stellte[29]. Die Gruppen, die staatliche Autonomie realisierten und daher abgabenfrei waren, entsprachen nur noch partiell den alten. An erster Stelle stand eine Körperschaft, die vor allem aus Sparta bekannt war: die Gerusia, der „Ältestenrat". Ihre Mitglieder sind der Schicht der Vornehmen und Vorsteher zuzurechnen, die bereits unter Nehemia ein hundertfünfzigköpfiges Gremium beim persischen Statthalter gebildet (Neh 5,17; 12,40; 13,11)[30], nicht aber das

---

[27] So auch schon in ptolemäischer Zeit, AJ XII 41.

[28] Zur Datierung Esras siehe C. Colpe, in: H. H. Schaeder, Studien zur orientalischen Religionsgeschichte. Hg. von C. Colpe. Darmstadt 1968, S. 273—282.

[29] Aus dieser Differenz möchte ich auf eine Authentizität auch des persischen Dokumentes schließen, welche von Galling bezweifelt wird (ATD 12, 1954, S. 206).

[30] M. Hengel, 1969, S. 48—51. Gegen Hengel möchte ich zu bedenken geben, daß die frühen Texte, die über die Gerusia Aufschluß geben, ausschließen, daß Tempelbeamte in ihr Mitglieder waren, da sie streng zwischen Gerusia und Priestern trennen. Es war eine wichtige Erkenntnis von J. Jeremias, daß die Gruppe der Älte-

Gemeinwesen geleitet hatten. Diese aristokratische Schicht stärkte Antiochos, indem er ihr als Gerusia politische Funktion zuwies und sie von Abgaben befreite. Wir können in diesem Vorgang eine beginnende Emanzipation der Aristokratie von der Hierokratie erkennen.

Neben dem Rat der Ältesten werden genannt Priester, Tempelschreiber und Tempelsänger. Hinter den Tempelschreibern wird man eine besondere Gruppe der Leviten vermuten können, während Torhüter und Tempelhörige — aus welchen Gründen auch immer — nicht mehr als Teil des staatlichen Kultpersonals galten wie noch Esr 7,12−26. Dagegen wird die Volksversammlung als eigene Institution nicht genannt, was auf eine Minderung ihrer Bedeutung schließen läßt[31]. In dem Antiochos-Erlaß werden zwei Sorten von Abgaben aufgezählt: eine Kopfsteuer, eine Kronensteuer und eine Salzsteuer, die als Personalsteuern anzusehen sind[32]. Daneben wird noch ein Tribut genannt, der von allen Bewohnern zu entrichten ist[33]. Dieser Tribut wurde den Bewohnern Jerusalems für drei Jahre erlassen und dann um ein Drittel reduziert: eine Formulierung, die verrät, daß es sich um eine anteilige Produktenabgabe handelte. Die Einziehung dieser Abgabe wurde an die lokalen Aristokraten verpachtet.

Aus einer auf den Erlaß folgenden Erzählung der Antiquitates über die fiskalischen Bezirke Coele-Syria, Samaria, Judäa und Phoenicia erfahren wir:

AJ XII 155:

„Die Tribute wurden zwischen den beiden Königen (Antiochos und Ptolemaios Epiphanes) geteilt. Jede der Vornehmen pachteten (das Recht), in ihren eigenen Vaterstädten den Tribut zu erheben und entrichteten, nachdem sie die festgesetzte Summe[34] gesammelt hatten, diese den Königen."

Die Summe war bei der Verpachtung der Abgaben festgesetzt worden und ergab sich aus den Personalsteuern und der Produktenabgabe, die

---

sten und „die Häupter der einflußreichen Laiengeschlechter" zu identifizieren sind (1962, S. 253).

[31] Die große Bedeutung der Volksversammlung (qāhāl) zur Zeit Nehemias, ergibt sich u.a. aus Neh 5,7.13. Zum Qāhāl L. Rost, 1938.

[32] Einzelheiten zu diesen Steuern: E. Bikerman, 1935, S. 220f.; 1938, S. 111−114; M. Rostovtzeff 1955/56 I, S. 365−368. Personalsteuern waren aus der Sicht der Polis ein Zeichen der Unfreiheit und wurden nur Fremden auferlegt (W. Schwahn, Art. τέλη, PW 5 a, 1934, S. 245f.).

[33] E. Bikermann, 1935, S. 221f.

[34] κεφάλαιον könnte allerdings auch mit Kopfsteuer übersetzt werden (AJ XII 143; 1Makk 10,29), was jedoch unwahrscheinlich ist.

das judäische Land schwer belasteten und zur Versklavung einst freier Bauern führten (AJ XII 156)[35]. Eine Folge dieser Ordnung war, daß der Staatspächter als Bürger des fiskalischen Gebietes, das er pachtete, durch den Magistrat kontrollierbar wurde. Das konvergiert mit Vorstellungen der pseudoaristotelischen Schrift Oeconomica, die die theoretischen Grundlagen der seleukidischen Wirtschaftspolitik darstellt[36]. Der entscheidende Satz B I, 1 lautet:

„Es gibt vier Verwaltungen (Oikonomiai), die in Typen unterteilt werden können — denn die anderen fallen, wie wir sehen werden, darunter —: die des Königs, die des Satrapen, die der Polis und die des privaten Bürgers."[37]

Die Polis erscheint hier vorrangig nicht als politische Einheit, sondern als Instanz der Verwaltung von Einnahmen[38], u.z. wie ausgeführt wird, von speziellen Produkten des Landes, von Märkten, Wegen und öffentlichen Diensten. In diese Ordnung fügt sich der Hinweis, der seleukidische Oberste der Steuerhebung habe mit den Städten Judäas verhandelt (1Makk 1,29; 2Makk 5,24).

Die ethnische Autonomie, die Judäa offiziell zugestanden wurde, trug Elemente in sich, die der städtischen Aristokratie neue Möglichkeiten boten. Neben dem Hohenpriester, dessen Vorrang nicht angetastet wurde[39], trat ein aristokratisches Gremium, das wie ein Magistrat der Stadt Jerusalem das Land nach den väterlichen Gesetzen regierte. Da das Adjektiv πάτριοι diese Gesetze inhaltlich nicht endgültig festlegte[40] und der griechische Begriff der νόμοι auch eine Zustimmung der Bürger implizierte, ergab sich ein Spielraum, in welchem sich die verschiedenen Interessen ausbilden und sich mittels einer Auslegung der Tradition auch artikulieren konnten.

Diese im inneren komplexe Ordnung war außerdem von einer Rechtsanschauung geleitet, nach der der Herrscher als nomineller Eigentümer

---

[35] Diese Nachricht leitet in den Antiquitates die Tobiadenerzählung ein, weshalb ihre Zuordnung zur seleukidischen Herrschaft bezweifelt wird (A. Büchler, 1899, S. 47f.).

[36] M. Rostovtzeff, 1955/56, I, S. 343—368.

[37] Text und Übersetzung: B. A. van Groningen und A. Wartelle, 1968.

[38] Die von Aristoteles in dem 1. Buch der Politeia getroffene Unterscheidung zwischen Politik und Ökonomie, nach der erstere eine Regierung über Freie ist, letztere eine über Sklaven, erste um des vollendeten Lebens, letztere um des Erwerbs willen, ist verschwunden.

[39] Jesus Sirach 45,17; 50,4.

[40] Diese Formel meint nach E. Bikerman, 1937, S. 53 die Gesetze Mosis. Deren Inhalte werden jedoch nicht präzisiert.

des eroberten Landes die staatliche Ordnung der unterworfenen Völker festlegte[41]. E. Bikerman hat das Prekäre dieses Zusammenhanges pointiert als Widerspruch beschrieben, „daß die Verbindlichkeit der Thora auf dem freien Willensakt eines heidnischen Machthabers beruhte"[42]. So waren die Voraussetzungen gegeben, daß die einheimische Aristokratie Oberhand gewinnen und ethnische durch politische Ordnungen ersetzen konnte[43].

Die unter Antiochos geschaffene politische Ordnung blieb in der Folgezeit erhalten. Antiochos V. ratifizierte 163 v.Chr. den Status Judäas als autonomen Ethnos[44] und makkabäische wie römische Dokumente bestätigen ihn[45]. Eine Urkunde kann exemplarisch für andere stehen. 1Makk 12,6: „Jonathan der Hohepriester, die Gerusia des Ethnos[46], die Priester und der Demos[47] der Judäer grüßen die Spartaner", die für Brüder vermittels gemeinsamer Abstammung von Abraham gehalten werden[48].

---

[41] Die Legitimation der seleukidischen Herrschaft folgte für die orientalischen (nicht-jüdischen) Untertanen allgemein aus ihrer Herrschaft über Länder, die sie in der Nachfolge einheimischer König angetreten hatten, leitete sich für die Griechen aber aus dem Recht des Sieges her, das erblich weitergegeben werden konnte (E. Bikerman, 1938, S. 11–17). Aus dieser Souveränität des Königs folgerten hellenistische Staatstheoretiker, der König sei selbst der Ursprung des Rechts (E. R. Goodenough, 1928).

[42] 1937, S. 53.

[43] Den Zusammenbruch auf Deszendenz begründeter Gemeinwesen Kleinasiens behandelt A. H. M. Jones, 1940, S. 43. Nach Jones zerspalteten sich Stammesgebiete in verschiedene territoriale Teile, die als Städte neu organisiert wurden. Jones sieht darin einen Fortschritt von Stamm zur Stadt (S. 67f.).

[44] 2Makk 11,22–26 ein Erlaß an den Provinzstatthalter, den dieser der Gerusia brieflich mitteilte (11,27–33).

[45] Z.B. 1Makk 8,20.

[46] 1Makk 12,6. Alleine würde dieser Briefkopf nicht beweiskräftig sein, da er eine stilistische Anpassung des Absenders an die spartanischen Institutionen sein könnte. Doch bestätigen andere Ausführungen zweifelsfrei, daß eine aristokratische Institution der Ältesten in makkabäischer Zeit existiert hat: 1Makk 11,23; 13,36; 14,20. 28 (Archonten des Ethnos); 2Makk 1,10; 4,44; 11,27; Judith 4,8; 11,14; 15,8 AJ XIII 428. Im 1. Jh. v.Chr. wird sie unter dem Begriff συνέδριον geführt (E. Lohse, ThW VII, 1964, S. 860).

[47] Damit ist die Versammlung der Judäer gemeint, die anderswo auch ἐκκλησία genannt wird: 1Makk 4,59; 5,16; 13,2–8; 14,19; 15,17.

[48] Die Parallele bei Josephus weicht ab AJ XIII 166. Der Brief begründet den politischen Freundschaftsvertrag mit der gemeinsamen Deszendenz von Abraham (1Makk 12,7f.21; vgl. 2Makk 5,9) und interpretiert ihn als segmentäre Solidarität. Eine vergleichbare Verbindung zwischen Verwandtschaft und politischem Bündnis AJ XIII 109, 120 sowie AJ XIV 255.

Die Motive des makkabäischen Freiheitskampfes

Die erste Nachricht über Konflikte innerhalb der Jerusalemer Bürgerschaft zu dieser Zeit ist

2Makk 3,4:

„Ein gewisser Simon aus dem Stamm Benjamin[49], der als Vorsteher (προστάτης) des Tempels eingesetzt[50] worden war, entzweite sich mit dem Hohenpriester über die städtische Marktaufsicht".

Die Verletzung der sakralen Vorschriften durch die Vornehmen hatte einst den Statthalter Nehemia veranlaßt, die Kontrolle des Handels ihnen zu entziehen und den Leviten zu übertragen (Neh 13,15–22), die wahrscheinlich dem Hohenpriester unterstanden. Nachdem Joseph bar Tobia die Verfügungsgewalt über das Tempelvermögen erlangt hatte (AJ XII 167), versuchte der aristokratische Verwalter[51] des Tempelvermögens unter Seleukos IV. (187–175 v.Chr.) auch die Marktaufsicht seinem Einfluß zu unterstellen. Der Versuch mißlang, und die Tobiaden als Verbündete der Seleukiden wurden durch Onias vertrieben (BJ I 31)[52].

Wir hatten aus der pseudoaristotelischen Schrift gehört, daß die Ökonomie der Polis auch auf Einnahmen aus öffentlichen Diensten beruhte. Da der Tempel über regelmäßige monetäre Einkünfte verfügte sowie die von jedem Judäer zu entrichtende Tempelsteuer zur Ansammlung eines gewaltigen Schatzes geführt hatte, und auf der anderen Seite der seleukidische Herrscher Kriegsschulden hatte, war es für diesen nur naheliegend, das Hohepriesteramt nach dem Prinzip der Pacht zu vergeben. Nach Amtsantritt des Antiochos 175 v.Chr. pachtete der Priester Jason, der Bruder des Onias, das Hohepriestertum gegen 440 Talente (2Makk 4,7f.). Im Jahre 171 v.Chr. überbot der Bruder des oben genannten Simon mit Namen Menelaos den Jason um 300 Talente und wurde — obwohl nicht-priesterlicher Herkunft — Hoherpriester (2Makk 4,23f.). Drückende Schulden der syrischen Könige auf der einen, die Emanzipationsbestrebungen eines Teiles der judäischen Aristokratie auf

---

[49] Daß hier von einem priesterlichen Stamme die Rede wäre, wie R. Marcus überlegt (zu AJ XII 239), ist nicht zu begründen.

[50] Sc. vom König (vgl. 1Makk 10,20).

[51] Aus der Darstellung AJ XII 229 folgerte Büchler, Simon sei ein Sohn des Tobiaden Joseph gewesen (1899, S. 84).

[52] AJ XII 240 geschah dieses durch Jason. Mit den internen Auseinandersetzungen verbanden sich außenpolitisch Konstellationen mit Ptolemäern und Seleukiden, die von A. Büchler dargestellt worden sind (1899, S. 43–74).

der anderen Seite führten zu dieser Verletzung alles bisher Üblichen[53].
Das Programm dieser Männer hat Josephus folgendermaßen dargestellt.

AJ XII 239—241:

„Als nun der frühere Hohepriester Jesus (= Jason) sich gegen den nach
ihm eingesetzten Menelaos erhob und das Volk sich in zwei Parteien
spaltete, waren die Söhne des Tobias auf der Seite des Menelaos, während die Mehrheit des Volkes Jason unterstützte. Von ihm bedrängt
zogen sich Menelaos und die Söhne des Tobias zu Antiochos zurück
und erklärten ihm, daß sie die väterlichen Gesetze und die ihnen entsprechende Verfassung (politeia) aufgeben und den königlichen Gesetzen folgen sowie die hellenische Verfassung haben wollten. Sie baten
ihn darum um die Erlaubnis, in Jerusalem ein Gymnasium bauen zu
dürfen."

Zentrales Anliegen des Programmes war die politische und ökonomische
Integration Jerusalems als Polis in die seleukidische Verwaltungsordnung[54]. Da sich dieser Integration vor allem die hierokratischen Traditionen nicht fügen konnten, betrieben die Hellenisten eine umstürzende
Kulturpolitik[55]. Die Umgestaltung kulminierte 167 v.Chr. in einer
neuen Identifizierung des Gottes auf dem Zions-Berg (2Makk 6,1f.)[56].
An die Stelle Jahwes, der mit den Vätern der Israeliten in einen Bund
getreten war, trat der westsemitische Baʻalšamēm, der als Herr Him-
mels und der Erde gegenüber sozialen Gruppen indifferent war[57].

---

[53] A. Büchler hält das ganze für eine „unmögliche Thatsache" und sieht in Menelaos einen politischen Vorsteher, der mit dem Tempel nicht verbunden war, sondern Vertreter der syrischen Verwaltung in der judäischen Hauptstadt (1899, S.
8—43): eine unplausible Konstruktion. M. Smith geht ebenso wie wir von der Kontinuität eines politischen Konfliktes in der Zeit von Nehemia bis Antiochos Epiphanes aus und kennzeichnet die Parteien als Separatisten und Assimilationisten
(1971, S. 154f.). In einer Literaturanalyse knüpft er Beziehungen zwischen der
Aristokratie, den Leviten, den Priestern einerseits, literarischen Werken und Be-
arbeitungen andererseits (S. 157—178).
[54] So die Interpretation von V. Tcherikover, 1959, S. 167f. Zum Begriff Helle-
nisch: E. Bikerman, 1937, S. 74—80.
[55] 1Makk 1,11. Bikerman verbindet den Wunsch nach Verbrüderung mit den
Völkern mit einem kulturgeschichtlichen Exzerpt aus Poseidonios, das die Absonderung Israels als eine sekundäre Entartung auslegte (Bikerman, 1937, S. 128—
131; K. Reinhardt, Poseidonios über Ursprung und Entartung. Heidelberg 1928;
M. Smith bezeichnet die Gruppe als „Assimilationists" und identifiziert sie mit den
aristokratischen Gegnern des Nehemia [1971, S. 155f.]).
[56] Maßgebliche Darstellung: E. Bikerman, 1937, S. 92—116.
[57] Zum Baʻalšamēm: O. Eißfeldt, Baʻalšamēm und Jahwe. Kleine Schriften Bd. 2.
Tübingen 1963, S. 171—198. Die religionsphänomenologischen Differenzen in den
Beziehungen zwischen religiöser Gemeinschaft und Göttern (Gott als Vater, als

Der von den Makkabäern organisierte Widerstand[58] war vorrangig gegen den staatlichen Eingriff in das sakrale Recht gerichtet[59], beschwor die Kontinuität des göttlichen Bundes mit den Vätern (1Makk 2,19f.50f. 61)[60] und machte die gemeinsame Abstammung im Kampf gegen die Seleukiden zum Prinzip der Solidarität. Sie „zogen heimlich in die Dörfer, riefen die Stammesgenossen (συγγενεῖς) zu Hilfe und brachten so 6000 Anhänger des Judaismus zusammen" (2Makk 8,1)[61]. Diese Bildung des Widerstandes in der Form segmentärer Solidarität[62] zeigt sich da

---

König, als Patron) hat W. R. Smith dargestellt. Die Baʻale sind im Vergleich hierzu nicht auf Gruppen bezogen, sondern als Eigentümer auf Land (1967, Kap. 2 u. 3).

[58] Die Quellen dieses Krieges sind vor allem 1. und 2. Makkabäerbuch, Daniel und Josephus. Eine Übersicht über die Quellen gibt E. Bikerman, 1937, S. 143—154. Seiner Rekonstruktion des Hergangs und der Parteienkämpfe schließe ich mich an, nicht aber seiner Bestimmung des Makkabäerkrieges als Bürgerkrieg im Sinne der neuzeitlichen Religionskämpfe (S. 136—138).

[59] Die Gegner folgen den Geboten des Königs: 1Makk 2,19f.; 6,21—23; 9,23—25; 10,14; die Aufständischen setzen die alten Gebote wieder in Geltung: 1Makk 2,34; 2,46, 4,47—53; 1,43.

[60] An die Stelle des Bundes der Väter setzte Josephus Gottesdienst bzw. Politeia (AJ XII 271. 280). Josephus, der gegen Sikarier und Zeloten eine aristokratische Politik vertrat, sah das kontinuierliche Prinzip der Geschichte Israels vorrangig in der aristokratischen Leitung, die bis auf die Zeit des Mose zurückreiche (Josephus AJ XI 111f.). Für den Widerstand war dagegen das Bewußtsein kollektiver Verbundenheit mit den Vorvätern handlungsmotivierend. Eine Darstellung dieses Bewußtseins aus literarischen Quellen bei V. Aptowitzer, 1927, vor allem im 3. Kapitel seines Buches.

[61] συγγενεῖς als Bezeichnung derer, die gemeinsamer patrilinearer Abstammung sind: z.B. 2Makk 5,6; 12,39; 15,18 sowie später Josephus AJ XV 266; XVII 24 (= mišpāḥā). In diesen Zusammenhang gehört die emphatisch gebrauchte Bruderbezeichnung: 1Makk 5,32. συγγένεια wird von der LXX zur Übersetzung von mišpāḥā verwendet, das allerdings häufiger durch δῆμος wiedergegeben wird. Näheres: W. Michaelis, Art. σμγγενής, ThW VII, 1964, S. 736—742.

[62] C. Sigrist, 1967, S. 124. Der Begriff des Segmentären bedarf einer Erläuterung. Die von Durkheim entwickelte Typologie segmentärer und zentralisierter Gesellschaften war an dem Fortschreiten der Arbeitsteilung orientiert. An die Stelle sozialer Beziehungen, die auf der Gleichheit der Handelnden beruhe (mechanische Solidarität), trete die organische Solidarität der Verschiedenen, deren organischer Zusammenhang durch ein regulierendes Zentralorgan garantiert werde (1933, S. 174—199). Der Begriff des Segmentären wurde in der englischen Sozialanthropologie dieser ökonomischen Konnotationen entkleidet und mit der Deszendenztheorie verbunden. Segmentär wird zu einem Begriff, der die Ausdifferenzierung von Deszendenzgruppen wie deren Solidarität gegenüber genealogisch fernen Gruppen bezeichnet. Segmentär bezeichnet einen gesellschaftlichen Mechanismus, der ohne Zentralisierung der Zwangsgewalten in staatlicher Institution Gesellschaft ordnet (M. Fortes/E. E. Evans-Pritchard, 1948, S. 1—23; M. Fortes, 1969, S. 75f.). Christian Sigrist hat diese Definition des Segmentären als einer Klasse staatsloser Gesellschaften um die Bestimmung erweitert, daß Segmentation als Ausdruck des Gleichheitsbewußtseins

am klarsten, wo eine Gruppe der erwarteten Unterstützung nicht nachkam.

AJ XII 257:

„Als die Samaritaner die Judäer leiden sahen, bekannten sie sich nicht mehr dazu, ihre Stammesgenossen (συγγενεῖς) zu sein".

Die Samaritaner gingen 167 v.Chr. mit Antiochos IV. eine Sonderregelung ein, die zum endgültigen Bruch zwischen den Nachkommen Judas/ Benjamin und Josephs führte[63].

Neben den religiösen und politischen Motivationen des Kampfes der von den Makkabäern organisierten[64] judäischen Bauern (1Makk 7,46) gegen die seleukidischen Herrscher, die in der Literatur hauptsächlich untersucht worden sind, gibt es noch ein weiteres, zu Unrecht vernachlässigtes Motiv. Den Entscheid des syrischen Königs Demetrios II. aus dem Jahre 142, den Judäern Abgabenfreiheit zu gewähren, feierte das Volk als Befreiung von Sklaverei und machte dieses Datum zum Ausgangspunkt einer neuen Zeitrechnung (AJ XIII 213; 1Makk 13,41f.). Die Höh dieser Abgabe teilen uns vorangehende Briefe mit. So hatte bereits Deme trios I. 152 v.Chr. dies Versprechen gegeben[65].

1Makk 10,29−31[66]:

„Und zwar befreie ich euch und erlasse allen Judäern die Abgaben, die Salzsteuer und die Kronensteuer. Ebenso erlasse ich von heute ab und weiterhin die Abgaben für den dritten Teil der Saatfrüchte und für die Hälfte der Baumfrüchte, die zu nehmen mir zusteht, und will sie nicht vom Lande Juda und von den drei zu ihm geschlagenen Bezirken Samarias nehmen, vom heutigen Tage ab und für alle Zeit. Jerusalem aber soll heilig sein und steuerfrei samt seinem Gebiet und ebenso die Zehnten und die Zölle".

---

in Widerspruch zur politischen Herrschaft des Staates stehe und auch in Gesellschaften mit Zentralinstanz segmentäre Prozesse stattfinden können (S. 21−59; S. 158−203). Es ist diese Explikation des Begriffes, die hier vorausgesetzt wird. Daß das politische Handeln der Widerstandsgruppen dem Prinzip segmentärer Solidarität folgte, zeigen 1Makk 5 und 1Makk 9,36−42.

[63] H. G. Kippenberg, 1971a, S. 74−80 (Samaritaner unter seleukidischer Herrschaft), S. 255−275 (Samaritaner als Nachkommen Josephs).

[64] Zu der Funktion einer organisierenden Intelligenz in Bauernrebellionen: E. Wolf, Peasant Rebellion and Revolution, in: National Liberation. Hg. v. N. Miller und R. Aya. New York 1971, S. 48−67.

[65] Einen weiteren Brief hatte 145 v.Chr. Demetrios II. geschrieben: 1Makk 11, 32−36.

[66] Parallele: Josephus AJ XIII 48−51.

Drei Gruppen von Abgaben werden genannt. Da sind erstens die Personalsteuern, von denen das Volk insgesamt befreit wird und nicht mehr – wie AJ XII 142 – nur die Gerusia und ein Teil der Priesterschaft[67]. Zweitens wird ein Tribut erlassen, der ein Drittel des Ertrages der Aussaat und die Hälfte der Baumfrüchte umfaßt hatte (1Makk 11,34). Er steht in Entsprechung zu der anteiligen Produktenabgabe AJ XII 144, die Antiochos einst um ein Drittel reduziert hatte. Hier erfahren wir etwas über Quote der Abgabe: den dritten Teil des Ertrages und die Hälfte der Baumfrüchte. Diese Quote überschritt das im Seleukidenreich übliche Maß des Zehnten und entsprach einem Pachtverhältnis (Kolonat) zwischen dem (königlichen) Grundbesitzer und dem Bauern als Teilpächter, wie es im ptolemäischen Reich üblich gewesen war[68].

Die Seleukiden hatten offenbar Palästina weiterhin als Königsland eingestuft (vgl. 1Makk 3,34–36; Dan 11,39) und lediglich die Quote reduziert. Es erscheint mir möglich, daß im Demetrius-Erlaß die alte Quote genannt ist, die Antiochos einst vorgefunden und verringert hatte. Zur Strafe für den Aufstand könnte ihre alte Höhe wiederhergestellt worden sein[69].

A. Mittwoch hat erkannt, daß die seleukidische Verwaltung zwei Besteuerungsmethoden verwendete: neben der Quotenabgabe ein feststehender Tribut (AJ XII 155)[70]. Mittwoch löst das Verhältnis beider im Sinne einer Ersetzung: die Vakanz im Hohenpriesteramt nach 159 v.Chr. habe einen Übergang vom fixen Tribut zur Produktenquote notwendig gemacht. Doch zeigt bereits die seleukidische Frühzeit diese Duplizität (AJ XII 144 und 155), deren Ursache in der Verpachtung des Tributs gegen eine feststehende Summe beschlossen ist. Der Herrscher verpachtete seinen Anteil an den Produkten des Landes gegen eine feststehende Summe Geld. Die Staatspacht war nicht nur ein politisches Mittel, aus der Not eines schwachen Staatsapparates geboren, sondern zugleich auch ein ökonomisches, das Agrarprodukte in Tausch-

---

67 φόροι 1Makk 10,29 ist wahrscheinlich mit der Kopfsteuer des Antiochos-Erlasses identisch (AJ XII 142). 1Makk 11,35 nennt diese nicht, sondern beschränkt sich auf Salz- und Kronensteuer.
68 Pseudo-Aristoteles, Oeconomica B I 1 kennt als Quote nur den Zehnten, so daß die Regelung aus vorseleukidischer Zeit stammen wird. In Ägypten beanspruchte der Herrscher ca. die Hälfte der Ernte für sich (E. Bikerman, 1938, S. 179; M. Rostovtzeff, 1910, S. 1–228). Rabbinische Schriften des 1. Jh n.Chr. kennen das Teilpachtverhältnis. Als Quoten für den Grundeigentümer war die Hälfte, das Drittel oder das Viertel des Ertrages üblich [s.u. S. 147].
69 E. Bikerman, 1938, S. 179f.
70 Tribute and Land Tax in Seleucid Judaea, Biblica 36, 1955, S. 352–361. Die Stelle ist bereits oben besprochen worden.

werte transformieren sollte. Die staatlich festgelegten Quoten waren dabei die Berechnungsgrundlage der Pacht (siehe Tafel 4). Die Aufhebung dieser Quote war zugleich die Beseitigung der Staatspacht. Der Jubel darüber als Ende der Sklaverei, den 1Makk 13,41f. und AJ XIII 213 ausdrückt, legt die ökonomischen Motive des Widerstandes frei[71]. Daß am Ende des Widerstandes die Staatspacht verschwand und die Aristokratie nicht mehr mit dem Staatsapparat identisch war, ermöglichte den Bauern einen größeren Spielraum gegenüber den Grundherren. Die Ungleichheit zwischen Grundherren und Bauern blieb erhalten, verschob sich jedoch in Richtung einer bäuerlichen Kontrolle über das Surplus.

Tafel 4: Seleukidische Staatspacht

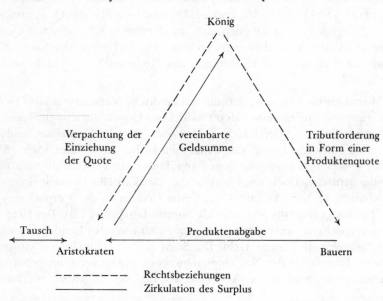

Drittens versichert Demetrios, auf die Zehnten und Zölle Jerusalems zu verzichten. Die Zehnten waren die archaische, schon in vorhellenistischer Zeit bezeugte Bodenertragssteuer[72], während Zölle, deren Höhe ca. 2,5% betrugen, auf dem Warenhandel lagen und nicht allein

---

[71] ἀφορολόγητόν steht in sachlicher Korrespondenz zu der Pachtung des φορολογεῖν durch Aristokraten AJ XII 155. M. Rostovtzeff hat für die Annahme, die Hasmonäer hätten das seleukidische Besteuerungssystem unverändert übernommen, keine Gründe (1955/56 II, S. 792; III, S. 1357). Sie ist unhaltbar.

[72] W. Schwahn, Art. τέλη, PW 5a, 1934, S. 251f.

Grenzzölle waren, sondern auch Binnenzölle (Maut)[73]. Sie wurden nun die Einnahmequelle des makkabäischen Staates gegenüber den Judäern (AJ XIV 203).

Zusammenfassung

Das System der Staatspacht unterschied grundsätzlich die griechische von der persischen Herrschaft. In persischer Zeit entrichteten die Produzenten eine Grundsteuer in Silbergeld, das sie durch den Verkauf ihrer Produkte aufzubringen versuchten. Widrigenfalls waren sie angewiesen, es gegen Sicherheiten zu leihen. Da — wie wir gesehen haben — Silberbergwerke und andere Einkommensquellen in Judäa fehlten, lastete die tributäre Forderung ganz auf den Bauern. In jenem griechischen System der Staatspacht, das die Tobiaden im Namen der ptolemäischen Herrscher in Judäa durchsetzten und das in seleukidischer Zeit fortbestand, entrichtete der bäuerliche Betrieb einen geforderten Tribut in Form einer anteiligen Abgabe an die Staatspächter. Der Herrscher leitete aus dem Umstand der Eroberung das Recht auf einen Teil an dem Ertrag ab. Er betrug — laut einem Edikt aus der Mitte des 2. Jh. v.Chr. — $1/3$ des Ernteertrages und $1/2$ der Baumfrüchte. Dieser herrschaftliche Anspruch wurde an die vermögende Aristokratie verpachtet (weshalb *Staat*spacht der zutreffende Begriff ist), die im Gegenzug dem Herrscherhaus eine Summe Silbergeld entrichtete. Voraussetzung war selbstverständlich, daß den Staatspächtern ein Gewinn an Silbergeld aus dem Verkauf der Produkte möglich war.

Die Durchsetzung dieses Systems hatte ganz bestimmte Folgen. Da ist einmal der Zwang zur Rentabilität zu erwähnen. Ob durch Reduzierung der Familienmitglieder oder durch Anbau neuer Sorten mußten die bäuerlichen Betriebe den Surplusanteil, den sie zu erbringen hatten, erhöhen. Folgenreich war auch der Gegensatz, der sich zwischen den (in seleukidischer Zeit einheimischen) Staatspächtern auf der einen, den ausgebeuteten Bauern auf der anderen Seite auftat. Die Klassenbildung verlief quer durch das Ethnos.

Der makkabäische Freiheitskampf war ein Kampf gegen ökonomische Ausbeutung. Er war zugleich — wir sind hier wieder bei unserem Thema — ein Kampf gegen die Aufkündigung der religiösen Tradition durch einen Teil der vermögenden Aristokratie. Weil die religiöse Symbolik egalitäre Interessen ausdrückte, war sie in diesem Kampf so zentral für die aufständischen Priester und Bauern.

---

[73] Vittinghoff, Art. Portorium, PW 43, 1953, S. 377f.

6. Zur Interpretation asiatischer Gesellschaften in hellenistischer Ethnographie

Hellenismus als ein geschichtsphilosophischer Begriff

F. C. Grant benennt als Hauptzüge des Hellenismus „die Verschmelzung und gegenseitige Durchdringung der verschiedenen Kulturen in Berührung mit griechischem Leben und Denken, wobei dieses die Führung innehatte"[1]. Diese Kennzeichnung gibt die noch heute vorherrschende Ansicht wieder, wenngleich Hans Jonas bereits vor vierzig Jahren die Vorstellung einer Mischung als ein „chemisches Bild" kritisiert hatte, das das Objekt einem mechanischen Verständnis unterwerfe[2]. Jonas relativierte daher die Heterogenität des religiösen Synkretismus durch transzendentalen Rückgang auf eine einheitliche Daseinshaltung, die die verschiedenen Motive verbinde[3].

Ein Vergleich dieser Begriffsbestimmungen mit jenen Erörterungen, die J. G. Droysen 1836 seiner Geschichte des Hellenismus als Einleitung voranstellte und die den Begriff Hellenismus als einen wissenschaftlichen begründeten, erweist eine Verkürzung des Begriffsinhaltes. Droysens Darstellung thematisiert die Geschichte der Nachfolge Alexanders unter dem Gesichtspunkt der Einheit bzw. Teilung des Reiches. Alexanders Absicht sei die Verschmelzung des abend- und morgenländischen Wesens gewesen, die er auch vollbracht habe. Warum aber – so fragt Droysen – sei dieses Werk nach seinem Tode in die Gefahr des Unterganges gekommen? Seine Antwort ist folgende[4]:

„Das Reich Alexanders mußte zerfallen; gerade das, was er als Mittel der Bindung und des Zusammenhaltens so eifrig gefördert, mußte es zersprengen. Wenn die ausgelebten, unter persischem Despotismus erstorbenen Volksthümlichkeiten des Ostens durch abendländischen Geist, der sich mit ihnen vermischte, von Neuem belebt wurden, so erwachte mit dieser Wiederbelebung in jedem Volke die gesammte Eigenthümlichkeit der ihm eigenen natürlichen und geschichtlichen, staatlichen

---

[1] Art. Hellenismus, RGG 3. A., 1959 III, S. 209.
[2] Gnosis und spätantiker Geist. Göttingen 1934, S. 11.
[3] A.a.O., S. 12f.
[4] Geschichte des Hellenismus Bd. 1. Hamburg, 1836, S. 6.

und religiösen Verhältnisse wieder; jedes der Völker brachte andere und andere Elemente zu jener Verschmelzung mit, und sobald sich die zunächst äußerliche Mengung mit abendländischem Wesen zu durchdringen begann, entwickelten sich eben so viele Gestaltungen des Hellenismus, als die Volksthümlichkeiten verschieden waren ..."

Auch Droysen kann den Hellenismus als „Mischung" des Hellenisch-Makedonischen mit dem lokalen, ethnischen Leben kennzeichnen[5]. Doch liegt dieser Redeweise die philosophische Idee von der Vermittlung des Besonderen mit dem Allgemeinen zugrunde. Ein aus dem Jahre 1838 stammender Text faßt diesen Zusammenhang ins Auge:

„Waren durch den Hellenismus alte Nationalitäten wieder belebt worden, so hatte doch das Alte selbst einen veränderten Charakter angenommen, es hatte seine eng und bestimmt geschlossene Unmittelbarkeit verloren; es war in Beziehung zu der Aufklärung getreten, die das Griechentum brachte... Was nun als Religion und geschichtliche Erinnerung, als Glaube und Einsicht da war, galt nicht mehr wie früher, sondern wesentlich nur in dem gewußten Zusammenhange des Allgemeinen"[6].

Droysen verwendete den Begriff des Hellenismus, um das Universale in den partikularen Reichshistorien der Zeit nach Alexander und vor dem Imperium Romanum zu bezeichnen. Es war eine Zeit, in der der Menschengeist, der sich im Griechentum von der unmittelbaren Bestimmtheit durch das Natürliche gelöst hatte, sich seiner als weltgeschichtliches Prinzip bewußt wurde. In weltbildender Aktivität streifte er das Abendländische ab und wurde zum weltgeschichtlichen Prinzip[7]. Droysen hat den Begriff des Hellenismus nicht an kulturellen Vermischungen ausgerichtet, sondern an einer Beziehung, in die Nationales und Universales getreten waren: der Geltung des Besonderen im Zusammenhang des Allgemeinen. Ohne diese Struktur ist es nicht möglich, den verschiedenen partikularen Geschichten der Diadochenstaaten die gemeinsame Bestimmung Hellenismus zuzuschreiben.

Droysen setzte den Verlauf des Hellenismus in Analogie zu seinem eigenen Jahrhundert[8]. J. Rüsen entfaltete diese Analogie in folgenden Thesen:

---

[5] Schlußbemerkung im 3. Teil der Geschichte des Hellenismus, 2. Halbband. Gotha 1878, S. 184.

[6] J. G. Droysen, Texte zur Geschichtstheorie, Hg. v. G. Birtsch und J. Rüsen. Göttingen 1972, S. 47.

[7] Hierzu J. Rüsen, 1969, S. 28—37 und A. Momigliano, J. G. Droysen, between Greeks and Jews, History and Theory 9, 1970, S. 139—153.

[8] J. Rüsen, 1969, S. 43—49.

„1. Die Gegenwart hat analog zum Hellenismus mit ihrer Tradition ge-
brochen; sie besiegelt diesen Bruch durch die Theorie ihrer Emanzipation und fragt nach dem Prinzip ihrer eigenen emanzipativen Wirklichkeit ...

2. Die Gegenwart zieht wie der Hellenismus aus dem Verfall der
religiösen und sittlichen Tradition gleichfalls die Konsequenz der theoretischen und praktischen Vermittlung der Substanz der Vergangenheit
...

3. Analog zum Hellenismus liegt in der Gegenwart die Entzweiung als
Struktur menschlicher Geschichtlichkeit im politischen Leben offen zu-
tage".

Zu diesen Analogien ist noch eine weitere zu stellen, die Droysen in
der Konfrontation Europas mit den asiatischen Kulturen erblickte:

4. Analog zum Hellenismus ist es die Bestimmung der europäischen Auf
klärung, zur Allgemeinheit einer Weltgeschichte zu werden.

Diese Analogien gründen in der Prämisse, die orientalischen Völker unterschieden sich von den europäischen durch die Gewalt, die vorgefun-
dene Verhältnisse über die sinnliche Erfahrung und das logische Vermögen der Menschen ausüben würden[9]. In der Zeit des Kolonialismus
wurden bürgerliche Gesellschaft und technischer Fortschritt zum Inbe-
griff von Geschichte, von der die externen Völker als geschichtslos abgesondert wurden. So ragt in Droysens Begriff des Hellenismus ein Geschichtsverständnis hinein, dessen Geltung an die Vorherrschaft der bür-
gerlichen Gesellschaft gebunden war[10]. Hält man an der Idee einer Analogie (keiner Identität) von Hellenismus und Expansion der bürgerli-

---

[9] Eine ähnliche Theorie hat H. H. Schaeder vorgetragen: „Griechische Begriffssy-
stematik ist die Grundlage aller höheren Denkleistungen, die der spätere Orient ge-
schaffen hat". „Damit diese im Banne mythischen Denkens festgehaltenen Konzep-
tionen zu universellen, allgemein verständlichen und wirksamen Symbolen werden
konnten, bedurfte es des Hinzutretens griechischer Ratio, die sie in ein festes System der Welt- und Geschichtsdeutung einordnete" (Der Mensch in Orient und Ok-
zident. München 1960, S. 117f., 121).
[10] Eine Darstellung dieses Geschichtsverständnisses bei G. Leclerc, Anthropologie
und Kolonialismus (München 1973), desser erster Abschnitt die Konzeption nicht-
okzidentaler Gesellschaften im 19. Jh. behandelt. Daß asiatischer Geschichte das
Attribut der Stagnation beizulegen sei, war allgemeine Ansicht dieser Zeit. Daß die
Bedingung der Mythen nicht Unmittelbarkeit ist, sondern Widersprüche zwischen
Kultur und Natur, ist eine Erkenntnis neuerer Mythendeutungen (C. Lévi-Strauss,
Das wilde Denken. Frankfurt 1973). Daß auch traditionalen Gesellschaften Ge-
schichtsvorstellungen zukommen, in denen die Geschichte Objekt intentionalen
Handelns ist, führt das Buch von M. I. Pereira de Queiroz aus: Réforme et révolu-
tion dans les sociétés traditionelles. Paris 1968.

chen Gesellschaft fest, dann ist dieses Bedenken in die Untersuchung des Hellenismus einzubringen und auch in der Antike die Beziehung der griechischen zu den orientalischen Kulturen kritisch zu exponieren.

Droysen war wie selbstverständlich von der Annahme ausgegangen, diese Beziehung sei dialektischer Natur und als Fortschritt vom Unmittelbaren zum Vermittelten bzw. vom Besonderen zum Allgemeinen zu verstehen. Unter solcher Annahme ist eine Opposition des Orientalischen gegen das Griechische undenkbar, vertritt das Griechentum doch ein höheres Prinzip. Der Zweifel, der an solcher Annahme grundsätzlich angebracht ist, findet eine wichtige Bestätigung in der griechisch-hellenistischen Ethnographie. Deren Merkmale sollen daher herausgearbeitet werden.

Gesellschaften ohne institutionalisiertes Gewinnstreben

Hekataios von Milet (um 500 v.Chr.), der erste der ionischen Historiker[11], schuf die erste antike Völkerkunde: περίοδος γῆς (Erdbeschreibung). Sie war eine Länderbeschreibung, die auf der Erdkarte Anaximanders basierte und das Wissen der Ionier über Völker und Länder systematisierte[12]. Herodot (485–424 v.Chr.) brachte die Arbeit des Hekataios in seine Darstellung der europäisch-asiatischen Auseinandersetzungen ein, um den Leser mit deren Voraussetzungen bekannt zu machen. Der erzählende Faden wird von Exkursen über die in die persische Geschichte involvierten Völker durchbrochen: über die Lyder, die Meder und Perser, die Babylonier, die Ägypter, die Skythen, die Lybier, die Thraker, die Massageten, die Araber, die Äthiopier, die Inder und die Chorasmier. Diesen Exkursen liegt eine Systematik der Themen zugrunde, die Trüdinger folgendermaßen bezeichnet:

1. Land
2. Geschichte
3. Gesetze (Nomoi)
4. Merkwürdigkeiten (θαυμάσια)[13]

Die Nomoi[14] scheinen schon vor Herodot eine gewisse Anordnung besessen zu haben, die mit religiösen Gebräuchen (Götter, Opfer) begann und mit Totenbräuchen endete[15]. Der Beitrag Herodots ist vor allem

---

[11] Zu ihm: K. E. Müller, 1972, S. 94–101.
[12] L. Trüdinger, 1918, S. 8–14.
[13] A.a.O., S. 14–34. Eine genauere Systematik versucht K. E. Müller, 1972, S. 114f. zu ermitteln.
[14] Bei der Darstellung der Perser I 131–139; der Babylonier I 195–199; der Ägypter II 35–92; der Skythen IV 59–76.
[15] L. Trüdinger, 1918, S. 21–26.

darin zu sehen, daß er die orientalischen Traditionen mit den vertrauten griechischen Nomoi in Beziehung setzte und auf ihren Sinn bedacht hat[16]. Diese Methode unterscheidet Herodot von einer anderen Form der Ethnographie, in der die Besonderheiten der Völker aus den Gegebenheiten der Natur rational erklärt werden, wobei diese Besonderheiten im Psychischen und Somatischen der Völker gesucht werden[17]. Herodot dagegen interpretiert die fremden Kulturen in der Perspektive griechischer Gesetze und bedient sich dazu einer antithetisch-paradoxen Literaturform[18]. Herodots Methode folgt einem hermeneutischen Verfahren, das aus Vorstellungen und Bräuchen einen Sinn erhebt, ohne sie auf eine andere (politische oder ökonomische) Wirklichkeitsebene zu reduzieren[19]. Seine Ethnographie ist bewegt von dem Interesse an einer Aufklärung, die ein herrschaftsfreies Verhältnis zwischen den asiatischen und den europäischen Völkern ermöglicht.

Seit dem 4. Jahrhundert begegnen wir einer Reihe von Literaturwerken, die in der wissenschaftlichen Literatur zwar zusammen behandelt werden, über deren Kennzeichnung jedoch Uneinigkeit besteht. Es handelt sich um (fragmentarisch erhaltene) Darstellungen der Autoren Theopomp von Chios (4. Jh. v.Chr.)[20], Hekataios von Abdera (bzw. Teos) (Ende 4./Anfang 3. Jh. v.Chr.)[21], Euhemeros von Messene (gleiche Zeit) Jambulos (zeitlich zwischen Euhemeros und dem Sklavenaufstand unter Aristonikos, 133 v.Chr.)[22] und Megasthenes (350–290 v.Chr.)[23].

---

[16] L. Trüdinger, 1918, S. 27–30. Als Beispiel sei auf die Behandlung der persischen Göttervorstellung verwiesen: „Sie glauben nämlich nicht, wie mir scheint, daß die Götter wie bei den Griechen menschenähnliche Wesen sind" (I 131).

[17] Es handelt sich hier vor allem um die Schrift περὶ ἀέρων (L. Trüdinger, 1918, S. 37–43). F. Heinimann hat – von dieser Schrift ausgehend – dargestellt, daß das Begriffspaar Physis-Nomos bei seinem ersten Auftreten der sachlichen Beantwortung der Frage nach den Ursachen der Verschiedenheit der Völker gedient hat, nicht aber dem Zweck der Entwertung des Nomos zugunsten der Physis (1945, S. 13–41).

[18] L. Trüdinger, 1918, S. 34–37 und 43.

[19] E. Wolff, Perser-Nomoi und geschichtliches Verstehen, in: W. Marg (Hg.), Herodot. Darmstadt 1965, S. 404–411. Ein ähnliches Phänomen hat F. Kramer in der Ethnographie des 19. Jh. studiert: Verkehrte Welten. Zur imaginären Ethnographie des 19. Jahrhunderts. Frankfurt 1977.

[20] K. E. Müller, 1972, S. 223f.

[21] Man wird darin Josephus, Contra Apionem I 183 folgen können.

[22] W. W. Tarn, Alexander der Große, 1968, S. 766; Kroll, Art. Jambulos, PW 9,1, 1914, S. 681–683. Das ante quem Datum resultiert aus der Annahme, der Aristonikos-Aufstand in Kleinasien, in dessen Verlauf Sklaven ein Heliopolis ausriefen, würde seine politischen Vorstellungen Jambulos verdanken (hierzu zuletzt J. Vogt, 1965, S. 35).

[23] K. E. Müller, 1972, S. 245–252.

E. Rohde hat ihre Werke in seinem „Griechischen Roman" als „Verbindung ethnographischer Fabulistik mit philosophischen und politischen Idealvorstellungen" umschrieben, wobei er Platos Atlantis als Vorbild dieser Literatur ansah [24]. R. v. Pöhlmann faßte sie unter der Überschrift „Der Staatsroman" zusammen, wobei er jedoch eine Anlehnung an „wirkliche oder überlieferte Tatsachen des orientalischen Volkslebens" beobachtete [25]. J. Kaerst interpretierte sie als „berufsständische Konstruktionen des Staates in tendenziös-didaktischen Schilderungen orientalischer Länder und romanhaften Darstellungen" [26], und A. Doren spricht von „utopisch-rationalistischen Bildprojektionen", die von chiliastischen Träumen zu unterscheiden seien [27].

Die genannten Interpretationen können in eine des Inhaltes und in eine der literarischen Gattung unterteilt werden. Die literarische Bestimmung als Roman, die auf Grund des Fortwirkens der antiken Werke in den Staatsromanen von Thomas Morus und Thomas Campanella so naheliegt, ist angesichts des fragmentarischen Zustandes der Überlieferung nicht zu erhärten und trägt für eine Theorie des antiken Romans auch wenig ein [28]. Wir wenden uns daher der inhaltlichen Analyse zu und wollen die leitenden Prinzipien bei der Darstellung fremder Völker untersuchen.

Unter Voraussetzung der literarkritischen Hypothese von E. Schwartz, Diodorus Siculus habe sich in seiner Darstellung der ägyptischen Geschichte auf die Aigyptiaka des Hekataios von Abdera gestützt [29], ist ein Vergleich von Diodorus Siculus I 69—80 mit Herodot aufschlußreich. Dieser Teil behandelt die νόμιμοι der Ägypter, sowohl als paradoxe wie als den Lesern nützliche (69,2). Hatte Herodot die Paradoxie in einzelnen Vor-

---

[24] 3.A., 1914, S. 210ff. Diese Annahme, die das Gefälle der Interpretation nachhaltig bestimmte, bedürfte eingehender Prüfung. W. E. Brown sieht das philosophische Vorbild in der Politeia des Zenon von Citium: Some Hellenistic Utopias, Classical Weekly 48, 1955, S. 57—62.

[25] 1925, II, S. 297.

[26] 1926, II, S. 149—157 (unter Auslassung von Theopomp).

[27] Wunschräume und Wunschzeiten, in: A. Neusüss, Utopie. Neuwied 1968, S. 123 Anm. 1.

[28] E. Rohde sah die ethnographische Phantastik als ein Grundelement des Romanes an, mit der sich erst das erotische Element verbinden mußte, ehe der Roman im eigentlichen Sinne entstehen konnte (1914, S. 260—309). Diese Erklärung ist heute zurückgetreten gegenüber der von R. Merkelbach, nach welcher der antike Roman sich des Mysterien-Motives der Trennung vom Ursprung bedient und in dem Motiv der Trennung der Liebenden säkularisiert habe (Roman und Mysterium in der Antike. München/Berlin 1962).

[29] E. Schwartz, Hekataios von Teos, Rheinisches Museum 40, 1885, S. 223—262. Diese Voraussetzung ist auch heute noch anerkannt: W. Spoerri, Art. Hekataios von Abdera (Teos), Kleiner Pauly 2, 1967, S. 980f.

stellungen und Bräuchen aufgewiesen, so thematisiert Hekataios sie im
Verhältnis zur sozialen Ordnung als ganzer: die ägyptischen Könige seien
in ihren Entscheidungen nicht frei, sondern folgten Gesetzen (70,1); das
Wohlwollen der Einwohner gegenüber den Herrschern überträfe ihre Liebe
zu den Verwandten (71,4); die Gliederung der Gesellschaft in endogame
Kasten von Bauern, Hirten und Handwerkern schlösse die Pleonexie (Ge-
winnsucht) aus (74,7); Verschuldung bezöge sich allein auf Güter, führe
aber nicht zur Versklavung von Menschen, da die Leiber dem Staat gehören (79,3). Alle diese Gesetze würden durch eine Gerichtsbarkeit sanktioniert, die unbestechlich sei (75,1f.). Auf diese Weise würde eine Zerstörung des kommunalen Lebens verhindert (75,2).

Die paradoxale Konstruktion, die Stil und Inhalt der Ethnographie Hekataios kennzeichnet, ist Ausdruck der politischen Probleme griechischer Stadtstaaten. Der eine Staat sei in zwei zerfallen, in den Staat
der Armen und den Staat der Reichen, schreibt Plato im achten Buch
der Politeia (551 d) und begründet dieses in dem χρηματισμός (Gewinnstreben) und der ihm entsprechenden Freiheit der Veräußerung und des
Erwerbs von Gütern (547ff.; 552 a). Die Klassenkämpfe des 4. Jh. v.Chr.
deren Struktur und Ideologie R. v. Pöhlmann dargestellt hat[30], waren
von einer Besinnung auf fremde Institutionen begleitet, die die Gleichheit der Bürger besser als die griechischen sichern könnten. Die Objekte
dieser Reflektion entstammten orientalischer Ethnographie bzw. wurden
in diese gekleidet.

Eine ähnliche Intention verfolgt Euhemeros, von dem ebenfalls Diodoros
Siculus zwei Exzerpte überliefert[31]. Seine „Heilige Schrift" stellte einen
in Kasten (Priester − Bauern − Soldaten) gegliederten, in Gütergemeinschaft lebenden, von Priestern geleiteten Staatsverband namens Panchäa
vor (45,3−5)[32], der nicht mit bekannten Ethnien identifiziert, sondern
als ganzer am äußersten Rand der bewohnten Welt auf einer Insel loka-
lisiert wird. In diesem von der Kultur unberührten archaischen Eiland
war Zeus einst König gewesen und wegen seiner Wohltaten von den Bewohnern als Gott verehrt worden (Diod VI 1). Diese „historische Um-

---

[30] 1925, I, S. 332−419.
[31] Diodorus Siculus V 41−46 und VI 1 (letzteres ein von Eusebios von Caesarea
angefertigter Auszug). Die Zitate, die bei den Kirchenvätern (besonders bei Lac-
tanz) begegnen, beruhen auf einer Übersetzung des Ennius (H. Dörrie in: Kleiner
Pauly, 2, 1967, S. 414f.).
[32] Die aufgezählten Kennzeichen sind ethnographischen Nachrichten über Indien,
Ägypten und südarabische Stämme entnommen (E. Rohde, 1914, S. 239f. Anm. 1;
R. v. Pöhlmann, 1925, II, S. 293), was F. Jacoby in seinem Art. Euhemeros, PW
6,1, 1907, allerdings bestreitet (S. 963).

setzung der überlieferten Mythen"[33] hat Euhemeros in der Folgezeit als Religionskritiker erscheinen lassen, während seine primäre Absicht doch war, die griechischen Götter zu Urhebern einer nicht-chrematistischen Gesellschaft zu machen. Dieser Sprung an den Anfang der Zeit und jener Sprung an die Grenzen der bewohnten Welt verweisen auf ein Geschichtsverständnis, das die „Kategorie der Notwendigkeit im Sinn einer nach irgendwelchen unwandelbaren, transzendenten oder immanenten Gesetzen sich vollziehenden Zwangsläufigkeit der Umgestaltung der empirischen staatlich-sozialen Welt" nicht kennt[34].

Jambulos[35] schließlich radikalisierte diese Intention, indem in seinem Sonnenstaat nun auch Frauen und Kinder gemeinsam besessen (58,1) und der Staat durch Verwandschaftsgruppen (57,1) ersetzt wird. Aus diesen Literaturwerken läßt sich erkennen, daß orientalische Traditionen in der Zeit des 4./3. Jh. v.Chr. Gegenstand eines politischen Interesses wurden[36]. Indem ihre Zweckmäßigkeit in einem Vergleich mit der hellenistischen Klassengesellschaft festgestellt wurde, wurden sie zu Symbolen einer alternativen Gesellschaftsordnung. Diese Konstruktion löste die Geltung der Traditionen aus ihrer Bindung an Kollektive und gab ihnen Geltung im Rahmen philosophischer Reflektion. Diese tilgte Zeit und Geschichte an dem Objekt und trug zu einer Interpretation des Orients als Ursprung philosophischer Weisheit und Solon'scher Gesetzgebung bei[37] (Hekataios bei Diodorus Siculus I 79,4).

Die einträchtige Gesellschaft des Mose

In seiner apologetischen Schrift gegen Apion bemüht Josephus sich um eine Erklärung, warum die bekanntesten griechischen Historiker über

---

[33] K. Thraede, Art. Euhemerismus, RAC 6, 1966, S. 878—890.
[34] So A. Doren, in: A. Neusüss, Utopie. Neuwied 1968, S. 127f.
[35] Exzerpte seines Werkes überliefert ebenfalls Diodorus Siculus I 55—60. Seinem Namen nach stammt er aus dem semitischen Raum (Kroll, Art. Jambulos, PW 9,1, 1914, S. 681—683, führt ihn auf Jabbūl zurück). Die Sonnenverehrung (59,2) macht eine syrische Herkunft wahrscheinlich (hierzu R. Günther, Der politisch-ideologische Kampf in der römischen Religion in den letzten zwei Jahrhunderten v. u. Z., Klio 42, 1964, S. 209—297). Zu Jambulos allgemein: F. Altheim, Weltgeschichte Asiens. 2.A. Halle 1948, S. 155—162; E. Rohde, 1914, S. 241—260; R. v. Pöhlmann, 1925, II, S. 305—324.
[36] Neben diesem Typ paradoxaler Interpretation hat K. Reinhardt aus Texten des Poseidonios (2. Jh. v.Chr.) einen anderen Typ erhoben: „Daß die Mannigfaltigkeit der Nomoi sich aus einer Ur-Einheit entwickle, Prägung einer Urform im verschiedenen Material der Länder, Rassen, Klimata ... — das hat erst Poseidonios ausgedacht" (Poseidonios über Ursprung und Entartung. Heidelberg 1928, S. 19).
[37] Hierzu Th. Hopfner, Orient und griechische Philosophie. Leipzig 1925.

das jüdische Volk nichts mitgeteilt hätten (I 1f.) und erst Hekataios von Abdera, der unter Alexander und Ptolemaios Lagos gelebt habe, ausführlich über die Juden geschrieben habe (I 183). Er findet den Grun dieses Schweigens, das den Gegnern des Josephus als Beweis für das jung Alter des Judentums gilt, in der geographischen Lage des Landes fern vom Meer (I 60—68). Einleuchtend entwickelt Josephus hier einen Zusammenhang von Handelsschiffahrt und Geschichtsschreibung, der dem ursprünglichen Sinn von ἱστορεῖν als „erkunden" Rechnung trägt.

Daß weder der im 5. Jh. v.Chr. lebende Hekataios von Milet, der Schüle des ionischen Philosophen Anaximander, noch Herodot von den Juden handelten, obwohl beide zahlreiche ethnographische Logoi verfaßt haben, soll uns nicht weiter beschäftigen. Wir wollen die Konstruktionsprinzipien herauspräparieren, die der ersten ausführlichen Darstellung des jüdischen Volkes bei Hekataios von Abdera zugrundeliegen. Die Quelle, der wir Fragmente der Ethnographie des Hekataios verdanken, ist nicht Josephus. Seine Zitate in Contra Apionem entstammen einer Schrift aus jüdischer Hand, die mit dem Namen des Hekataios geschmücl worden war, tatsächlich aber erst in der zweiten Hälfte des 2. Jh. v.Chr. entstanden war [38]. Vielmehr ist es Diodorus Siculus (1. Jh. v.Chr.), der in seiner Universalgeschichte mit dem Titel „Bibliotheke" Hekataios exzerpierte, wobei auch von diesem Text nur Auszüge, die Photios angefertigt hatte, erhalten sind [39].

Das Exzerpt, das über Hekataios Darstellung der Judäer berichtet, stamm aus den Ἀιγυπτιακά. Es trägt folgende Gliederung:

1. Vertreibung aus Ägypten (XL 3,1—3),
2. Mose gründete die Institutionen des jüdischen Gemeinwesens (4—5 b),
3. Mose setzte die Priester als Herrscher ein (5 c—7),
4. Mose verteilte das eroberte Land (8—9).

So wie griechische Städte ihre Verfassung als historisches Produkt begriffen, von weisen Gesetzgebern erlassen, so stellt Hekataios Mose dar. Er gilt als Führer einer Kolonie, der Städte, Kult, Gesetze, Verfassung und Phylenordnung eingerichtet hat. Die Weisheit des Mose erblickt Hekataios gerade auch in dessen Verteilung des Landes:

---

[38] Genauer Nachweis bei B. Schaller, Hekataios von Abdera über die Juden, ZNW 54, 1963, S. 15—31. Text, Übersetzung und ausführliche Erörterung aller Probleme bei M. Stern, Greek and Latin Authors on Jews and Judaism. Jerusalem 1974, S. 20—44.
[39] Diodorus Siculus XL 3. Die Hekataios-Zitate, die im Aristeasbrief (31) und bei Clemens von Alexandrien (Stromateis V 14, 113,1—2) begegnen, können nicht als echt gelten (Schaller, a.a.O., S. 15f.).

Hekataios von Abdera bei Diodorus Siculus XL 3,7:

„(Mose sic!) führte Feldzüge in die benachbarten Gebiete der Stämme, eroberte viel Land und verteilte es durch das Los, so daß er den privaten Bürgern gleich große Landlose zuteilte, den Priestern aber größere, damit sie größere Einnahmen empfangen und ohne Ablenkung beständig sich mit dem Gottesdienst beschäftigen. Den privaten Bürgern war es nicht erlaubt, ihre Landlose zu verkaufen, damit nicht einige aus Habsucht die Landlose aufkaufen, die Ärmeren herausdrängen und Menschenmangel herbeiführen".

An den Bestimmungen wie an den Begründungen des Pentateuch, die sich auf Landnahme und Landverteilung beziehen, hat diese Ausführung wenig Anhalt[40]. Vor allem die Idee, den Priestern seien bei der Aufteilung größere Stücke zugeteilt worden, orientiert sich an Institutionen griechischer Frühzeit[41]. Um so näher steht die Ausführung politischen Vorstellungen, die innerhalb der städtischen Unterschicht entwickelt worden sind und deren Merkmal die Verbindung von politischer Freiheit und ökonomischer Gleichheit war, die auf dem Wege der Neuverteilung von Land ($\gamma\tilde{\eta}\varsigma$ $\dot{\alpha}\nu\alpha\delta\alpha\sigma\mu\dot{o}\varsigma$) unter die Bürger wieder hergestellt werden sollte[42].

Hekataios rühmt die Weisheit der jüdischen Traditionen (4,6), verweist aber zugleich auf ihren Widerspruch zu denen anderer Völker. So wie er es hinsichtlich Ägyptens tat, so konstruiert er auch den judäischen Verband in der Pespektive eines Gemeinwesens, das in sich geschlossen einer „mäßigen und genügsamen Lebensweise" ($\alpha\dot{\upsilon}\tau\alpha\rho\kappa\varepsilon\dot{\iota}\alpha$) folgt[43]. Die Normierung sozialer Beziehung durch die von Mose erlassenen Gesetze und die Herrschaft der Priester garantieren die Bewahrung der ursprünglichen Ordnung, obwohl Hekataios schreibt, daß unter persischer und makedonischer Herrschaft viele der väterlichen Gesetze verändert worden seien (9).

---

[40] Höchstens Lev 25,23, das einen endgültigen Verkauf von Land verbietet, könnte herangezogen werden.
[41] Hierzu: E. Benveniste, Le vocabulaire des institutions indo-européennes, Bd. 2, 1969, S. 43–47 ($\gamma\acute{\varepsilon}\rho\alpha\varsigma$). Anders die Überlegung von M. Stern in seinem ausführlichen Kommentar (a.a.O., S. 32) zur Stelle: „Still, it is quite possible that in this respect Hecataeus' account reflects the actual economic conditions prevailing in Judaea in the Hellenistic age, when the priests constituted the ruling class and enjoyed material advantages".
[42] Eine historische Analyse dieses Konzeptes gibt A. Fuks, Die Neuverteilung von Land und Häusern 356 v.Chr. in Syrakus und ihre ideologischen Aspekte, in: H. G. Kippenberg, 1977, S. 250–278.
[43] Hekataios stand in demokritischer Lehrüberlieferung (so E. Schwartz, Hekataios von Teos, Rheinisches Museum 40, 1885, S. 244f.).

Josephus zitiert in Contra Apionem aus einer Schrift περὶ Ἰουδαίων, die von Hekataios von Abdera stammen soll[44]. Die Einwände gegen diese Zuschreibung sind gewichtig, so daß wir mit großer Wahrscheinlichkeit die Entstehung der Schrift in die 2. Hälfte des 2. Jh. v.Chr. datieren können[45]. Pseudo-Hekataios hat sich nicht nur des Namens seines großen Vorgängers bedient, sondern hat wie dieser die Identität des jüdischen Ethnos in dessen Nomoi aufgesucht (C. Apionem I 191; Aristeasbrief 31).

Dieses Konzept können wir auch im Aristeasbrief zwischen 145—100 v.Chr.[46] verfolgen. Der König Ägyptens ist den Gesetzen untergeordnet (279) und das Werk der Gesetzgeber (mit denen Mose ebenso gemeint ist wie Solon und Lykurg) gilt als Bedingung menschlichen Lebens (240)[47]. Aristeas Bericht der Reise nach Jerusalem 83—120 folgt an zwei Stellen politischen Konstruktionsprinzipien. In Judäa seien Land und Stadt so angelegt, daß auf Grund ihrer gleichen Begünstigung die Bauern nicht den Ackerbau aufgeben und in der Stadt ein vergnügliches Leben führen würden, wie es Alexandria ergehe (107—111). Das Land sei in gleich großen Landlosen von je hundert Aruren an 600.000 Männer verteilt worden[48]. Die letztere Zahl ist aus Ex 12,37/Num 11,21 herausgenommen. Die Voraussetzung dieser Ausführungen ist ein Stillstand der Zeit[49]. Die Reise führt zwar in das Palästina des 2. Jh. v.Chr. (115); aber die Ordnung, die Aristeas hier entdeckt, ist jenseits historischer Modifikationen die des biblischen Urzustandes[50]. Und dieser Urzustand ist zugleich Urbild einer einträchtigen Gesellschaft. „Wird die Tendenz, alle Geschichte zurückzuschneiden auf die Urstiftung, kate-

---

[44] C. Apionem I 183—204; II 43; AJ I 159; Aristeasbrief 31.
[45] So zuletzt N. Walter in Jüdische Schriften aus hellenistisch-römischer Zeit. Hg. v. W. G. Kümmel. I,2. Gütersloh 1976, S. 144ff. M. Stern, das sei hier festgehalten, versucht diese These zu widerlegen (a.a.O., S. 23f.). Er hält es für wahrscheinlich, daß Josephus eine jüdische Revision des Buches von Hekataios vor sich hatte.
[46] V. Tcherikover, The Ideology of the Letter of Aristeas, HThR 51, 1958, S. 59—85. Übersetzung mit Einleitung von N. Meisner in Jüdische Schriften aus hellenistischer römischer Zeit. Hg. v. W. G. Kümmel. II,1. Gütersloh 1973, S. 37ff.
[47] Dieses begründet eine Nähe zu Artapanus (1. Jh. v.Chr.), der das ägyptische System der Landzuteilung auf Joseph, ägyptische Technologie, Philosophie, Religion und Staatsverfassung auf Mose als Stifter zurückgeführt hat.
[48] V. Tcherikover zufolge hat die Zahl 100 arourai für ägyptische Juden einen besonderen Sinn, da ein Los dieses Ausmaßes das größte war, das die ptolemäischen Behörden Soldaten zuteilten (a.a.O., S. 78 Anm. 39).
[49] Gleiches läßt sich 46 beobachten, wo die Existenz der 12 Stämme vorausgesetzt wird.
[50] So V. Tcherikover, a.a.O., S. 77—80, der zur Kennzeichnung des Sachverhaltes von einem Ideal spricht, als das der Verfasser Palästina sieht.

gorisch, so sprechen wir von ‚mythologischer Anaklisis'", schreibt
W. E. Mühlmann[51]. Mit diesen Worten ist auch das Verfahren des
Aristeasbriefes gekennzeichnet.

Zwei Prinzipien vor allem sind es, die die Darstellung der politischen
Aspekte des antiken Judentums bestimmt haben[52]. Erstens werden
die jüdischen Traditionen in die Form griechischer Nomoi gefaßt. Zweitens erscheint die judäische Gesellschaft als Prototyp einer Polis, in der
die Gleichheit der Bürger verwirklicht worden ist. In dieser interpretatio
graeca vollzieht sich die Deutung jüdischer Traditionen als Symbole
einer politischen Interaktion, die gegen die hellenistische Tauschwirtschaft und für die alten Polis-Ideen zeugt.

Zusammenfassung

Unser Exkurs in die hellenistische Ethnographie sollte ein noch immer
mögliches widerspruchsloses Bild des Hellenismus korrigieren. Dieser
ist kein einheitliches Phänomen, aus der Vermischung orientalischer und
griechischer Kultur entstanden. Droysens Konzeption des Hellenismus
als eine – politisch vermittelte – Beziehung der Tradition auf die Philosophie, des Nationalen auf das Universale verweist auf die Konstellationen, in die die einheimischen Traditionen asiatischer Völker geraten
konnten. Droysen hat diese Beziehung dialektisch gedacht, als Fortschritt
vom Besonderen zum Allgemeinen. Entgegen solcher Dialektik haben wir
die hellenistische Ethnographie zum Zeugen aufgerufen. Sie insistiert
nämlich auf der besonderen Struktur asiatischer Gesellschaften. Mehr
noch: sie leitet daraus einen Widerspruch gegen die hellenistische Klassengesellschaft ab. Die traditionalen Institutionen sind Ausdruck eines
Widerstandes gegen Gewinnstreben, sind Vorsorge einer Gesellschaft
ohne Konflikte und ohne Ungerechtigkeit. Um ein Mißverständnis auszuschließen: wir behaupten nicht, daß diese Interpretation im Sinne
der adaequatio intellectus et rei richtig sei. Wir behaupten, daß diese
Interpretation eine durch die koloniale Situation bedingte neue politische Bedeutung religiöser Traditionen asiatischer Völker anzeigt.

---

[51] Chiliasmus und Nativismus. Berlin 1961, S. 294.
[52] Neben der politischen Interpretation der Juden existiert eine philosophische, als
deren Vertreter Theophrast, Klearch von Soli, Megasthenes und Poseidonios gelten
können. Sie rücken die jüdische Theologie in den Themenkomplex griechischer Philosophie ein. Texte: Th. Reinach, 1895, S. 7–13; 98–103; Kommentar zu diesen
Texten: M. Hengel, 1969, S. 464–473.

7. Die Progression einer traditionsfreien Herrschaft in Judäa und des Widerstandes gegen sie (142 v.–135 n.Chr.)

Die hasmonäischen Herrscher und ihre Gegner (142–63 v.Chr.)

Die offizielle Urkunde über die Einsetzung Simons aus dem Jahre 140 v.Chr. gibt Aufschluß über die politische Ordnung Judäas nach dem erfolgreichen Widerstand. Sie wird 1Makk 14,27–47 mitgeteilt. Die auf Kupfertafeln am Zion veröffentlichte Urkunde benennt zuerst (V 27f.) die Institutionen der beschließenden Versammlung: Priester – Volk (Laos) – Archonten des Ethnos – Älteste des Landes. Die Archonten des Ethnos wird die Jerusalemer Gerusia sein, von der eine ländliche Aristokratie unterschieden wird[1]. Im Namen dieser Versammlung folgt eine Darstellung des Kampfes, der als das Werk von Simon und seinen Brüdern gilt (V 29–40). Die politische und militärische Zentralposition der Makkabäer erscheint als eine individuelle Leistung, die das Volk zu honorieren hatte.

V 41–43:

„Die Judäer und die Priester beschlossen, daß Simon für immer ihr Hegoumenos und Hoherpriester sein solle, bis ein glaubhafter Prophet auftreten werde, und daß er ihr Feldherr sein solle (und ihm die Sorge für das Heiligtum obliegen solle), damit durch ihn (Leute) bestellt würden über ihre (öffentlichen) Arbeiten und über das Land und die Waffen und die Festungen, und daß ihm die Sorge für das Heiligtum obliegen und ihm von allen gehorcht werden solle und in seinem Namen alle Urkunden im Land abgefaßt werden sollen, und er Purpur und goldenen Schmuck anlegen solle."

Es folgen Verbote: niemand aus dem Volk oder von den Priestern darf eine dieser Bestimmungen aufheben, seinen Anordnungen widersprechen oder ohne seine Zustimmung im Lande eine Versammlung durchführen (V 44–46). V 47 hält die Zustimmung Simons zu den drei Ämtern des Hohenpriesters, des Strategen und des Ethnarchen fest.

---

[1] 1Makk 9,53; 12,35; 13,36 bezeugen die Kooperation zwischen Makkabäern und den Ältesten.

Staatlich war Judäa von den hellenistischen Reichen frei geworden[2]. Die politische Leitung war auf ein Volksfürstentum übergegangen, das nach außen in Gegensatz zu den hellenistischen Städten in Syro-Phönizien[3] stand. Intern war diese Ordnung, die das Hohepriestertum politisierte, eine Neuerung. Da die Familie der Hasmonäer für das Hohepriesteramt nach den üblichen Regeln nicht legitimiert war[4], begrenzte man diese Ordnung bis zum Kommen eines Propheten[5]. Die Einsetzung des Hohenpriesters war ein Akt politischer Willensentscheidung des Volkes[6], so wie sie in den Jahren nach 175 v.Chr. eine Entscheidung der Seleukidenkönige gewesen war (1Makk 10,20f.; 11,27; 14,38). Tatsächlich wurde das Amt in der Folgezeit als erbliches weitergegeben[7], worin die alten Legitimitätsvorstellungen sich durchgesetzt haben. Der Eingriff in die Tradition, der politisch begründet wurde, führte jedoch zur Entstehung einer traditionalistischen Gruppe (Asidäer: 1Makk 7,13f.), die in Opposition stand[8]. Von Bedeutung für die folgende Zeit war auch die mit der Notwendigkeit der Führung[9] begründete Zusammenlegung hohepriesterlicher, militärischer und staatlicher Gewalt in einer Person, da sie eine neue Herrschaftsrolle begründete (den militanten Hohenpriester) und mit der politisch-militärischen Expansion eine religiöse Motivation verband[10]. Unter hasmonäischer Herrschaft erfolgte

---

[2] Befreiung vom Tribut war das Elementare: Jos AJ XIII 213; 1Makk 10,29; 13, 38; 15,5f.

[3] Unterwerfung hellenistischer Städte: 1Makk 10,71; 11,61; 12,34; 12,48; 14,5; 15,28f.; 16,10; 2Makk 12,26ff.; 14,14; AJ XIII 246, 261.

[4] Zur Abstammung der Familie: Targum Pseudo-Jonathan zu 1Sam 2,4; AJ XII 265; BJ I 36. Eine Kritik an der Zuordnung der Hasmonäer zur Priesterklasse der Jojarib (1Makk 2,1; 14,29) bei R. Meyer, Art. Σαδδουκαῖος, ThW VII, 1964, S. 38.

[5] Ähnlich die Nennung eines Propheten 1Makk 4,46, vgl. 9,27. Nicht das Bewußtsein, in prophetenloser Zeit zu leben, sondern in illegitimen Verhältnissen, spricht sich hier aus.

[6] Rabbinische Texte zur demokratischen Wahl des Herrschers: V. Aptowitzer, 1927, S. 126.

[7] Hyrkanos: 1Makk 16,24; AJ XIII 230; Aristobulos: AJ XIII 301; Alexander Jannai: AJ XIII 320, Hyrkanos II und Aristobulos II: AJ XIV 4−6. In dem Streit, welcher der beiden Brüder Anrecht auf den Thron habe, war die Primogenitur ein Argument für Hyrkanos und gegen Aristobulso (AJ XIV 11,42). Die priesterliche Partei, die Aristobulos unterstützte, war von diesem Argument offenbar nicht überzeugt.

[8] Die von dieser Gruppe handelnden historischen Texte sind wenig zahlreich. Interpretiert sind sie von J. Wellhausen, 1924. Die Korrekturen, die R. Meyer angebracht hat (1965 und 1969), bestätigen Wellhausens Erkenntnis, in Pharisäern und Sadduzäern hätten eine kirchliche und eine politische Partei gegenübergestanden (S. 94).

[9] 1Makk 9,31; AJ XIII 194; 1Makk 13,8: ἡγούμενος heißen die Makkabäer-Brüder, die per Akklamation des Volkes gewählt wurden.

[10] Objekte dieser Politik waren: Samaria (AJ XIII 275ff.), Galiläa (BJ I 76), die Ituräer (AJ XIII 318f.), die Idumäer (XIII 257; XV 253−258 berichtet, daß sie

der Aufbau eines judäischen Staatsapparates[11]. Er beanspruchte gegenüber nicht-judäischen Gebieten Tributrechte, welche den Hasmonäern von den syrischen Königen abgetreten worden waren[12]. Er organisierte den Staat entsprechend Vorschriften des judäischen Gesetzes, wobei auch die Zwangsbeschneidung Fremder praktiziert wurde[13]. Im Innern des judäischen Ethnos sanktionierte der Staatsapparat überlieferte Traditionen[14].

Daß der hasmonäische Staat keine dauerhafte Existenz hatte, war durch seine Beziehung zum römischen Senat bedingt sowie durch eine innerjudäische Opposition. Der für den Erfolg des Kampfes wichtigste Vertrag, den die Makkabäer abgeschlossen hatten, war der im Jahre 161 v.Chr. mit dem römischen Senat abgeschlossene[15], da er jedes syrische Vorgehen gegen die Judäer in die Gefahr eines Konfliktes mit Rom brachte. Der Vertrag mit Rom trägt die Rechtsform eines senatusconsultum.

Die Verträge, die der römische Senat mit fremden Staaten abschloß, fielen in zwei Klassen: gleiche und ungleiche Verträge (foedera aequa et iniqua). Der von Judas Makkabäus geschlossene Vertrag gehörte zu der Klasse der gleichen Verträge. Rom und Judäa sicherten sich gegenseitig Bundesgenossenschaft zu, wobei die beiden Möglichkeiten: eines Krieges Roms oder eines seiner Bundesgenossen mit einem Dritten und eines Krieges des judäischen Ethnos mit einem Dritten (V 24—26 und V 27—28) unterschiedlich geregelt wurden. War Judäa zu Hilfeleistungen an die kämpfenden Römer bzw. Bundesgenossen vertraglich verpflichtet (V 25)[16], so konnte der römische Senat im umgekehrten Fall über die Unterstützung Judäas durch die Bundesgenossen frei entscheiden (V 28). Vertragspartner waren die Römer und das Ethnos der Judäer, der Geltungsbereich des Vertrages war das Land wie das Meer,

---

noch zur Zeit des Herodes der politischen und kultischen Judaisierung Widerstand geboten haben). Galiläa (BJ I 76) hatte dagegen die Makkabäer um Hilfe gerufen (1Makk 5,14f.21—23).

[11] Söldnerheer: AJ XIII 249 (Hyrkanos), 374 (Alexander Jannai). — Staatliche Sanktionen: AJ XIII 294 (Hyrkanos), 302 (Aristobulos), 380 (Alexander Jannai vollzieht Kreuzigungsstrafe). — Staatliche Gesetzgebung: AJ XIII 288—298.

[12] 1Makk 11,28.34—36.57. Die Tempeleinkünfte kamen u.a. aus dem tributpflichtigen Ptolemais (1Makk 10,39).

[13] AJ XIII 258, 318.

[14] AJ XIII 288—298; AJ XIII 408.

[15] Quelle: 1Makk 8,23—38. Josephus paraphrasiert den Vertrag AJ XII 417—419. — Zum ganzen Abschnitt: M. S. Ginsburg, 1928, und M. Stern in dem Sammelband J. Maier—J. Schreiner, 1973, S. 184f.

[16] Grammatisches Subjekt dieses Satzes sind die Judäer.

seine zeitliche Dauer unbegrenzt (V 23). Unterhändler waren auf judäischer Seite zwei von Judas ausgewählte Gesandte mit Namen Eupolemos und Jason (V 17).

Der Vertrag wurde in der Folgezeit jeweils von den Hohenpriestern erneuert[17], wobei deutlich ist, daß auf judäischer Seite der hasmonäische Hohepriester und das Ethnos (bzw. der Demos) der Judäer Vertragssubjekte waren. Auch in diesen Fällen war es eine Gesandtschaft die in Rom mit dem Senat die Vertragserneuerung vornahm. In der letzten Vertragserneuerung unter Hyrkanos nennt das Senatsdokument betont den judäischen Demos als beauftragendes Subjekt im Gegensatz zu den Worten des Josephus (AJ XIII 260/259), der Hyrkanos in dieser Funktion sieht. Daß entsprechende Erneuerungen von den folgenden Hasmonäern nicht berichtet werden, könnte auf zufälligem Fehlen von Nachrichten beruhen, wenn nicht eine aus Diodorus Siculus bekannte Darstellung gerade dieses Schweigen erklären würde. Im Jahre 64 v.Chr. trugen — so berichtet Diodorus XL fr 2[18] — die beiden Hasmonäer Aristobulos II. und Hyrkanos II. ihren Streit um die Königswürde vor den römischen Feldherrn Pompeius in Damaskus. Doch stellte sich dort noch eine dritte Gesandtschaft von mehr als zweihundert Vornehmen[19] ein und sprach sich prinzipiell gegen das Königtum aus.

„Während Pompeius im syrischen Damaskus weilte, kamen Aristobulos, der König der Juden, und Hyrkanos, sein Bruder, zu ihm, da sie sich um das Königtum stritten. Die Hervorragendsten (der Juden) aber, mehr als zweihundert, begaben sich auch zum General und erklärten, die Vorfahren von diesen, die dem Tempel vorgestanden hätten, hätten eine Gesandtschaft zum Senat geschickt und die Leitung der freien und autonomen Juden erlangt, so daß kein König die Staatsgeschäfte ausübe, sondern der Hohepriester dem Volke vorstehe. Diese aber würden herrschen unter Verletzung der väterlichen Gesetze und gesetzwidrig die Bürger versklaven. Mittels einer Menge Söldner, Mißhandlungen und vielen gottlosen Morden hätten sie sich das Königtum verschafft. (Pompeius) verschob (die Entscheidung) über die Streitpunkte auf eine spätere Zeit, tadelt aber die um Hyrkanos heftig wegen ihrer Gesetzesübertretung gegenüber den Juden und ihrer Vergehen gegenüber den Römern, fügte

---

17 Jonathan: 1Makk 12,3.16. Simon: 1Makk 15,17. Hyrkanos: Josephus AJ XIII 259—266.
18 Text und französische Übersetzung: Th. Reinach, 1895, S. 76f.; Parallelbericht: AJ XIV 41.
19 Nach Josephus AJ XIV 41 war dies allgemein eine Gesandtschaft des Ethnos, die Pompeius aufgesucht habe. XIV 20 führt aber Josephus selbst aus, daß der Demos von Jerusalem Hyrkanos unterstützt habe.

hinzu, sie seien größerer und bitterer Strafe schuldig, gleichwohl würde er ihnen gegenüber Nachsicht üben auf Grund der herkömmlichen römischen Milde, wenn sie von jetzt an gehorsam wären".

Diese Darstellung unterscheidet zwischen der königlichen Kommandogewalt, die sich auf Erzwingungsstab und Sanktionen gründet, und der hohepriesterlichen Vorsteherschaft[20]. Da der römische Senat seinen Vertrag mit dem Hohenpriester und dem Demos abgeschlossen hatte, verstieß das Königtum gegen diese Vertragsbedingungen. Josephus schreibt dem Aristobulos, Sohn und Nachfolger Hyrkanos zu, das Königtum eingeführt zu haben (105 v.Chr.) (AJ XIII 301). Einer Darstellung Strabos zufolge (der hier wohl Poseidonios ausschreibt) war es erst Alexander Jannai, der das Hohepriestertum in ein Königtum verwandelt hatte. Auch dieser Darstellung gilt diese Veränderung als offenbare Tyrannis, womit die Unabhängigkeit des Staatsapparates von den Bürgern und zweitens eine Sanktionierung partikularer Gebräuche gemeint ist[22]. Beide Darstellungen führen zu dem Schluß, daß in der Gesandtschaft der Vornehmen die judäische Aristokratie auftrat und unter Berufung auf die alten Vertragsbedingungen die Beseitigung des Königtums forderte. Da die römische Seite tatsächlich das Königtum aufhob, ist es alles in allem wahrscheinlich, daß längere Zeit der Freundschafts- und Bundesgenossenschaftsvertrag nicht erneuert worden war.

Republikanische Staatspacht und die Säkularisierung der Herrschaft (63–43 v.Chr.)

Die Mission, die Pompeius im Osten des römischen Herrschaftsbereiches ausübte, war von einer Verbindung mit wirtschaftlichen Interessen nicht frei. Um innenpolitische Vorhaben zu finanzieren und die Besitzenden für sich zu gewinnen, hatte Gaius Gracchus fünfzig Jahre zuvor die Steuererhebung der Provinz Asia (das ehemalige Königreich des Aristonicus) zur Verpachtung an den Stand der Steuerpächter (dem ordo pu-

---

[20] Nach H. Schaefer ist der Terminus προστάτης in der griechischen Literatur von der aristokratischen Vorstellung des Schutzes der Schwächeren bestimmt (PW Suppl 9, 1962, S. 1288). προστάτης und δεσπότης erscheinen AJ XIV 157 als Alternativen der Herrschaft. Sir 45,24 bezeichnet den Hohepriester als Leiter von Heiligtum und Volk.

[21] Geographie XVI 37. 39. 40 (Th. Reinach, 1895, S. 101–103).

[22] τύραννος wird von Josephus recht häufig auf einheimische Herrscher angewandt (AJ XIII 235 mit der diesbezüglichen Bemerkung von R. Marcus; XIII 324), aber auch auf die Aufständischen gegen Rom.

blicanorum) freigegeben[23]. Als sich die Ausbeutung der Produzenten 88 v.Chr. in einem Aufstand entlud, den Mithridates VI von Pontos unterstützte[24], versuchte der römische Oberbefehlshaber Lucullus, der den Krieg gegen Mithridates leitete, die Lasten der Provinzialen zu erleichtern[25]. Die publicanischen Interessen, die dadurch beeinträchtigt waren, setzten sich schließlich in der Übertragung des Oberbefehls an Pompeius politisch wieder durch[26]. Cicero, der dieses Gesetz aus dem Jahre 66 v.Chr. (die lex Manilia) rhetorisch unterstützte, hat mit der ihm eigenen Ungeschlachtheit die Interessen der Publicanen als die der Republik verteidigt[27]. Die Publicanengesellschaften, deren Geschäftsführer das Kapital der socii in der Staatspacht investierten, waren auf regelmäßige Einziehung des Tributes angewiesen[28]. Schon die bloße Besorgnis eines Angriffes der beiden mächtigen Könige Mithridates und Tigranes — so Cicero — führe zur Einstellung der Arbeit auf den Feldern, der Handelsschiffahrt sowie der Arbeit der Bediensteten der Pachtgesellschaften. Ein Verlust der ganzen Provinz Asia aber, deren Steuererträge die aller anderen Provinzen weit übersteige, würde in Rom zum Zusammenbruch des Kredit- und Geldwesens führen[29]. Daher gelte es, den Krieg mit Nachdruck zu betreiben und Pompeius den Oberbefehl zu übertragen.

Pompeius führte dabei nicht nur Kriege, sondern regelte auch die politische Ordnung der kontrollierten Gebiete. Nachdem Pompeius schon 64 v.Chr. in Damaskus in den Streit zwischen Hyrkanos und Aristobulos eingegriffen hatte, veranlaßte der Widerstand des hasmonäischen Königs Aristobulos[30] gegen die römischen Herrscher Pompeius 63 v.Chr.

---

[23] F. R. Cowell, Cicero and the Roman Republic. Penguin 1968, 70—74; G. Urögdi, 1968, S. 1184—1208.

[24] Zum sozialen Programm des Mithridates: S. K. Eddy, 1961, S. 178—182.

[25] G. Urögdi, 1968, S. 1198.

[26] Zu den Kontroversen um den römischen Imperialismus E. S. Gruen, Imperialism in the Roman Republic, New York 1970.

[27] De imperio Cn. Pompeii.

[28] Das Hauptmerkmal der römischen societas im Verhältnis zur griechischen war ihr Recht, sich als Korporation zu organisieren, die Geschäfte durch erwählte magistri und promagistri zu führen und ein gemeinsames Vermögen zu haben. Dadurch ergab sich für die Reichen die Möglichkeit, zu investieren, ohne an der Eintreibung der Abgaben persönlich beteiligt zu sein (M. Rostovtzeff, 1904, S. 372—374).

[29] Cicero, De imperio Cn. Pompeii 4.14—19. In der zweiten Rede gegen Verres II 7 (70 v.Chr.) heißt es kurz und knapp: „Unsere Steuereinnahmen und Provinzen sind gleichsam die Landgüter des römischen Volkes".

[30] Aristobulos war es nach dem Tode von Alexandra (76—67 v.Chr.) gelungen, das hasmonäische Königtum an sich zu bringen (AJ XIV 4—6; BJ I 121).

zur Neuordnung des palästinensischen Gebietes (AJ XIV 73—76)[31]: er praktizierte — wie die Seleukiden — das Recht, den Hohenpriester zu ernennen und ersetzte Aristobulos durch Hyrkanos; aus dem politischen Verband Judäas löste er die von den Hasmonäern unterworfenen syrischen Städte heraus und gab ihnen die Freiheit (zur Autonomie und vom Tribut) zurück[32]. Jerusalem und das zugehörige Territorium aber machte er tributpflichtig (rechtlich handelt es sich um ein stipendium)[33] ohne daß die Rechtsprechung berührt war, wie Ammianus Marcellinus ausdrücklich bemerkt[34]. Dieser Tribut war eine Prämie für den Sieg und eine Strafe für den Krieg[35].

Über die Art dieser Abgabe geben uns erst spätere Dokumente Aufschluß: die Dekrete Caesars. Eines aus dem Jahre 47 v.Chr. legte fest

AJ XIV 203:

„In Sidon müssen sie (die Judäer) im zweiten Jahr (der Pachtperiode) den Tribut ($\phi\acute{o}\rho o\varsigma$) entrichten, ein Viertel der Aussaat, und außerdem entrichten sie Hyrkanos und seinen Söhnen die Zehnten, wie sie deren Vorfahren entrichtet worden sind"[36].

Die Judäer, die außerdem noch für Jerusalem eine Steuer entrichten, müssen eine Produktenabgabe ohne Vermittlung des Hohenpriesters abliefern[37]. Die Quote am Ertrag betrug ein Viertel, statt ein Drittel wie zur seleukidischen Zeit[38]. Daraus geht hervor, daß die Einziehung des Stipendiums verpachtet wurde. Ein drei Jahre später erlassenes De-

---

[31] Parallelbericht: BJ I 153—158. Interpretation der Quellen: E. Bammel, Die Neuordnung des Pompeius und das römisch-jüdische Bündnis, ZDPV 75, 1959, S. 76—82. Der römische Staat behandelte die Provinz nicht als Einheit, sondern schloß mit ihren Teilen Abkommen (G. H. Stevenson, 1932).

[32] Die Liste der eroberten Städte ist lang: AJ XIII 395f. AJ XIV 75f. ist mit dieser Liste nicht identisch.

[33] M. S. Ginsburg, 1928, S. 128f., 171 Anm. 357, erkannte aus dem Tribut den Rechtsgrundsatz, das Land sei ager publicus des römischen Volkes. T. Frank, 1927, und A. H. M. Jones, 1971, begründeten m.E. zutreffend die Ansicht, daß zu dieser Zeit, und zwar bis Tiberius, nicht Rom, sondern die Provinzialen als Besitzer des Landes galten.

[34] Rerum Gestarum XIV 8,12.

[35] Cicero III Verr. 6: Quasi victoriae praemium ac poena belli.

[36] Zu diesem wenig klaren Sätzchen: L. Goldschmidt, Les impôts et droits de doua en Judée sous les Romains, REJ 34, 1897, S. 192—217 auf S. 193.

[37] Anders im Falle der Stadt Joppe: hier zahlte der Hohepriester einen feststehenden Tribut an Naturalien, den er von den Bauern und Händlern selbst einziehen ließ (AJ XIV 206). Darin gründet die Ausnahmestellung Joppes (AJ XIV 202).

[38] M. Rostovtzeff sieht darin eine Erleichterung Caesars, 1904, S. 477.

kret Caesars, das Josephus allerdings in erbärmlicher Verfassung überliefert hat, sprach vom Pachtturnus (dem fünfjährigen lustrum) und
verfügte dessen Aufhebung (AJ XIV 200f.)[39]. So können wir aus diesem Dekret erschließen, daß in der Zeit zwischen 63 und 44 v.Chr.
eine in Sidon ansässige Publicanengesellschaft das Anrecht vom römischen Staat erworben hatte, von den Produzenten ein Viertel der Ernte
als Tribut einzuziehen. Die Bauern schlossen dabei mit der societas
direkt einen Vertrag ab (pactio) teils ohne Vermittlung der Magistrate
(so zur Zeit des Gabinius und Caesars), teils mit[40].

Das im Vergleich mit der seleukidischen Staatspacht Besondere dieses
Systems war die Ausschaltung der einheimischen Aristokratie. Sowohl
die Überwachung der Ernte als den Tausch der Produkte übernahm die
Publicanengesellschaft (s. Tafel 5). Der Widerstand gegen die römische
Herrschaft war vor allem auf dem Land erbittert (AJ XIV 46)[41]. Um
den Widerstand der Aristobulos-Anhänger gegen die Pompeius-Ordnung
(BJ I 160; AJ XIV 82f.) zu brechen, ließ der Statthalter Gabinius (57—
55 v.Chr.) nicht nur die hellenistischen Städte wiederaufbauen (AJ XIV
87f.), sondern trennte in Jerusalem das Amt des Hohenpriesters von der
politischen Verwaltung (AJ XIV 90f.)[42]. Er trennte das Heiligtum von
der Politeia und regelte die politische Verfassung aristokratisch (BJ I
169f.)[43]. Er teilte das Ethnos in fünf Teile, die je einer von einem Synhedrion[44] geleiteten Stadt unterstanden: Jerusalem, Gadara, Amathus,

---

[39] M. Rostovtzeff, 1904, S. 477f.; 1955/56 II, S. 792f.; III, S. 1357f. Zum Begriff
lustrum: W. Eisenhut, Art. Lustrum, Kleiner Pauly 3, 1969, S. 790f.

[40] Cicero, De provinciis consularibus oratio 10—18 sowie zum organisatorischen
Schema A. H. M. Jones, 1971, S. 530f. (am Beispiel der Einziehung des Zehnten
in Sizilien).

[41] „Viele der Judäer unterstützten Aristobulos wegen des alten Ruhmes und freuten
sich auf den Umsturz des Bestehenden" (AJ XIV 93).

[42] Notgedrungen hatte bereits Königin Alexandra 76 v.Chr. eine Ämtertrennung vorgenommen, die jedoch Ausnahme gewesen war (AJ XIII 408).

[43] Gerade diese Stelle zeigt, daß Aristokratie nicht „priestly rule" bedeutet, wie R.
Marcus zur Stelle meint. Eine Wirkung dieser Regelung war auch, daß die Priesterschaft die Verfügungsgewalt über die Einkünfte des Heiligtums weiterhin besaß (XIV
106, 163).

[44] Dies ist die erste Erwähnung des griechischen ‚Synhedrion' in der jüdischen Literatur. Aus späteren Erwähnungen können wir erkennen, daß dem Jerusalemer Synhedrion Priester, Älteste und Schriftgelehrte angehörten, und ihm die Gerichtsbarkeit oblag (E. Lohse, ThW VII, 1964, S. 859—864). Seine Vorgeschichte führt auf
die Gerusia der syrisch-hasmonäischen Zeit zurück. Die Frage, ob rabbinische und
griechische Quellen von derselben Institution sprechen oder von zwei verschiedenen,
erörtert H. Mantel: Studies in the History of the Sanhedrin. Cambridge (Mass.)
1965, S. 54—101.

Jericho, Sepphoris (AJ XIV 90f.; BJ I 169f.)[45]. Die Städte schützte er gegen den Druck der Publicanen, um die einheimische Aristokratie politisch auf seine Seite zu ziehen[46]. Während die Aufhebung der ethnischen Einheit durch aristokratische Republiken (deren Funktion angesichts der weitergehenden Hyrkanos/Antipater-Regierung begrenzt war) nur vorübergehend war[47], blieb die Trennung des staatlichen Apparates vom Hohenpriesteramt für die Folgezeit grundlegend.

Tafel 5: Republikanische Staatspacht

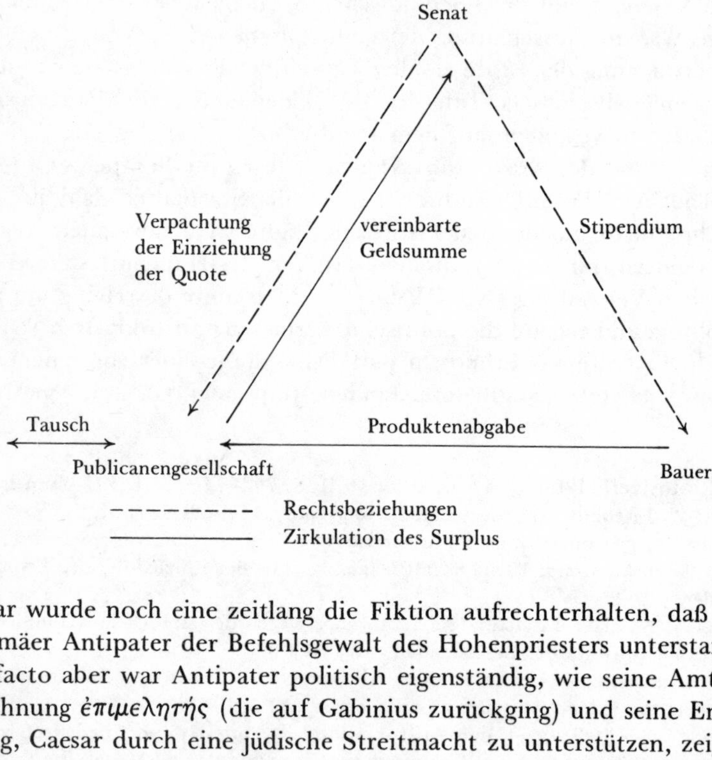

Senat

Verpachtung
der Einziehung
der Quote

vereinbarte
Geldsumme

Stipendium

Tausch

Produktenabgabe

Publicanengesellschaft

Bauern

– – – – – – – – Rechtsbeziehungen
—————— Zirkulation des Surplus

Zwar wurde noch eine zeitlang die Fiktion aufrechterhalten, daß der Idumäer Antipater der Befehlsgewalt des Hohenpriesters unterstand[48], de facto aber war Antipater politisch eigenständig, wie seine Amtsbezeichnung ἐπιμελητής (die auf Gabinius zurückging) und seine Entscheidung, Caesar durch eine jüdische Streitmacht zu unterstützen, zeigen

---

[45] Zur Frage der Lokalisierung von Gadara und Amathus: A. Schalit, 1969, S. 32. Statt Gadara ist auch nach meiner Beurteilung Gazara zu lesen, das in Nord-West-Judäa lag (so R. Marcus zur Stelle). Amathus lag in Transjordanien.

[46] Cicero, De provinciis consularibus oratio 10f. beklagt dies aus der Sicht der Publicanen.

[47] Neben der lokalen Gerichtsbarkeit hatten die Städte wohl eine Funktion in der Erhebung von Zöllen (portoria).

[48] AJ XIV 80; 99; 131f.; 138. A. Schalit, 1969, interpretiert dagegen die Befehlsgewalt als eine politisch reale (S. 752f.).

(AJ XIV 127, 139). Antipater war demnach militärischer Befehlshaber und wurde von Caesar zum Dank für die militärische Unterstützung im Jahre 47 v.Chr. zum ἐπίτροπος (Procurator) Judäas ernannt (143)[49], was eine Ausweitung der Befehlsgewalt auf die Steuerhoheit beinhaltete (163), die ihm schließlich nach Beendigung der Pacht der Publicanengesellschaft nach 44 v.Chr. ganz übertragen wurde[50]. Dagegen stand die Gerichtsbarkeit nicht ihm zu, sondern dem Synhedrion von Jerusalem. Der von Antipater in Galiläa als Strategos eingesetzte Herodes (158), der den Banditenführer Ezekias und andere töten ließ (159), verstieß nach Ansicht der Aristokraten gegen „unser Gesetz, das verboten hat, einen Menschen, auch wenn er ein Verbrecher ist, zu töten, ohne daß er zuvor vom Synhedrion zu dieser Strafe verurteilt worden ist" (167). In einem mutigen Kampf versuchte das Synhedrion unter dem Vorsitz des Hohenpriesters[51], Herodes zur Verantwortung zu ziehen, scheiterte jedoch am Einspruch des syrischen Gouverneurs (168—170).

Gegenüber der Konzentration der militärischen und tributären Hoheit in der Hand des Antipater und seiner Söhne, mußten die Rechte des von Caesar bestätigten Hohenpriesters und Ethnarchen Hyrkanos[52] sorgfältig definiert werden, wozu Caesar in den Jahren nach 47 v.Chr. den alten Bundesgenossenschaftsvertrag (XIV 146. 185) bestätigte und Dekrete erließ, denen senatusconsulta zugrundelagen (208). Eines sanktionierte die erbliche Weitergabe des Ethnarchen- und Hohenpriesteramtes in der Familie des Hyrkanos, andere befahlen die Erhaltung der hohepriesterlichen Privilegien und räumten eine Gerichtsbarkeit bei innerjüdischen Streitfällen über die Lebensführung ein (192—195). Ein weiteres Dekret garantierte eine Befreiung der Judäer vom Tribut im Sabbatjahr, das Recht des Hyrkanos und seiner Söhne auf die Zehnten und traf territoriale Regelungen, welche Joppa, die Dörfer in der Jesreel-Ebene und königliche Besitzungen Hyrkanos und den Judäern tributpflichtig übereigneten (202—210)[53]. Galiläische Gebiete wurden auf diese Weise wieder mit dem Hohenpriestertum verbunden.

---

[49] Zuvor war ihm das römische Bürgerrecht verliehen worden (XIV 137; BJ I 194).

[50] Zur Identität von Statthalter und Pächter vgl. man die Rolle des Herodes (AJ XV 96. 106).

[51] In dieser Funktion des Hohenpriesters ist die Konzentration der Parallelerzählung BJ I 208—211 auf die Person des Hyrkanos begründet, nicht aber — wie L. Laqueur vermutet (1920, S. 171—184) — in einer grundsätzlich anderen Folge der Ereignisse, die vom Synhedrion nichts wisse.

[52] AJ XIV 143; BJ I 199f. Zur Position des Ethnarchen AJ XIV 191. 196.

[53] Weiter Dekrete sicherten den Juden außerhalb Judäas die Lebensweise entsprechend den väterlichen Gewohnheitsrechten (AJ XIV 213; 223; 226; 235; 242; 260).

Unter Antipater wurde eine neue Steuerverwaltung aufgebaut, für die sich AJ XIV 271—276 der erste Hinweis findet. Die Tributforderung des Cassius (43 v.Chr.) über 700 Talente Silber von Judäa wurde von Antipater regional auf seine Söhne verteilt, welche wiederum die Städte für die Abgabe haftbar machten. Als die Städte Gophna, Emmaus, Lydda und Thamna der fiskalischen Verpflichtung nicht nachkamen, wurde nicht nur der Magistrat, sondern die ganze Einwohnerschaft diese Städte in die Sklaverei verkauft[54]. Während die Steuergesetze der ptolemäischen Verwaltung eine solche Exekution nur gegenüber den Staatspächtern zugelassen hatten, konnte jetzt die Einwohnerschaft insgesamt an die Oikodespotes benachbarter Städte verkauft (313) und ihr Grundbesitz eingezogen (304) werden[55].

Die genannten vier Städte zählt BJ III 55f. unter den elf Toparchien auf, in die Judäa unterteilt war[56]. Nimmt man dazu noch den späteren Bericht BJ II 407, der römische Procurator habe aus der Mitte der städtischen Magistrate und der Aristokraten (ἄρχοντες und δυνατοί) die Steuereinnehmer für das offene Land benannt, dann muß man annehmen, daß seit der Zeit des Antipater der Tribut vom staatlichen Verwaltungsapparat mittels der mit Vermögen und Personen haftende Aristokraten[57] eingezogen wurde und daß die Toparchien-Ordnung auch dem Zweck diente, verantwortliche Magistrate zu schaffen[58]. Daneben bestand die Verpachtung von Zöllen in der gewohnten Weise fort, wobei Tribut und Zoll von Antipater bzw. später Herodes in ihrer Höhe festgesetzt wurden[59].

Über die innere Ordnung der Toparchien ist folgendes bekannt. In Murabaat-Urkunden aus dem Beginn des 2. Jh. n.Chr. werden Dörfer durch Nennung des Vorortes der Toparchie gekennzeichnet (Mur 115). Im Dorf war wahrscheinlich ein staatlicher Beamter tätig: der κωμογραμματεύς

---

[54] Gleiches war bereits früher Tarichaea widerfahren (AJ XIV 120). Zur Differenz, die zwischen privater und fiskalischer Schuld gemacht wurde: R. Sugranyes, 1946, S. 60—62.

[55] Nach der Niederlage des Cassius gelang es dem Hohenpriester Hyrkanos, von Antonius die Befreiung dieser Judäer und die Rückerstattung der Ländereien zu erreichen (AJ XIV 304f., 313).

[56] Eine weitere Liste: Plinius, Nat.hist. V 14,70.

[57] Verschuldete Bürger zählt AJ XV 264 unter die Gegner des Herodes. Vgl. AJ XVII 308.

[58] Sie geht auf ältere Verwaltungsordnungen zurück, wie A. Schalit 1969, S. 183—223 gezeigt hat. Die Dörfer wurden bei Verträgen durch Nennung des Vorortes gekennzeichnet (Mur 115): eine Abhängigkeit, für die auch in nachexilischer Zeit Hinweise vorhanden sind (s.o. S. 39).

[59] S. de Laet, 1949, S. 331—344; AJ XVII 204f.

(AJ XVI 203), der bei der Ausstellung der privaten Kauf-, Schuld-, Ehe- und Pachtverträge als Schreiber tätig war[60]. Auf der untersten Ebene der Verwaltung wird in den Murabaat-Dokumenten (Mur 24; 42) ferner der parnas genannt. Es ist vom griechischen πρόνοος abgeleitet, dem Vorsteher und Verwalter in gewissen Ortschaften der römischen Provinz Syria. Ihm ist staatliche Vollmacht (z.B. bei der Verpachtung von Staatsland) delegiert. Die Toparchie wird von einem στρατηγός kontrolliert[61]. Zur politischen Ordnung der Vororte der Toparchien haben wahrscheinlich die judäischen Gerichte (συνέδριον, βουλή) gezählt, die im Neuen Testament und von Josephus erwähnt werden[62]. Der Unterschied zwischen Dorf und administrativem Vorort einer Toparchie wird im Neuen Testament und bei Josephus als Differenz κώμη – πόλις bezeichnet. Da jedoch nicht allen Vororten städtische Autonomie zustand, sondern ihnen vom Staatsapparat her Funktionen delegiert worden waren, erschienen sie gegenüber autonomen Städten wie Dörfer. Dies begründet die im 1. Jh. n.Chr. anzutreffende Verwirrung in der Unterscheidung von Dorf und Stadt[63], die sich auch von der Siedlungsstruktur wohl kaum unterschieden haben dürften[64].

Die Ordnung Judäas unter den Bedingungen der römischen Republik partizipierte an deren innerem Wandel und brachte auch in Judäa Befehlshaber lokaler Streitkräfte in politisch-ökonomische Führungspositionen. Das gewichtigste Element der Veränderung bestand in der Trennung des Hohenpriestertums von der politischen Herrschaft. Ein scharfer Schnitt trennte Sakrales und Profanes und beinhaltet eine Distanz der politischen Herrscher von den hierokratischen Traditionen.

Der Aufbau einer traditionsfreien Herrschaft durch Herodes (42–4 v.Chr.)

Der Abzug des Cassius-Heeres 42 v.Chr. entzog dieser Ordnung die einzige Garantie, die sie besaß. In Jerusalem brach ein Aufstand gegen Hero-

---

[60] E. Koffmann, 1968, S. 179f.
[61] J. T. Milik, in: P. Benoit, 1961, S. 157.
[62] S.u. S. 142.
[63] A. N. Sherwin-White, 1963, S. 129f.
[64] Josephus BJ III 43 läßt geschlossene Siedlungsweise als den üblichen Siedlungstyp erkennen. Die älteste israelitische Stadt ('îr) war äußerlich durch Ummauerung gekennzeichnet, funktionell durch Verwaltung und Rechtsprechung der Ältesten am Tor (hierzu: C. C. Mc Cown, Art. City, The Interpreter's Dictionary Bible 1, 1962, S. 632–638). Das israelitische Dorf (ḥāṣēr später kōfer) war eine mit Steinwall und Hecke umfriedete Siedlung (Lev 25,29.31). In makkabäischer Zeit hieß ein Dorf, nachdem es befestigt wurde, Stadt (Josephus AJ XII 313, 326).

des los (BJ I 236). Während die judäischen Aristokraten zu dem siegreichen Antionius ihre Gesandtschaften schickten, die sich über die Vollmacht des Herodes beschwerten (AJ XIV 301–303. 324. 327–329), brachte zwei Jahre später die Besetzung Syriens durch die Parther eine weitere Veränderung. Gegen einen Tribut von 1000 Talenten und 500 Frauen setzen die Parther den Aristobulos-Sohn Antigonos als Priesterkönig neu ein (297. 331. 379). Als schließlich Antonius und der römische Senat dem Drängen des vertriebenen Herodes nachgaben und ihn als Gegenkönig einsetzen (381–385. 389)[65], da standen sich nicht zwei rivalisierende Prätendenten, sondern zwei politische Lage gegenüber.

Die Anhänger des Antigonos befanden sich vor allem in Judäa und Galiläa (AJ XIV 342. 411f. 413. 432. 477), während Herodes in Samaria und Idumäa Rückhalt hatte (408. 411) sowie an Teilen Galiläas (BJ I 302). Verbunden mit der territorialen Verschiedenheit der Parteien war eine soziale.

Der Anhang des Herodes war ethnisch unbestimmt und bestand u.a. auch aus reichen Grundbesitzern (AJ XIV 345. 450). Nach der Niederlage eines Teiles von Herodes Heer „rebellierten Galiläer gegen die Vermögenden[66] in ihrem Land und ertränkten die, die die Interessen des Herodes vertraten, im See, und ein großer Teil Judäas[67] revoltierte" (450). Josephus bzw. seine Quelle Nicolaus von Damascus verbinden diese Anhänger des Antigonos mit dem Banditentum Galiläas[68], das in Höhlen lebte (AJ XIV 415–417), organisiert war (159) und seine Gegner nicht willkürlich wählte, sondern vor allem ethnisch Fremde überfiel (BJ I 205)[69]. Seine Entstehungsgründe liegen — wie die spätere Ausführung AJ XVIII 274 erschließen läßt — in der Unfähigkeit der Bauern, für den Tribut aufzukommen. Alle diese Momente ma-

---

[65] Als Person. Später, als ihm das Recht der Bestimmung des Nachfolgers eingeräumt wurde (XV 343; XVI 92. 129. 133), handelte es sich ebenfalls nicht um einen erblichen Königstitel, sondern um eine testamentarische Verfügungsgewalt, deren Bestimmungen kaiserlicher Ratifikation bedurften (A. Schalit, 1969, S. 159–161).

[66] Einer Beobachtung von Wellhausen zufolge, entspricht der Terminus δυνατοί bei Josephus dem der πρεσβύτεροι des NT (1924, S. 31). Es ist demnach ein Begriff des ökonomischen Bereichs. Lokale politische Amtsinhaber (ob Magistrat oder Rat) bezeichnet Josephus als οἱ ἐν τέλει (z.B. XIV 454) bzw. ἀρχόντες (z.B. XIV 327).

[67] BJ I 326 schreibt: Idumäa.

[68] Siehe den Übergang AJ XIV 141 zu 142 sowie 411–413 zu 414.

[69] Von diesem bäuerlichen Banditentum Galiläas ist das der Trachonitis zu unterscheiden, das Züge des Gewerbsmäßigen trug, nach strengen Gesetzen der Blutrache lebte und in einem prinzipiellen Gegensatz zur Seßhaftigkeit stand (AJ XV 344–346; XVI 271–281, 347f., 351).

chen sie jenem Sozialbanditentum der Moderne vergleichbar, das sich nach Zerfall der bäuerlichen Lebensbedingungen bildete und die Wiederherstellung der alten guten Ordnung bezweckte[70]. Die Sympathie, die der galiläische Banditenführer Ezekias in Galiläa und Judäa genoß, erlaubt die Vermutung, daß Hobsbawms Erkenntnis auch von ihm und seinen Gefolgsleuten galt: „Außer ihrer Entschlossenheit oder Fähigkeit, sich nicht zu unterwerfen, haben die Banditen keine anderen Ideen als die übrige Bauernschaft"[71].

Zu diesem sozialen Element in der Differenzierung der politischen Lager trat noch ein weiteres.

AJ XIV 403:

„Antigonos rief nach diesem Aufruf des Herodes (an die Jerusalemer) Silo und dem Heer der Römer zu, daß sie entgegen ihrem eigenen Recht Herodes, der doch Privatmann und Idumäer (d.h. Halbjudäer) sei, das Königtum geben würden, während sie es denen aus der Familie ($\gamma\acute{\epsilon}\nu o\varsigma$) geben sollten, wie es ihr Gewohnheitsrecht sei".

Dieser Bruch mit einem Gewohnheitsrecht der hasmonäischen Familie[72] wurde von der Antigonus-Partei (XV 6) als eine Auslieferung der Herrschaft an private Interessen verstanden (XIV 489)[73]. Umgekehrt legitimiert ein Essener die Übertragung der Herrschaft auf Herodes gerade als göttliche Erwählung eines Privatmannes (XV 374)[74]. Privat heißt in diesem Zusammenhang, daß der Herrscher auf Grund seiner fremden Abstammung mit den Judäern nicht in einem Verhältnis der Gegenseitigkeit stand[75]. War in der hasmonäischen Theorie die Legitimität der Herrscher persönlich begründet (XV 263), so in der herodianischen in der legitimen Übertragung eines herrschaftlichen Apparates. Nach seinem Sieg über die Antigonos-Anhänger betrieb Herodes den systemati-

---

[70] E. Hobsbawm, Die Banditen. Frankfurt 1972, Kap. 1.

[71] S. 21. Eine ähnliche Beurteilung des antiken Räuberwesens entwickelt J. Vogt, 1965, S. 44f.; „eine Eruption urmenschlichen Gleichheitsverlangens in einer auf Sklaverei gegründeten Gesellschaft".

[72] Weitere Bemerkungen des Josephus hierzu: AJ XV 20. R. Marcus übersetzt $\gamma\acute{\epsilon}\nu o\varsigma$ mit „lineage" (XIV 489; XV 257).

[73] Herodes Vater war idumäischer Herkunft, seine Mutter entstammte einer arabischen Scheich-Familie (J. Jeremias, 1962, S. 367).

[74] Herodes Thronbesteigung wurde jährlich festlich gefeiert: AJ XV 423.

[75] Daß gemeinsame Deszendenz und Reziprozitätsvorstellungen sich bedingen, ist ein Thema der Ethnographie wie der Geschichtswissenschaft (M. D. Sahlins, 1968, S. 93; F. Kern, Gottesgnadentum und Widerstandsrecht im frühen Mittelalter, Darmstadt 2. A., 1954).

schen Aufbau einer traditionsunabhängigen Ordnung[76]. Herodes beanspruchte sofort das Recht, den Hohenpriester des Jerusalemer Tempels
zu ernennen (XV 22) und brachte das Gewand des Hohenpriesters unter
seine Kontrolle (XV 404)[77]. Die Heiligkeit des kultischen Amtes wurde
jedem Hohenpriester durch die Investitur mit einem achtteiligen Pracht-
ornat vermittelt, so daß sein Besitz Kontrolle über den Inhaber des
Amtes beinhaltete[78]. Herodes schloß die Hasmonäer vom Hohenpriesteramt aus und ernannte zuerst einen Angehörigen einer babylonischen
(XV 22. 39f.), später einer alexandrinischen Priesterfamilie (XV 320.
322) zum Hohenpriester[79]. Dabei entfernte er auch einen einmal eingesetzten Hohenpriester aus dem Amt, was Josephus als einen Akt besonderer Gesetzwidrigkeit bezeichnet (XV 39—41).

Seinen Untertanen forderte er einen Eid ab, der einen die väterlichen
Gesetze aufhebenden Gehorsam gegenüber seinen Anordnungen begründete (XV 368—370) und machte die Stellung der Beherrschten ähnlich
der von Angehörigen des Hauses[80]. Er schaltete die Gerichtsbarkeit
des Synhedrion gleich (XIV 175; XV 173) und praktizierte eine Recht-
setzung, von der ein wichtiges Exemplar erhalten blieb.

Das traditionelle Schuldrecht Israels sah zwar ein Exekutionsrecht des
Gläubigers gegenüber dem Schuldner vor, das dessen Familie einschloß,
gab dieser Haftung aber zeitliche Begrenzung. Das hieß, daß der hebräische Sklave seine Freiheit nicht endgültig und nicht uneingeschränkt ver-
lor und nicht dem Sachenrecht zugeordnet wurde, wie dies mit den
Fremdsklaven geschah. Herodes erließ nun ein Gesetz, das anordnete,
Einbrecher[81] als Kaufsklaven zu exportieren, und er erteilte dem Gesetz

---

[76] Zur Herrschaft des Herodes: A. Schalit, 1969. Daß das Volk Judäas in dieser
Ordnung minderen Rechtes war, ergab sich aus dem Erlöschen des Bündnisver-
trages mit Rom durch den Krieg gegen Antigonos (a.a.O., S. 304f.). Zum soziologischen Charakter traditionsunabhängiger Imperien: S. N. Eisenstadt, The Political Systems of Empires. New York 1963, S. 95f.
[77] Wahrscheinlich damit auch die Verfügungsgewalt über den Tempelschatz, wie
später von Agrippa II berichtet wird (AJ XX 15) (A. Schalit, 1969, S. 312f.).
[78] J. Jeremias, 1962, S. 167f.
[79] Spätere Hohepriester AJ XVII 78. 164. 339—341.
[80] Die, die sich dem Eid widersetzten, ließ er verfolgen. Lediglich Pharisäern und
Essenern gestattete er Verweigerung. Hinsichtlich der Pharisäer war sein Wohlwollen durch das Verhalten Pollions und Samaias bei der Einnahme Jerusalems begründet (AJ XIV 176; XV 3), hinsichtlich der Essener durch eine Prophezeiung,
er werde König werden (XV 372—376). Die πίστις gegenüber der Person des Herodes,
die ein Merkmal des Hofbeamten war (XVI 82), trat an die Stelle der πίστις gegenüber den Gesetzen (XV 291). Ein vergleichbarer Vorgang AJ XVII 41—45, bei
dem Pharisäer bestraft werden (hierzu A. Schalit, 1969, S. 316—319).
[81] A. Schalit weist darauf hin, daß im römischen Recht, das Herodes mit dem
Verkauf ins Ausland anwendet, Banditentum unter die Kategorie des Diebstahls

persönlich Rechtskraft (AJ XVI 1). Josephus kommentierte dieses Gesetz als Verstoß gegen die biblischen Regelungen des Diebstahls (Ex
22,3; Dtn 15,12)[82] und bewertete es politisch als Tyrannis, „welche
die Strafe unter Mißachtung der allgemeinen Interessen der Beherrschten festgesetzt habe. Diese Aktion, die mit seiner übrigen Art in Ein-
klang stand, war ein Teil der Anschuldigungen und des Hasses gegen
ihn" (AJ XVI 1–5).

Wenn sich die Herrschaft des Herodes prinzipiell von der Geltung väter-
licher Gesetze frei gemacht hatte[83], wie legitimierte sie sich dann? In
einer Hungersnot in den Jahren 24–21 v.Chr. veranlaßte Herodes einen
Ankauf von ägyptischem Getreide aus Mitteln des Kronschatzes und
veranlaßte eine differenzierte Verteilung.

AJ XV 308–312:

„Als nun die Abgesandten mit dem Getreide ankamen, schrieb Herodes
dies seiner Fürsorge zu und brachte dadurch nicht nur denen, die ihm
früher feindlich gegenübergestanden hatten, eine bessere Meinung bei,
sondern demonstrierte auch seinen guten Willen und seine Fürsorge. Denn
zuerst teilte er mit möglichster Genauigkeit Getreide an diejenigen aus,
die sich selbst Lebensmittel daraus machen konnten. Alsdann wies er
den vielen, die wegen hohen Alters oder sonstiger Schwäche sich das
Getreide nicht zubereiten konnten, Bäcker an und versorgte sie (so) mit
fertigen Lebensmitteln. Weiterhin sorgte er dafür, daß die, denen ihr
Vieh zugrundegegangen war oder die dasselbe zur Nahrung verwendet
hatten und deshalb weder Wolle noch sonstige Kleidungsstücke besaßen,
im Winter nicht in Gefahr gerieten. Nachdem er das alles besorgt hatte,
machte er sich daran, den benachbarten Städten zu helfen, indem er den
Bewohnern Syriens Saatgut gab. Und dies half nicht wenig, da seine
Großzügigkeit zu einer guten Ernte geriet, so daß für alle ausreichend
Lebensmittel da war. Als die Zeit nahe kam, das Land zu ernten, sandte
er nicht weniger als 50 000 Menschen, die er ernährt und für die er ge-
sorgt hatte, aufs Land und half auf diese Weise nicht nur seinem eigenen bedrängten Königreich mit Ehrliebe und Eifer, sondern gewähr-
te auch den Nachbarn, die in derselben Not waren, seine Unterstützung."

---

fiel, so daß sich unter den Vorurteilen auch Widerstandskämpfer befinden konnten (1969, S. 230–251).

[82] Auch dem Verbot des Verkaufs geraubter Menschen (Dtn 24,7) widerspricht
Herodes Praxis. Nach at. Bestimmungen wird Menschenraub mit dem Tode bestraft (Ex 21,16; Dtn 24,7).

[83] AJ XV 267f. 278. 281. 291f. 315. 328–330.

Die Vorstellungen, die das Verhältnis des Herodes zu den Untertanen bezeichnen, bedienen sich Begriffen patriarchaler Herkunft wie der Fürsorg
die einem Traditionalismus zuwiderlaufen (AJ XVII 149—163). Die Her
schaftslegitimation des Herodes basierte auf Elementen, die aus der philosophischen Tradition des Hellenismus stammten. Eine der Fragen, die
diese Philosophie beschäftigte, findet sich in der pseudo-aristotelischen
Schrift περὶ κόσμου ausgeführt.

396 b Z. 1—4:

„Ebenso gut könnte man darüber staunen, daß ein Staat bestehen bleibt
obgleich er aus höchst verschiedenen (Klassen) besteht, nämlich aus Armen und Reichen, Jungen und Alten, Schwachen und Starken, Guten
und Bösen".

Die Vereinheitlichung des Heterogenen ist ein Naturgesetz, das auch
der gerechten Herrschaft zugrundeliegt.

Philo, De somniis II 154:

„Denn die Herrschaftslosigkeit (Anarchia) ist gefährlich, die Herrschaft
aber etwas heilbringendes, und besonders die, in der Gesetz und Gerech
tigkeit geachtet sind; das aber ist die Herrschaft, die mit Vernunft ausgeübt wird".

Es war E. R. Goodenough, der erkannt hat, daß die Gedanken von Phil
Judaeus über das Königtum von älteren hellenistischen Vorstellungen
bestimmt waren[84]. Diese Vorstellungen sind am besten in neupythagore
schen Fragmenten über das Königtum erhalten, die Goodenough in dem
wichtigen Aufsatz „The Political Philosophy of Hellenistic Kingship"
untersucht hat[85]. Als Verfasser gelten Archytas von Tarent, Diotogenes,
Ecphantus und andere. Sie alle stellen den König als ἔμψυχος νόμος
(das lebendige Gesetz) dar. Dieser Begriff hat als Antithese den des ge-
schriebenen Gesetzes. Der wahre König richtet sich in seinem Tun nicht
nach kodifiziertem Gesetz, sondern ist selbst Quelle des Gesetzes. Das
Gesetz ist die Quelle der Gerechtigkeit, der König aber der νόμος ἔμψυχ
heißt es in einem Fragment des Diotogenes. So gibt es keine Norm der
Gerechtigkeit außerhalb des Königs, vielmehr ist dieser selbst Quelle der
Gerechtigkeit.

Dieser Gedanke wird mit der Bedingung verbunden, daß er selbst vom
Nous regiert wird[86]. So gilt der König als Abbild Gottes, der durch den

---

[84] The Politics of Philo Judaeus, New Haven 1938 (Nachdruck Hildesheim 1967),
S. 90ff.
[85] Yale Classical Studies I, 1928, S. 53—102.
[86] E. R. Goodenough, a.a.O., S. 67.

Nous den Kosmos ordnet und bewahrt. Ebenso wie dieser Nous rettende Funktion gegenüber der Welt hat, so hat sie der König gegenüber seinen Untertanen. Und ebenso wie der König dem Staat die vernünftige Ordnung gibt, so muß ein jeder Bürger in seinem Leben dem Nous folgen. Der König ist in seiner Person die Verfassung seines Reiches und der Retter für seine Untertanen. Goodenough hat herausgearbeitet, daß diese Fragmente keineswegs abwegige philosophische Gedankengänge darstellen, sondern die offizielle Staatsphilosophie der hellenistischen Zeit überliefern[87].

Noch an anderen Anordnungen des Herodes ist ein despotischer Grundzug erkennbar: etwa an der Beschlagnahme von Privatvermögen (AJ XV 5; XVII 306—308), an der Ausübung der Gerichtsbarkeit über Verwandte und Fremde (XVI 151; XVII 204), an der freien Festsetzung der Tributquoten. Auch Herodes beanspruchte eine jährlich zu entrichtende Produktenabgabe (XV 303), von der er einmal ein Drittel (XV 365), ein andermal ein Viertel (XVII 64) erließ und die von Funktionären des Hofes eingezogen wurde (XVII 308). Über die allgemeine Höhe der Quote wird nichts gesagt. Herodes Herrschaft gründete auf dem Gehorsam landfremder Söldner, die in Festungen lagen[88] oder denen er Land aus seinen Domänen als Kleruchie zuteilte[89], sowie auf nichtjüdischen Städten, die er gegründete und deren Bürgern er das umliegende Territorium (mit den dazugehörigen Bauern) als Besitz zugewiesen hatte, wie dies im Falle der Stadt Samaria geschehen war[90].

Die Herrschaft des Herodes war ökonomisch und politisch praebendaler Art[91]. Das Land konnte dem Nutznießer vom Herrscher zugewiesen werden (assignatio). Diese Ordnung zeichnete sich extern in dem Verhältnis zwischen Rom und Herodes ab. Nacheinander wurden ihm

---

[87] H. G. Kippenberg, Versuch einer soziologischen Verortung des antiken Gnostizismus, Numen 17, 1970, S. 211—231.

[88] AJ XV 292f.

[89] AJ XV 294. Implizit ist vorausgesetzt, daß Herodes die dem Hyrkanos und den Judäern übergebenen Liegenschaften in der Jesreel-Ebene an sich gebracht hatte. Vielleicht war dies durch seine Kontrolle des Tempelschatzes bedingt.

[90] AJ XV 296. A. Schalits Interpretation des Textes (1969, S. 174—180) identiziert die Eigentümer des zugeteilten Landes mit den Produzenten und erörtert ernsthaft die Frage, wo denn das unbebaute Land herkäme. Tatsächlich war die Klasse der Bauern und die der Bürger getrennt (so Strabo bei Josephus AJ XIV 114f.) und zugewiesen wurde nicht eine Feldmark, sondern eine Grundherrschaft (hierzu M. Rostovtzeff, 1910, S. 83ff.; 258). Zur prostädtischen Politik des Herodes: AJ XV 328f.; XVI 146.

[91] praebenda = Pfründe. M. Weber hat den Begriff in die Herrschaftssoziologie eingeführt, 1964, S. 711f., E. Wolf ihn als eine Form der Grundherrschaft von der patrimonialen (durch Erbrecht vermittelten) unterschieden, 1966, S. 51.

Galiläa (AJ XIV 158), Samaria und Idumäa (XIV 408. 411; Appian
V 75), Arabia und Judäa (AJ XV 92. 96)[92], Trachonitis, Batanäa und
Auranitis (XV 343) zugewiesen. Der praebendale Grundzug tritt ferner
in der testamentarischen Verfügungsgewalt des Herodes über sein Reich
hervor (XVI 129; XVII 188f.)[93]. Nach seinem Ableben wurde das
Testament erst der Heeresversammlung im Hippodrom zu Jericho,
dann einer Volksversammlung im Tempel zur Akklamation vorgetragen
(XVII 194f. 200f.). Das Testament wurde zusammen mit den Wirtschaf
büchern Augustus vorgelegt, nachdem es von römischen Beamten um
Angaben über die jährlichen Einkünfte ergänzt worden war (XVII 228f.
und der Caesar verteilt die territoriale Hinterlassenschaft des Herodes
an dessen Söhne, als ob es sich um die Teilung einer Domäne handeln
würde. Archelaos erhielt Idumäa, Judäa, Samaria, während Antipas
Peräa und Galiläa unterstanden (XVII 317—320).

Herodes Tod und die Rivalitäten der Prätendenten ermöglichten eine
erneute Formierung der aristokratischen Gegner, die eine Delegation
nach Rom schickten[94], wie der ländlichen Widerstandsbewegungen, die
sich in Galiläa wie Judäa um verschiedene Anführer bildeten[95]. — Die Herr
schaftsstruktur des Herodesstaates unterschied sich von den vorausge-
gangenen. Die Unterschiede zur hasmonäischen Herrschaft sind grund-
sätzlicher Art und bilden einen Zusammenhang. Der Herrscher war als
Person durch Übertragung eines Amtes legitimiert und nicht durch seine Abstammung von einem Geschlecht; die Herrschaft orientierte sich
nicht an den väterlichen Gesetzen, sondern an der Setzung von Recht
durch den Herrscher; die Inhalte dieser Gesetze widersprachen genossenschaftlichen Regelungen; das Recht an Land war durch herrschaftliche Zuteilung vermittelt.

Von der auf Staatspacht basierenden republikanischen (und zuvor seleukidischen) Ordnung unterschied sie sich vor allem darin, daß das
Herrscherhaus den Tribut selbst einzog und dazu nicht mehr der Ari-

---

[92] Aus dieser Ausführung wie auch aus anderen Nachrichten (AJ XVI 320; XVII
160, 174) ergibt sich, daß die Verwaltung Judäas unter Herodes von Jericho aus
erfolgte. Was Arabia betrifft, schildert XVI 291 Herodes vergebliches Bemühen, für
Weideland Tribut zu erhalten.

[93] Ebenso betrachtete Herodes arabische Gebiete als Grundherrschaft des arabischen
Herrschers, die zur Begleichung einer Schuld des Herren von ihm geplündert werden
konnten (AJ XVI 343f.: so die Rechtfertigung der Aktion gegenüber dem römischen Caesar).

[94] AJ XVII 299f.

[95] AJ XVII 254f.; 271f. (der Sohn des alten Banditenführers Ezekias bemächtigt
sich Sepphoris in Galiläa). 273f. (Aufstand in Jericho). 278—285 (ein Viehhirte
leitet mit seinen Brüdern einen Aufstand in Judäa).

stokratie bedurfte. Der Handelskapitalismus der Aristokratie war für
die Existenz des politischen Systems nicht mehr Voraussetzung. M. Weber hat diese Tendenz in der antiken Gesellschaft schon vor langer Zeit
treffend beschrieben: der „Prozeß der Kontrolle, Monopolisierung und
Bürokratisierung, oft direkt der Ausschaltung des privaten Kapitals,
schritt in allen großen antiken Monarchien unaufhaltsam fort"[96].

Die kaiserzeitliche Leiturgie und die Formierung des Widerstandes

Im Jahre 6 n.Chr. wurde das Gebiet des Archelaos in eine kaiserliche
Procuratur verwandelt (AJ XVII 355; XVIII 1f.; BJ II 117), nachdem
die judäische und samarische Aristokratie ihn vor Augustus wegen
Tyrannis verklagt hatten (AJ XVII 342). Der Procurator (bzw. Prae-
fectus) besaß in seiner Person das Imperium: die volle Macht der
Verwaltung, Rechtsprechung und Verteidigung. Das so geordnete Judäa ist nach römischem Begriff eine provincia: ein von einem Praefec-
tus verwaltetes Gebiet[97].

Als die römische Verwaltung die Rechtsnachfolge des Herodianers an-
trat, traf sie zwei Anordnungen. Sie verfügte den Verkauf der Domänen des Archelaos und einen Census. Die von Herodes bewußt verwisch-
te Differenz zwischen königlichen Domänen und tributpflichtigem
Territorium wurde beachtet und der königliche Besitz als ager publicus zum Zweck der Veräußerung eingezogen. Dies betraf vor allem
die Domänen in der Jesreel-Ebene sowie in Galiläa, die nun unter die
Verfügungsgewalt landfremder Herren kamen, nachdem sie fast fünfzig Jahre zuvor Besitz des Hohenpriesters Hyrkanos geworden waren.
Der Census diente der Registrierung von Personen und Gütern, um eine
Bemessungsgrundlage für das tributum solis und capitis zu erhalten.
Diese letztere Steuer ergänzte die Produktenabgabe und die indirekten
Steuern und Zölle. Sie wurde prozentual vom registrierten Vermögen
erhoben, zu welchem auch der Körper zählte[98]. Sie war die Ertragsab-
gabe der nicht-agrarischen Wirtschaft und betraf gerade die unbegüter-
ten Schichten[99]. Die Kopfsteuer war Gegenstand der Frage an Jesus,
ob man dem Kaiser Zins entrichten dürfe oder nicht[100]. Zur Registrie-

---

[96] 1924, S. 30. Hierzu: S. Lauffer, 1970, S. 118–143.

[97] A. N. Sherwin-White, 1963, S. 2–12.

[98] W. Schwahn, 1939, S. 69. Demgemäß war sie auf das arbeitsfähige Lebensalter
beschränkt.

[99] W. Schwahn, 1939, S. 68.

[100] Mk 12,13–17 par; J. D. M. Derrett, 1970, S. 313–338; L. Goldschmidt, 1897,
S. 208f.

rung mußte man sich an seinen Geburtsort (origo) begeben[101]. Während sie bei Syrern und Kilikiern ein Hundertstel betrug, war sie in Judäa höher[102]. Die Belastung der Bewohner durch beide Abgaben war gewaltig.

Erschöpft durch die Steuerlasten baten die Provinzen Syria und Judaea um Herabsetzung des Tributs, schreibt Tacitus anläßlich der ersten Hälfte der Regierungstätigkeit des Tiberius (14—26 n.Chr.)[103]. Da staatliche Schuldforderungen zum Verlust der Freiheit führen konnten, entwickelte sich eine Opposition.

„Die Veranlagung konnte nichts anderes als Sklaverei bringen". Diese Ansicht von Judas, dem Gaulaniter, und dem Pharisäer Sadduk begründete den Widerstand der Judäer gegen die neue Regelung (AJ XVIII 3f.)[104]. Die Kopfsteuer wurde in Geld, das tributum solis wahrscheinlich sowohl in Naturalien, die vom Staatsapparat konsumiert wurden (Josephus, Vita 71f.), als in Geld (BJ II 405—407) entrichtet. Verantwortlich für die Ablieferung der Abgaben waren die Magistrate der Toparchien und die Aristokraten (BJ II 405—407). Dieses System, kollektive Steuerschulden durch den privaten Reichtum der in den Magistrat Gewählten zu sichern, trägt in der Antike die Bezeichnung Leiturgie und war Kennzeichen der römischen Kaiserzeit[105] (s. Tafel 6). Sie begründete Versuche der Aristokratie, sich politischer Verantwortung zu entziehen.

Die Berechtigung der Ernennung des Hohenpriesters, der Verfügungsgewalt über das hohepriesterliche Gewand wie über den Tempelschatz, wurde auf Herodes II., 41—48 n.Chr. Herrscher über das ituräische Chalkis, übertragen, von dem sie Agrippa II. übernahm (AJ XX 15f.)[106]. Zuvor hatten die Römer dieses Recht ausgeübt (XX 249), die lediglich

---

[101] H. Braunert, Der römische Provincialcensus und der Schätzungsbericht des Lukas-Evangeliums, Historia 6, 1957, S. 192—214; F. X. Steinmetzer, Act. Census, RAC 2, 1954, S. 969—972.

[102] Appian, Syriaca 50.

[103] Tacitus, Annalen II 42.

[104] F. C. Grant, 1926, S. 105, errechnete als Gesamtheit der staatlichen und religiösen Abgaben 30—40 Prozent. Wahrscheinlich lag sie noch höher: Tempelsteuer (ein halber tyrischer Schekel = 52 Liter Gerste zu dieser Zeit); Produktenabgabe (mindestens ein Viertel) oder Kopfsteuer (Höhe mindestens ein Denar); Teilpacht (s.u. S. 147); Zehntabgabe an Priester.

[105] M. Weber, 1956, S. 1038; Strathmann, Art. λειτουργέω, ThW IV, 1942, S. 222—225; H. Volkmann, Art. Leiturgie, Kleiner Pauly 3, 1969, S. 550.

[106] AJ XX 197. Beide sind Nachkommen des Herodes, wozu man AJ XVIII 130—142 und die der Edition von L. H. Feldmann angehängte genealogische Tafel studiere.

vorübergehend im Jahre 36 n.Chr. das Gewand des Hohenpriesters judäischer Vollmacht unterstellten (XV 405—407; XVIII 90—95).

Tafel 6: Leiturgie der Kaiserzeit

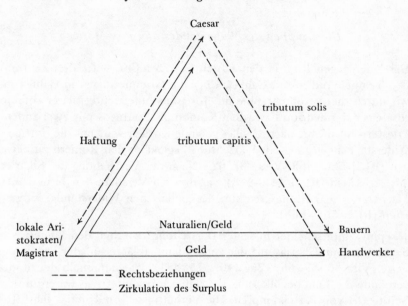

Die Gerichtsbarkeit wurde dem kaiserlichen Procurator übertragen (BJ II 117), der seinerseits das Jerusalemer Synhedrion damit betraute. Der Prozeß gegen Jesus von Nazareth zeigt, daß die judäische Verurteilung der Ratifikation durch den Procurator bedurfte und die Hinrichtungsart nicht kollektiv, sondern staatlich war (Mk 15,1.15). Der Prozeß des Synhedrions gegen Jesu Bruder Jakobus, den der Hohepriester Ananus in das Interregnum zwischen Festus Tod und Albinus Ankunft legte (62 n.Chr.)[107], war gesetzwidrig, da ohne Zustimmung des Procurators erfolgt (AJ XX 197—203). Daß das Synhedrion nicht die Kreuzigung verhängte, sondern die Steinigung, entspricht dem judäischen Grundzug des Verfahrens. Denn die Steinigung war im Gegensatz zur Kreuzigung eine Strafe, deren Vollstreckung von der Gesamtgemeinde vorgenommen wurde[108].

---

[107] Die Kapitalgerichtsbarkeit konnte der Gouverneur nicht delegieren — ein Hinweis auf die personale Bindung des imperium (A. N. Sherwin-White, 1963, S. 39).
[108] Während die Hasmonäer nach Aussage unserer Quellen die Todesstrafe in Form staatlicher Hinrichtung praktizierten (z.B. AJ XIII 380), sind für die Zeit

Der Widerstand der Judäer gegen die römische Herrschaft folgte drei Linien: Einstellung der Tributzahlung (BJ II 403f.), Einstellung der Opfer für das römische Volk und den Caesar (II 408—410), Herstellung politischer Souveränität (II 434).

Die Gruppen des Widerstandes und ihre Motive

Der Krieg gegen Rom in den Jahren 66—73 n.Chr. hatte drei Zentren: den Tempel, Judäa und Galiläa. Über die Gruppierungen in Galiläa sind wir durch die Autobiographie des Josephus unterrichtet, da er vom Jerusalemer Synhedrion bzw. dem Koinon als Strategos mit zwei anderen Priestern 66 n.Chr. nach Galiläa gesandt worden war, um die dortige Widerstandsbewegung zur Waffenruhe gegenüber den Römern zu bewegen (BJ II 566—568; Vita 28f. 62). Nach der Vertreibung der Sikarier aus Jerusalem (BJ II 441—448) war dies ein Versuch, den Jerusalemer Magistrat zum Leitungsgremium des galiläischen Widerstandes zu machen (BJ II 562—568).

Josephus unterscheidet in seiner Darstellung zwischen den Bürgern von Sepphoris und Tiberias auf der einen, den Galiläern auf der anderen Seite (Vita 30. 39. 66. 125. 340. 375. 381). War außerhalb der Stadtverbände die Landbevölkerung antirömisch orientiert, so waren die Städte Ort von Parteikämpfen. Die Verhältnisse von Tiberias führt Josephus genau aus.

Vita 32—39:

„Drei Parteien gab es in der Stadt. Die erste bestand aus angesehenen Männern mit Julius Capellus an der Spitze. Dieser und seine Anhänger, Herodes, Sohn des Miaros, Herodes, Sohn des Gamalos und Kompsos, Sohn des Kompsos — sein Bruder Krispus nämlich, der früher einmal Statthalter unter dem großen König (sc. Agrippa I.) gewesen war, war auf seinen Gütern jenseits des Jordan — rieten alle zu jener Zeit, den Römern und dem König (sc. Agrippa II.) treu zu bleiben. Diese Meinung teilte jedoch Pistos nicht, der unter dem Einfluß seines Sohnes Justus stand. Denn er war von Natur irgendwie heftig. Die zweite Partei, die

---

von Herodes einige Fälle der Steinigung bezeugt: XVI 320. 365f. 393f. Eine Erzählung aus dem Jahre 4 v.Chr. berichtet, daß das Volk Abgesandte des Archelaos steinigen wollte (XVII 212). Die Steinigung des Stephanus (Apg 6,12; 7,58f.) war ein typischer Fall von judäischer Gerichtsbarkeit, dessen Legalität uns undurchsichtig ist. Joh 8,7—11 scheint anzunehmen, daß die Steinigung im Falle eines Ehebruchs von den Römern geduldet worden ist. Die einzelnen Rechtsfragen der Steinigung behandelt Mišnā Sanhedrîn, Kap. 6.

aus völlig Unbedeutenden bestand, war entschieden für den Krieg. An der Spitze der dritten Partei endlich stand Justus, der Sohn des Pistos, der sich zwar den Anschein gab, als sei er in betreff etwaigen kriegerischen Vorgehens noch unschlüssig, gleichwohl eine Änderung aber der bestehenden Verhältnisse wünschte, weil er erwartete, daß ein Umsturz ihm Macht bringen werde. In dieser Absicht trat er unter die Volksmenge und suchte derselben begreiflich zu machen, daß ihre Stadt immer die Hauptstadt Galiläas gewesen sei zur Zeit des Tetrarchen Herodes, der auch ihr Gründer gewesen sei, dessen Absicht es gewesen sei, daß die Stadt der Sepphoriter der der Tiberier untertan sei. Diesen Vorrang habe sie auch unter König Agrippa, dem Älteren, nicht eingebüßt, sei vielmehr im Besitz desselben geblieben bis auf Felix, den Procurator Judaeas. Jetzt aber, so sprach er, seien sie ins Unglück geraten, seit sie von Nero dem jüngeren Agrippa als Geschenk übergeben worden seien. Schnell sei nun Sepphoris, nachdem es sich den Römern unterworfen habe, Hauptstadt Galiläas geworden, und Tiberias habe die königliche Bank sowie das Archiv verloren. Mit diesen und ähnlichen Reden gegen den König Agrippa suchte er das Volk zum Aufstand zu reizen, setzte hinzu, daß jetzt die Zeit gekommen sei, zu den Waffen zu greifen und die Galiläer als Bundesgenossen heranzuziehen — denn gern würden diese, welche die Sepphoriten wegen deren Treue gegen die Römer längst haßten, ihnen folgen und mit großer Gewalt sich an ihnen rächen".

Die Wortführer der ersten und der dritten Partei Capellus wie Justus zählten zur βουλή der Stadt und den Ersten des Volkes, die Josephus in ein Dorf nahe Tiberias zu sich bestellte, um einen Befehl der Jerusalemer Volksversammlung weiterzugeben (Vita 64—66). Er ordnete die Vernichtung des gesetzwidrig[109] mit Tierbildern geschmückten Antipas-Palastes an. Ausgeführt wurde dieser Befehl jedoch von der Partei der Seeleute und Armen, die zusammen mit Galiläern den Palast ansteckten und plünderten und deren Anführer Jesus ben Sapphia in der Stadt die Macht übernahm (Vita 67. 134. 271. 278). Daß es diese proletarische Partei war, die die Geltung des Gesetzes verteidigte, illustriert eine von Josephus geschilderte Szene im Hippodrom zu Tarichaea.

Vita 134f.:

„Am meisten wiegelte sie Jesus, der Sohn Sapphias, auf, zu jener Zeit Archon von Tiberias, ein niederträchtiger Mensch mit der Fähigkeit, in entscheidenden Dingen Unordnung zu stiften, Umstürzler und Revolutionär wie kein anderer. Er nahm das Gesetz des Mose in die Hände, trat vor und sprach: ‚Bürger, wenn ihr nicht für euch selbst Josephus

---

[109] Verstoß gegen Ex 20,4.

hassen könnt, dann doch, wenn ihr auf die väterlichen Gesetze schaut, an welchem euer Befehlshaber zum Verräter werden wollte. Aus Haß für dieses Schlechte rächt euch an dem, der dieses wagte'." Jesus ben Sapphia mobilisierte mit der Beschwörung der väterlichen Gesetze jene, die proletarisiert worden waren. Der Konflikt, der zwischen den galiläischen Gruppen bestand, war durch den Gegensatz aristokratischer — demokratischer Prinzipien gekennzeichnet. Die proletarische Gruppe aktualisierte die judäische Tradition der Volksversammlung (ἐκκλησία — קהל) gegen die aristokratische Institution der βουλή, die unter den Römern dazu tendierte, die Volksversammlung zu verdrängen und zur regierenden Körperschaft der Stadt zu werden[110]. Der radikaldemokratische Traditionalismus der galiläischen Landbevölkerung war möglicherweise das politische Milieu, das Jesus von Nazareth voraussetzte[111]. — In Jerusalem hatte sich unter Priestern eine Widerstandsbewegung gebildet, die 66 n.Chr. den Tempelkult von den Gaben und Opfern Fremder (s.c. der Römer) befreiten (BJ II 409f.) und von denen der Begriff Zeloten (Eiferer für das Gesetz) als Selbstbezeichnung verwandt wurde (IV 160f.), welche die hasmonäische Konzeption des militanten Priestertums fortführte[112]. Diese priesterliche Widerstandsgruppe, die von dem Tempeloberst Eleazar ben Ananias geleitet wurde, bemächtigte sich der Unterstadt und des Heiligtums, während die städtische Aristokratie und die Hohenpriester die Oberstadt besetzten (II 422—424)[113].

Mit dieser priesterlichen Gruppe verbanden sich die Sikarier, die als Hauptstützpunkt Masada erobert hatten (II 408). Diese vernichteten sofort die im Tempelarchiv aufbewahrten Schuldurkunden (II 425—427). Sikarier war die Bezeichnung für die bäuerliche Widerstandsbewegung Judäas, die in der Form des Kalifates von Judas dem Galiläer

---

[110] A. H. M. Jones, 1940, S. 170f.

[111] Die Gleichnisse der Evangelien, die auf die sozialen und politischen Verhältnisse des ländlichen Galiläas anspielen, präsentieren eine Welt zweier Klassen: die der Reichen und die der Armen, die des Großgrundbesitzers und die des kleinen verschuldeten Bauern. Eine politische Schicht von städtischen Beamten (Strategoi und Archontes) hat keinen nennenswerten Rang. A. N. Sherwin-White hat darauf hingewiesen, daß in den Gleichnissen die Regierung oberhalb des Dorfes als Angelegenheit von Königen und Prinzen vorgestellt wird, und daß diese Vorstellung auf die historische Realität des späthellenistischen-frührömischen Vasallenkönigtums zurückweist (1963, S. 134—143). Auch A. Alt sieht die Eigenart Galiläas in einer Dualität von Stadtgesellschaft und Domänenordnung (1953 II, S. 363—435).

[112] Hierzu M. Hengel, 1961, S. 154—159.

[113] Der Tempeloberst (στρατηγός; sāgān) hatte die Leitung des täglichen Kultus unter sich (J. Jeremias, 1962, S. 182—187).

und seinen Nachkommen geführt wurde[114]. Als sie jedoch den Hohen-
priester Ananias[115] hinrichteten, erwiderten die Zeloten dies mit einem
Überfall auf die Sikarier, der mit dem Tod des Sikarierführers Menaḥem,
Sohn des Galiläers Judas, und ihrem Rückzug nach Masada endete (II
441—448). Dieser Gegensatz zwischen priesterlicher und ländlicher
Widerstandsbewegung zeigte sich auch im Verhältnis der Priester zu
Simon Bar Giora, einem judäischen Freischärler (II 652—654)[116].

Nach dem Fall Galiläas zogen Reste der galiläischen Widerstandsbewegung unter Leitung des Johannes von Gischala nach Jerusalem (IV
106). Auch zwischen diesen Galiläern und den Zeloten kam es zum
Bruch (IV 389f.), der die Zeloten zu einem Hilferuf an Simon bar Giora veranlaßte (IV 573). Das Handeln der Zeloten war von der Sorge um
die Legitimität der Institutionen geprägt. Sie hoben die Ansprüche bestimmter Familien auf das Hohepriesteramt auf und führten eine sakrale Loswahl ein, an der alle berechtigten Familien beteiligt waren (IV
147f. 153—155). Ebenso formell, wie sie den Bauern Phanni aus dem
Dorf Aphtia als letzten Hohenpriester in sein Amt einführten (AJ XX
227), betrauten sie auch siebzig führende Bürger mit der Gerichtsbarkeit (BJ IV 334—336)[117]. Die Gründe, die zur Spaltung der judäischen
Widerstandsbewegung in drei Teile (Zeloten — Simon bar Giora — Johannes von Gischala) geführt hatten (V 1—21), sind an einigen Mittei-
lungen des Josephus erkennbar. Johannes von Gischala stand einer Grup-

---

[114] BJ II 254—56. 408. 425—432; 433f. (eine Doublette zu 408); 435—448; VII
253—255. G. Baumbach unterscheidet — was M. Hengel nicht getan hatte —
Zeloten und Sikarier als priesterliche und bäuerlich-ländliche Bewegung (Zeloten
und Sikarier, ThLZ 90, 1965, S. 727—740 sowie sein Beitrag in J. Maier—J.
Schreiner, 1973, S. 273—283). Das Gewicht aller genannten Stellen spricht für
G. Baumbachs Unterscheidung. Die Sikarier sind jedoch nicht insgesamt eine galiläische Bewegung, sondern waren nur über ihre Anführer mit Galiläa verbunden
(BJ II 117f. und AJ XVIII 4. 23). Im Jahre 6 n.Chr. war sehr wahrscheinlich nur
Judäa — nicht aber Galiläa — von der Neuordnung betroffen.
[115] Der Vater von Eleazar, dem Anführer der Zeloten (BJ II 409).
[116] BJ IV 503f. 514. 538. 558. Simon bar Giora war ein Untergebener von Johannes,
Sohn des Ananias, dem Führer der Toparchien Gophna und Akrabatta (II 568) gewesen. Sein Verhältnis zu dem von Jerusalem aus eingesetzten Befehlshaber war ebenso
gegensätzlich wie das zwischen dem galiläischen Strategen Josephus und Johannes von
Gischala. Die Gruppe um Simon verband sich mit den Sikariern (IV 503f.). Zur Unterscheidung der Gruppen siehe auch M. Hengel, Zeloten und Sikarier. Zur Frage
nach der Einheit und Vielfalt der jüdischen Befreiungsbewegung 6—74 nach Christus,
in: Josephus — Studien. Festschrift O. Michel. Hg. v. O. Betz, K. Haacker und M.
Hengel. Göttingen 1974, S. 175—196.
[117] Die sofort anschließende Verjagung des Gerichtshofs kann kaum von denen vorgenommen sein, die sie mit dem Amt betraut hatten. Eher wird man hierin eine Tat
des Johannes von Gischala erkennen.

pe von Männern vor, die eine traditionsfreie Herrschaft ausübten (V 562—566). Die Sikarier traten für eine kollektive Geltung der Tradition ein, wie ihre politische Praxis zeigt[118]: die Überlieferungen sind für das Handeln eines jeden Judäers bestimmt und sind ohne Rücksicht auf ihre institutionelle Geltung durchzusetzen. Die Handlungen der Zeloten waren dagegen auf die Legitimität von Hohepriestertum und Synhedrion gerichtet, und sie forderten eine Unterordnung der Sikarier und Galiläer unter die legitime hohepriesterliche Leitung.

Nach dem Sieg der römischen Truppen zog der Caesar das ganze Land der Judäer als Eigentum ein, um es zu verkaufen (VII 216)[119]. Einen Teil davon teilte er Veteranen zu (VII 217). Der Landbesitz des galiläischen Strategen und Historiographen Josephus in der Nähe Jerusalems wurde durch eine römische Besatzung entwertet, doch erhielt er zuerst von Titus in der Jesreel-Ebene, später von Vespasian in Judäa umfangreiche Ländereien zugewiesen (Vita 422—425)[120]. Für dieses vom Staat veräußerte Land mußte Josephus, der die römische Staatsbürgerschaft erhalten hatte (423), eine Steuer (das Vectigal) entrichten[121]. Domitian befreite ihn auch hiervon (429). Durch die römische Maßnahme waren alle judäischen Bauern Kolonen geworden, die fremden Boden für Pachtzins b arbeiteten[122], und die Aristokratie konnte nur auf dem Wege des Kaufs oder der Zuweisung Grundeigentum bewahren. Ein letzter Widerstand gegen die römische Fremdherrschaft fiel in die Jahre 132—135 n.Chr.[123] Das Land, das Vespasian sich einst persönlich vorbehalten hatte (BJ VII 217), wurde einer nicht-judäischen Bürgerschaft assigniert, die unter Hadrian das alte Jerusalem als heidnische Stadt neu konstituierte (Dio Cassius LXIX 12). Die Widerstandsbewegung wurde von Simon ben Kôsibā geleitet, der in christlicher Überlieferung Bar Kôkbā heißt. Die

---

[118] Daraus folgte das immer wieder geübte Recht, Hohepriester umzubringen. So ist auch die Proklamation der Freiheit der Sklaven durch Simon bar Giora zu verstehen (BJ IV 508).

[119] L. Huteau-Dubois, Les Sursauts du Nationalisme Juif contre l'Occupation Romai De Masada à Bar Kokhba, REJ 127, 1968, S. 134—209. ἀποδίδωμι bezeichnete den Verkauf der Archelaos Domänen (AJ XVII 355; XVIII 1f.) und wird darum auch hier den Verkauf beschreiben wollen. Der Terminus für Verpachten ist ἐκδίδωμι: diese Bemerkung gegen H. S. J. Thackeray, Loeb Classical Library 210, 1968, S.567

[120] Andere Judäer haben das eigene Land aufgekauft: N. N. Glatzer, Geschichte der talmudischen Zeit, 1937, S. 29f.

[121] W. Schwahn, 1939, S. 10.

[122] Zum Kolonat u. S. 146ff. Durch herrschaftlichen Zwang konnten Bauern zu Kolonen werden (R. Clausing, 1925, S. 29).

[123] H. Mantel, The Causes of the Bar Kokhba Revolt, JQR 58, 1967/68, S. 224— 242; 274—296, analysiert die divergenten Nachrichten über die Gründe des Aufstandes. Seine Kritik an Dio Cassius hat micht nicht überzeugt.

Befreiung Israels, die Münzen und Urkunden als Ziel des Aufstandes nennen, versuchte Simon nach dem Vorbild der Hasmonäer zu erreichen. Simon beanspruchte gegenüber dem militärischen Herrschaftsapparat wie gegenüber den Judäern Befehlsgewalt[124] und hat den Status des Landes als Staatseigentum auf sich übertragen.[125]

Zusammenfassung

Die griechische und römische Herrschaft überfiel die judäische Gesellschaft nicht als etwas Fremdes, sondern trat mit Interessen in ihr in Verbindung, die auf Teilhabe am hellenistischen Handel ebenso Wert legten wie auf die Überwindung des kulturellen Partikularismus. Hatten die Perser die hierokratische Ordnung unterstützt, so die Seleukiden und die Römer eine mögliche aristokratische. Im Verhältnis zur traditionalen Ordnung ergaben sich grundlegende Änderungen.

1. Wurden in der traditionalen Ordnung die staatlichen Ämter durch genealogische Kriterien verteilt, so trat seit dem 2. Jh. an diese Stelle die Verpachtung von Ämtern an Aristokraten (so in der Seleukidenzeit) oder die herrschaftliche Zuweisung an beliebige Personen (so in der römischen Zeit).

2. Die Traditionen, die in ihrem doppelten Aspekt als sanktionierte Norm wie als überlieferter Brauch das soziale Leben bestimmt hatten, verloren ihre politische Geltung. Staatlich gesetztes Recht trat neben sie und schuf eine zweite Handlungsebene. Dies begründet einen Widerspruch zwischen Tradition und sozialer Ordnung, der als ein Irritationsmoment die Geschichte Judäas in dieser Zeit durchzogen hat.

3. Bereits in der vorhellenistischen Zeit war in Judäa eine Produktion von Surplus institutionalisiert worden und zwar in der Form der Abgaben an den Tempel sowie in der des Handels. Diese Institutionalisierung wurde im Hellenismus durch eine andere ergänzt bzw. ersetzt. Das Surplus wurde vom Herrscher bzw. vom Staat gegen Geldleistungen an Private abgetreten (Staatspacht). Auf diese Weise erhielten die Herrscher Geld, und konnten die lokalen Aristokraten an der hellenistischen Tauschwirtschaft partizipieren. Als in der Zeit des Kaiserreiches die Abgaben auch in Naturalien entrichtet werden konnten, da waren die lokalen Aristokraten wichtig als Garanten für die Ablieferung der Tribute (die Leiturgie). Die hellenistische Tauschwirtschaft beruhte wesent-

---

124 Das zeigen die Urkunden Mur 42. 43. 44.
125 Mur 24 B.

lich auf dieser politischen Institution und hatte sich den veränderten Bedingungen der Kaiserzeit entsprechend gewandelt[126]. Die Abgaben an den Tempel blieben davon nicht unberührt. Vor allem der Zehnte für die Leviten wurde eine Zeit lang nicht abgeliefert (b Sota 48 a), später dann widerrechtlich von den Priestern beansprucht (Josephus Vita 80; Contra Apionem I 188; AJ XIV 203).

4. Die Legitimation der Herrschaft entsprach dieser Herrschaftsstruktur. Sie unterschied sich sowohl von der altjudäischen Legitimation, die Personen und Ämter durch verwandtschaftliche Rechte verband, wie von der der Polis, deren Ideologie Freiheit und Gleichheit war[127]. Die zentralistische Herrschaftsstruktur wurde mittels zweier Vorstellungen begründet, deren eine philosophischer, deren andere religiöser Art war. Die philosophische ist aus mittelplatonischen und neupythagoreischen Texten zu rekonstruie ren, in denen der König als Abbild Gottes gilt, der durch den Nous den Kosmos ordnet und bewahrt. Ebenso wie dieser Nous rettende Funktion hat, so hat sie der König gegenüber seinen Untertanen. Der wahre König richtet sich in seinem Tun nicht nach kodifiziertem Gesetz, sondern ist selbst Quelle des Gesetzes[128]. Die religiöse Vorstellung ist aus offiziellen Titeln und Grußadressen bekannt, die die Notwendigkeit der Herrschaft für die Völker beschwören und sich dazu der Begriffe Retter (σωτήρ), Wohltäter (ἐνεργέτης), Gott (θεός) bedienen[129]. In den religiösen Begriffen der Transzendenz war ein semantisches Potential angelegt, welches die Ungleichheit und die Asymmetrie in einer politischen Beziehung zum Ausdruck bringen konnte und das zur Herrschaftslegitimation verwendet werden konnte[130].

Gegen diese traditionsfreie Herrschaft bildete sich von seleukidischer Zeit an ein Widerstand, der bei allen Unterschieden der Gruppen und Situationen dennoch einige Elemente gemeinsam hatte.

---

[126] Mit dieser Formulierung schließe ich mich H. W. Pearson (in K. Polanyi, 1957, S. 3–11) an, demzufolge sich die antike Wirtschaft in der ökonomischen Funktion des Politischen sowohl von der primitiven wie der kapitalistischen unterscheidet: „Beide Seiten waren – mit teilweiser Ausnahme von Weber – unfähig, sich eine komplette Wirtschaft mit Handel, Geld und Marktplätzen vorzustellen, die in anderer Weise als das Marktsystem organisiert war. ... kein Kapitalismus also, sondern eine unterschiedliche Organisation des ökonomischen Lebens würde das Modell sein, von dem aus die Blütezeit der antiken Ökonomie zu beurteilen ist" (S. 10).

[127] Hierzu J. Gaudemet, 1968, S. 21–44.

[128] E. R. Goodenough, 1928, S. 53–102.

[129] A. Deissmann, Licht vom Osten, 4. A. Tübingen 1923, S. 287–324; F. Taeger, Charisma. Studien zur Geschichte des antiken Herrscherkultes, Bd. 1. Stuttgart 1957, S. 255–286.

[130] H. G. Kippenberg, 1974, S. 19.

1. Die verschiedenen Widerstandsbewegungen verstanden sich — vielleicht mit Ausnahme von Johannes von Gischala — als Verteidiger der väterlichen Gesetze. Sie bestanden auf der aus der persischen Zeit stammenden Verbindung von Religion und Gleichheit. Die religiöse Tradition wurde in den verschiedenen Gruppen zum Zeugen gegen die hellenistisch-römische Klassenherrschaft. Die Beschwörung der väterlichen Gesetze wurde zum revolutionären Akt.

2. Der Widerstand gegen die römische Herrschaft in den Jahren 66—73 n.Chr. bezog seine Unterstützung aus zwei Gruppen: aus den unteren Tempelangehörigen, Zeloten genannt, und aus ländlichen Gruppen, den Sikariern. Ich möchte es typisch nennen, daß die Sikarier als erstes nach der Eroberung des Tempels die Schuldurkunden verbrannten, während die Zeloten erst einmal die Reinheit des Kultes wiederherstellten. Hier treffen wir erneut auf jene Koalition von niederem Klerus und verschuldeten Bauern, die wir zuvor schon in der Zeit Nehemias, im makkabäischen Freiheitskampf sowie in den Tagen von Herodes Aufstieg als einen politisch bedeutenden Faktor kennengelernt hatten. Daß in dieser Zeit der römischen Herrschaft diese Koalition historisch endet, das war in einem radikalen sozialen Wandel begründet, der zu einer Vernichtung des freien Stammbauerntums geführt hatte.

8. Die Etablierung
der antiken Klassenverhältnisse in Judäa

Unser Ergebnis, daß unter römischer Herrschaft nicht mehr die Tradition, sondern abstraktes Recht Grundlage der Herrschaft wurde, bedarf einer Weiterführung durch eine Untersuchung der Veränderung sozialer Institutionen. In Bezug zu den im ersten Teil erarbeiteten Erkenntnissen über die soziale Struktur Judäas sollen die Verhältnisse der römischen Zeit dargestellt werden. Die Möglichkeiten hierzu sind in einzigartiger Weise eröffnet worden, seitdem eine große Zahl amtlicher Dokumente in der Wüste Juda gefunden wurden, wohin sie von Anhängern des Bar Kosiba-Aufstandes im 2. Jh. n.Chr. gebracht worden waren[1]. Als weitere Quellen sind das Neue Testament und die tannaitische Tradition heranzuziehen[2].

Vom Pfand zum Eigentumszuschlag

Das Haftungsrecht, wie es in der Nehemia-Verfassung Norm bzw. Postulat geworden war, basiert auf der Pfandinstitution. Falls das Darlehen (meistens ein Konsumtivkredit) nicht zurückerstattet werden konnte, besaß der Gläubiger das Recht, durch Nutznießung von Arbeit (Schuldknechtschaft) bzw. Gütern des Schuldners die Rückerstattung zu sichern. Die Dauer dieser Nutznießung war in Judäa auf sechs Jahre festgesetzt worden. Daß dieses Recht noch im 1. Jh. v./1. Jh. n.Chr. praktiziert wurde bzw. bekannt war, lassen zwei Texte aus Qumran erkennen. Der erste steht in dem Fragment der Reden Mosis 1 Q 22 III 4—6:

„Auch sollst du in jenem Jahr Erlaß gewähren. Jeder Gläubiger, der bei jemandem etwas als Pfand genommen hat[3] oder der ein Pfand auf seinen Bruder hat, soll seine Hand vom Nächsten lassen, denn es ist der Erlaß verkündet worden zur Ehre Gottes, eures Gottes. Den Fremden darf man drängen, den Bruder dränge man nicht".

---

[1] Texte mit Übersetzungen: P. Benoit, 1961; Y. Yadin 1961; Y. Yadin, 1962; H. H. Polotsky, The Greek Papyri from the Cave of the Letters, IEJ 12, 1962, S. 258—262; Fundgeschichte: H. Bardtke, 1962; Y. Yadin 1971.

[2] Grundlegende Literatur: E. Lohmeyer, 1921; F. C. Grant, 1926; E. A. Judge, 1960; J. Jeremias, 1962; J. Klausner, 1952, S. 231—257; J. D. M. Derrett, 1970; H. Kreissig 1970; M. Hengel, 1973.

[3] Vgl. zu diesen Wendungen Dtn 15,2 und 24,10.

Zur Erklärung des äußerst fragmentarisch erhaltenen Textes[4] kann auf eine Ausführung der Damaskusschrift verwiesen werden.

„Nicht soll man (am Sabbattag) bei seinem Nächsten etwas als Haftungspfand nehmen" (CD 10,18)[5].

Dieses Gebot setzt die Praktizierung der maššā-Institution voraus. Sie wird auch 1 Q 22 vorausgesetzt, und es ist von Wichtigkeit, zu erkennen, daß noch in der Zeit des 1. Jh. v./1. Jh. n.Chr. das judäische Haftungsrecht praktiziert wurde. Die rabbinische Literatur enthält Regelungen, die von dieser Praxis abweichen. In Mišnā Šᵉbît'ît 10 werden Fälle aufgezählt, in denen die Schuld durch das Sabbatjahr nicht aufgehoben wird.

„Wer auf ein Pfand (maškôn) ausgeliehen hat und wer die Schuldscheine dem Gericht übergeben hat (bêt dîn) — in beiden Fällen wird nicht erlassen (10, 2 c)"[6].

D. Correns verweist darauf, daß maškôn ein Pfand ist, das der Schuldner dem Gläubiger gegeben hat, und daß es einen sehr viel geringeren Wert haben kann als die Schuld. Das Pfand, das dem Darlehensgeber gewährt wird, muß nicht zurückgegeben werden. Ebenso fällt ein Schuldschein, der den lokalen Gerichtsbehörden übergeben worden ist, nicht unter das Gebot dem Bruder zu erlassen. Wir erfahren aus anderen Hinweisen, daß es eine lokale Gerichtsbarkeit gab, die die Einhaltung privater Verträge garantierte[7]. Nicht mehr der Gläubiger, sondern das Gericht galt als der Inhaber der Forderung gegen den Schuldner. Ein Beispiel für ein Verfahren im Falle der Zahlungsunfähigkeit ist Mt 5,25f./Lk 12,58. Eine zivile Schuld wird bei einem Richter eingeklagt[8]. Wird Zahlungsunfähigkeit des Schuldners festgestellt, folgt Freiheitsentzug, bis Familienangehörige die Schuld bezahlt haben[9].

---

[4] J. Carmignac wagt deshalb keine Rekonstruktion, 1963, II, S. 252.

[5] Diese Übersetzung weicht von Lohse, Carmignac u.a. ab und ist in der oben dargelegten Interpretation der maššā-Institution begründet.

[6] D. Correns, 1960, S. 155.

[7] Lokale Gerichtsbarkeit: Mt 5,22; 10,17; 18,16; Mk 13,9; Josephus BJ II 273; AJ IV 218; Mišnā Traktate Sanhedrîn 1, 6e und Makkôt 1, 10. Zum Urkundenrecht: M BB 10. Neben dem großen Synhedrion in Jerusalem (bêt dîn haggādôl in rabbinischer Literatur), das als die oberste jüdische Behörde zu gelten hat, gab es auch Gerichtshöfe außerhalb Jerusalems, die eine eigene Gerichtsbarkeit ausüben konnten: E. Lohse, Art. συνέδριον, ThW VII, 1964, S. 864.

[8] Die Figur des Richters ist unrömisch und unhellenistisch wie A. N. Sherwin-White, 1963, S. 133f. darlegt.

[9] Zum Schuldrecht in nt. Zeit: G. A. Barrois, Art. Debt/Debtor, Interpreter's Dictionary of the Bible 1, 1962, S. 809f.; R. Sugranyes de Franch, 1946.

An diese beiden Einschränkungen, die eine mit den at. Bestimmungen nicht ausgeglichene Praxis darstellen, schließt sich eine weitere an, die besondere Aufmerksamkeit gefunden hat.

Mišnā Šᵉbî'ît 10, 3f.:[10]

„Hat man einen Prôzbôl vereinbart, erläßt es nicht. Das ist eines von de Dingen, die Hillel der Alte verordnete. Als er sah, daß das Volk sich abhalten ließ, sich gegenseitig auszuleihen ... verordnete Hillel den Vorbehalt. Das ist das Formular eines Vorbehaltes: ‚Ich übergebe euch, dem Mann N. N. und N. N. und zwar als Richtern, die in dem Ort N. N. sin (die Erklärung), daß ich jede Schuld, die mir zusteht, jederzeit wenn ich will, einfordern darf'. Und die Richter unterzeichnen unten oder die Ze gen".

Der vorliegende Text erweckt Bedenken, die gegen ein allzu wörtliches Verständnis sprechen. Erstens ist das ganze Verfahren überflüssig, wenn Schuldscheine — wie 10, 2 c ausführt — vom Erlaß ausgenommen sind. Ließe sich dieses noch durch die mögliche Disparatheit der Quellen der Mišnā erklären, so ist die pragmatische Begründung, die Hilles Verordnung gegeben wird, ein späteres Erzeugnis[11]. Sie setzt voraus, daß das Volk den Erlaß der Schulden praktizierte und aus diesem Grunde sich nicht auslieh. Die Inhalte der Schuldpraxis zur Zeit Hillels des Älteren (60 v.–20. n.Chr.)[12] sind jedoch — wie etwa die Institution von Schuldschein und Vollstreckungsverfahren zeigt — alles andere als biblische Zustände. Schließlich enthalten auch die amtlichen Urkunden der Wüste Juda die angegebene Formel nicht. Alle diese Einwände lassen m.E. keinen anderen Schluß zu, als daß entweder die ganze Darstellung Fiktion ist, oder aber eine spätere Zeit die Anordnung einer früheren mißverstanden hat. Für die zweite Möglichkeit sprechen einige Indizien.

L. Blau hat eine Interpretation des Begriffes Prôzbôl vorgelegt, die von dem juristischen Sinn ausgeht, den προσβολή in den griechischen Papyri besitzt. Es bedeutet hier den Eigentumszuschlag des Pfandes im Voll-

---

[10] Parallelen: Mišnā Giṭṭîn 4,3, Sifre Deut. 113 und Midrasch Tannaim p. 80, hierzu die Synopse von J. Neusner, The Rabbinic Tradition about the Pharisees before 70. Leiden 1971, Bd. 1, S. 283f.

[11] J. Neusner kommt bei seiner Analyse des Textes Sifre Deut. 113 zu dem Ergebnis, daß zwei Begründungen für den Prôzbôl nebeneinander standen: eine exegetische — auf Dtn 15,3 zurückbezogen — und eine pragmatische (S. 217–220), und daß der Mišnā-Redaktor Juda Ha-Nāśî den zweiten Aspekt bevorzugt habe (a.a.O., S. 222f.).

[12] J. Goldin, Art. Hillel, The Interpreter's Dictionary of the Bible 2, 1962, S. 605.

streckungsverfahren [13]. Daß dies auch der Sinn in der rabbinischen Anordnung gewesen sein könnte, läßt 10,6 erkennen:

„Man schreibt einen Prôzbôl nur auf Grundstücke aus. Wenn man keines besitzt, kann man in seinem (des Gläubigers) Feld etwas erwerben, das einem gehört".

Der Prôzbôl war nicht — wie Correns in seiner Ausgabe des Mišnā-Traktates Šᵉbîʿît erklärt — eine Hinzufügung zu einer Urkunde, sondern der Prôzbôl war — seinem primären Sinn nach — auf Grund und Boden ausgestellt und begründete ein Eigentumsverhältnis des Gläubigers an den Grundstücken des Schuldners. Im Falle einer Vollstreckung gingen diese in das Eigentum des Gläubigers über. Eine solche Vollstreckung aber kannte das israelitisch-judäische Recht nicht, so daß zur Kennzeichnung ihrer Möglichkeit ein Begriff des hellenistischen Rechts übernommen wurde [14]. War im judäischen Recht die Haftung derart geregelt, daß der Schuldner im Falle von Zahlungsunfähigkeit ein Besitzrecht auf Zeit abtrat (die maššā-Institution) , so konzedierte er jetzt durch die Prosbole den Eigentumsverlust, falls er insolvent wurde. Dieses mußte von Zeugen oder von Richtern beglaubigt werden.

Die urkundliche Formel, die Šᵉbîʿît 10,4 enthält, besagt allerdings etwas anderes (daß der Gläubiger zu jeder Zeit seine Schuld einfordern darf) und erweckt tatsächlich den Eindruck, der Prosbol sei eine Zusatz zu einer Schuldverschreibung, wie er es dann spätestens vom 4. Jh. n.Chr. an auch gewesen ist.

War bislang in Judäa nur die Existenz von Schuldurkunden bezeugt (Lk 16,6f.; Josephus BJ II 427), so liegen jetzt eine Reihe originaler Schuldurkunden vor: [15]

Mur 18 [16]:

„(Am ... des Monats ... im) zweiten Jahr des Kaisers Nero hat sich in Şiwājā Absalom Sohn des Ḥānîn aus Şiwājā einverstanden erklärt, daß

---

[13] L. Blau, 1927, S. 113. Häufiger wird eine Herleitung von πρὸς βουλῇ βουλευτῶν vertreten: vor der Versammlung der Räte (so z.B. J. H. Greenstone in seinem Art. Prosbūl, The Jewish Encyclopedia 10, 1964, S. 219f.).

[14] Es ist zur Interpretation des judäischen Hellenismus wichtig, zu erkennen, daß das hellenistische Rechtsleben des Orients durchaus auch eine Institution gekannt hätte, die das orientalische Haftungsrecht zum Ausdruck gebracht hätte: die παραμονή (P. Koschaker, 1931, S. 49, und E. Seidl, Ptolemäische Rechtsgeschichte. Glückstadt 2. A. 1962, S. 145f.).

[15] Schuldurkunden: Mur 18.114; 5/6Ḥev 1.10.11. Kommentar: E. Koffmann, 1968, S. 79—103.

[16] Text und Übersetzung: J. T. Milik in: P. Benoit, 1961, S. 100—104; E. Koffmahn, 1968, S. 80f.

ihm in seiner Anwesenheit von mir geliehen worden ist: ich Zakarjā Sohn des Jᶜhôḥānān, Sohn des ... wohnhaft in Keslôn, habe das Geld von zwanzig Denaren (als Darlehen) erhalten. Ich (werde es zurückzahlen am ... und wenn) ich es nicht zurückerstatte bis zu diesem Termin, so wird es dir bezahlt werden mit einem Fünftel, und es wird vollständig bezahlt werden in diesem Erlaßjahr (bzw. auch wenn ein Erlaßjahr eintritt). Und wenn ich es nicht tun sollte, wird dir Ersatz aus meinen Gütern (Mobilien) sein und an dem, was ich erwerben werde, hast du das Aneignungsrecht".

Der Ort des Vertragsabschlusses Ṣiwājā ist nicht sicher zu lokalisieren, der Heimatort des Gläubigers lag 17 km westlich von Jerusalem[17]. Das Darlehen, das hier vergeben wurde, war zinsfrei − in Übereinstimmung mit dem israelitisch-judäischen Verbot der Zinsnahme (Ex 22,24; Lev 25,35−38; Dtn 23,20). Nur für den Fall, daß der Schuldner seine Schulden nicht termingerecht zurückzahlte, war eine Verzugsstrafe zu zahlen in der Höhe von 20% des Darlehens. Dieser Termin war nach Zeile 7 und Zeile 1 das Jahr 54/55 n.Chr., das zugleich ein Erlaßjahr war[18]. Konnte er überhaupt nicht zahlen, dann trat eine Haftungsregelung in Kraft, gemäß der der Schuldner mit seinem Besitz haftete (generalhypothekarische Bindung)[19]. Zu diesem Besitz zählte auch Grundbesitz, wie der Kaufvertrag Mur 22 vermuten läßt, in welchem ein belastetes Grundstück zwecks Rückzahlung der Schulden verkauft wird. Der Schuldner mußte diese Möglichkeit dem Gläubiger schriftlich einräumen. Diese Konzession steht in der Tradition griechisch-römischen Rechts[20] und stellt innerhalb des judäischen Haftungsrechts eine Neuerung dar, die Schuldverträge zwischen Juden und Fremden ermöglichte[21]. In einem anderen griechisch abgefaßten Schuldvertrag aus dem Ende des 2. Jh. n.Chr. war neben der Vollstreckung in die Güter eine gegen die Person vereinbart (Mur 114). Eine solche Vollstreckung ist auch in einem griechisch-sprachigen Ehevertrag aus dem Jahre 124 n.Chr. vereinbart (Mur 115 Z. 16f.). In den hebräisch-aramäischen Dokumenten, deren Einhaltung von der lokalen jüdischen Gerichtsbarkeit kontrolliert wurde, fehlte eine solche Klausel. Daraus kann geschlossen werden, daß diese Praxis in Judäa nicht üblich war.

Der Schuldschein Mur 18 enthält nicht die Prosbole-Formel, die die Mišnā vorschreibt. Auch erscheint das Erlaßjahr in dem Vertrag mehr

---

[17] J. T. Milik, a.a.O., S. 103.
[18] E. Koffmann, 1968, S. 41f., 82−86.
[19] E. Koffmann, 1968, S. 67−70.
[20] E. Koffmann, 1968, S. 87f.
[21] Einen solchen beschreibt H. J. Polotsky in IEJ 12, 1962, S. 259.

wie ein Datum, denn als Jahr des Erlasses. Dagegen wird nachdrücklich
vom Schuldner die Möglichkeit der Vollstreckung in die Güter eingeräumt. Wenn man den Begriff Prosbole für die Interpretation dieses Vertrages heranzieht, dann in Bezug auf diese Konzession.

In Lk 16,6f. liegt ein anderer Typ von Schuldurkunde vor, in dem die
Zinsrate in die Anerkennung einer Schuld eingeschlossen war und aus
diesem Grunde in rabbinischer Beurteilung zulässig war. Dieser Vertrag
hieß in hebräischen Quellen tar^e šā: er ‚schweigt' vom Zins. Es stand in
der Vollmacht des Oikonomos, auf diesen Zins zu verzichten[22].

Die Generalhypothek wurde nicht nur in Schuldurkunden, sondern auch
in Eheverträgen als die gesetzliche Haftungsart vereinbart.

Mur 20[23]:

„Am siebenten Adar im Jahre elf ... in Harodônā, hat Jehuda Sohn
des Yehô ..., Sohn des Manasse von den B^e nê Eljasib[24], wohnhaft in
Ḥarodônā (gesagt): ‚Du wirst meine Frau gemäß dem Gesetz des Mose
... und für immer aus meinem Vermögen und ich schulde ... in guten
Münzen das Geld von (zweihundert) Denaren (das sind fünfzig Tetra-
drachmen) und es gehört (dir) rechtsgültig, im Falle du geschieden'".

War die israelitische Ehe früher durch Transfer des Brautpreises (mohar)
geschlossen worden, der der Versorgung der Frau im Falle der Auflösung der Ehe zur Verfügung stand, so war nach diesem Vertrag erst im
Falle der Scheidung bzw. des Todes des Ehemannes ein bestimmter Betrag fällig. Die Urkunde, in der dieses ausgemacht wurde, hieß K^e tubbā[25].
Für diese Zahlung haftete das gesamte Vermögen des Mannes. „Die
Kethuba hatte den Mohar also abgelöst, und in den jüdischen Urkunden ist keine Rede mehr vom Mohar"[26].

Die Folgen der Insolvenz

Ein Verkauf in die Sklaverei war sowohl nach dem ptolemäischen
Steuergesetz wie nach der römischen Praxis nur für den Fall einer fis-

---

[22] J. D. Derrett, 1970, S. 65—74.
[23] Text und Übersetzung: J. T. Milik, a.a.O., S. 109—114.
[24] Name eines priesterlichen Clans: J. T. Milik, a.a.O., S. 112.
[25] Dargelegt im Mišnā-Traktat K^e tubbôt. In den Elephantine-Papyri sind drei Ehe-
verträge enthalten: A. E. Cowley Pap. 15; E. G. Kraeling Pap. 2 und 7. In ihnen
wird neben der Zahlung eines Brautpreises (mohar) für den Fall einer Scheidung
die Zahlung eines Scheidungsgeldes (כסף שנא) festgelegt. Zu dem Verhältnis beider
Zahlungen siehe die Ausführung von R. Yaron, Introduction to the Law of the
Aramaic Papyri. Oxford 1961, S. 44—64.
[26] E. Koffmahn, 1968, S. 106.

kalischen Schuld gestattet und war in der Art der Durchführung eine administrative Maßnahme ohne Gerichtsverfahren. Das neutestamentliche Gleichnis vom unbarmherzigen Knecht unterscheidet im Falle der Zahlungsunfähigkeit zwei Arten der Vollstreckung. In der ersten droht der König, den staatlichen Funktionär samt Frau, Kindern und Besitz zu verkaufen und davon die Schuld zu bezahlen. In der zweiten läßt der Funktionär seinen Schuldner in ein Gefängnis werfen, bis die Schuld (von der Familie) bezahlt ist (Mt 18,23−35). R. Sugranyes de Franch hat das erste Verfahren als administrative Vollstreckung gegen einen Steuerschuldner, das zweite Verfahren (das in Mt 5,25f.; Lk 12,58f. eine Parallele hat) als eine prozessuale Vollstreckung gegen einen privaten Schuldner bezeichnet[27]. Dieser Schluß wird durch eine weitere Nachricht bestätigt. Von einem Schuldgefängnis spricht neben den beiden nt. Stellen auch Josephus, als er auf die Bestechlichkeit des Procurators Albinus 62−64 n.Chr. zu sprechen kommt.

BJ II 273:

„Er ließ die, die vom zuständigen Rat (βουλή) oder von früheren Procuratoren wegen Räuberei gefangengesetzt worden waren, den Verwandten frei, und ausschließlich derjenige, der den Gefängnissen nichts geben konnte, blieb als Verbrecher übrig".

Hieraus geht hervor, daß lokale judäische Gerichte[28] Kompetenzen der Strafgerichtsbarkeit neben den römischen Procuratoren besaßen, und daß die Gefangenschaft durch Loskauf beendet werden konnte. Während dies im Falle der Verschuldung der Zweck war, scheinen die judäischen und römischen Behörden eine Zeit lang gefangene „Räuber" aus Gründen öffentlicher Sicherheit festgesetzt zu haben.

Die Schuldgefangenschaft ist bereits aus ptolemäischer Zeit bekannt, und zwar ursprünglich auch als Strafe im Falle fiskalischer Schuld[29]. Zwar hören wir bereits in der vorhellenistischen Zeit von Gefängnissen, aber nicht als Strafe bei Verschuldung, sondern bei Verletzung staatlicher Gesetze (Esr 7,26)[30]. Im 1. Jh. n.Chr. war Gefangenschaft nicht mehr allein die Strafe bei fiskalischer Schuld, sondern auch bei privater. Die staatlichen Machtmittel dienten dem Schutz privater Verträge: ein

---

[27] 1946, S. 22, 59−64. J. D. M. Derrett interpretiert das erste Verfahren einschließlich des Schuldenerlasses im Rahmen des ptolemäischen Steuersystems (1970, S. 35−43).
[28] Die βουλή bestand aus sieben Ältesten, darunter zwei Priestern. E. Schürer, Bd. 2, 1907, S. 223−236.
[29] R. Sugranyes, 1946, S. 114f.
[30] 1Kö 22,27; Jer 32,2ff.; 37,4ff.; 2Makk 13,21; Neh 3,25; 12,39; 1Makk 9,53.

Funktionszusammenhang, der veränderte gesellschaftliche Verhältnisse reflektiert. Der Gläubiger war nicht mehr der benachbarte kleine Bauer, der das Darlehen selbst erarbeitet hatte. An seine Stelle war entweder der professionelle Geldleiher (δανειστής) getreten (Lk 7,41f.; 19,23; Mt 25,27), der Geld zurückerhalten wollte, oder der Gutsverwalter (Lk 16,1–8)[31]. Sie aber waren nicht an Arbeitskraft interessiert – zumal es davon einen Überschuß gab, der den Geldwert der Arbeit niedrig hielt (Mt 20,1–15) –, sondern an Geld oder Land. Das Schuldverhältnis hatte sich von der Darlehenssicherung auf die Haftung des Schuldners für den Vertragsinhalt verschoben.

R. Sugranyes, der vor Auffindung von Papyri in der Wüste Juda geschrieben hat, kommt zu dem Ergebnis: „Nirgendwo kann man in den Evangelien die Spuren einer Exekution in den Erbbesitz finden" (S. 59f.). An deren Stelle sei die Personalexekution durch Schuldgefangenschaft üblich. Richtig an dieser Bemerkung ist, daß eine personale Exekution in der Form der Versklavung in Judäa nicht Praxis war, wiewohl sie in griechisch-sprachigen Urkunden vereinbart wurde (Mur 114 und 115). Daß es Exekution in den Erbbesitz nicht gegeben habe, ist jedoch zu korrigieren. Das Verfahren im Falle der Zahlungsunfähigkeit eines Schuldners bestand aus zwei Teilen. Konnte der Schuldner nicht zahlen, so verkaufte er dem Gläubiger (einen Teil der) Güter, die mit dem Darlehen verrechnet wurden (Mur 22)[32]. War er besitzlos, so trat gerichtlich veranlaßte Schuldgefangenschaft ein, bis die Familie ihn losgekauft hatte. Der Preis des Loskaufs war durch den Inhalt des Schuldvertrages geregelt.

Neben der Schuldgefangenschaft hat auch noch eine gewisse innerjudäische Schuldknechtschaft fortbestanden. Diese trat einmal dann ein, wenn ein Dieb Gestohlenes nicht ersetzen konnte. Dem Bestohlenen stand es dann frei, ihm einen Schuldschein zu schreiben oder ihn zu verkaufen (Mek Ex 22,2(95b)). Zweitens war im Falle von Verarmung Selbstverkauf in die Sklaverei möglich (Lev R 25,39). Diese Schuldknechtschaft war auf eine Zeit von sechs Jahren beschränkt (Mek Ex 21,2(82 a)). Sie wird keine allzu große Bedeutung besessen haben, da die Richtung der sozialen Entwicklung nicht die Sklaverei intensivierte, sondern die Lohnarbeit.

Vergleichen wir diese Verhältnisse mit denen der älteren judäischen Zeit, so zeigen sich zwei Unterschiede. Das Darlehen, das in vorexilischer Zeit durch Arbeitskraft, in nachexilischer durch Grund und Boden sowie durch

---

[31] J. D. M. Derrett, 1970, S. 48–77.
[32] E. Koffmann, 1968, S. 159–162.

Arbeitskraft abgesichert wurde, wurde jetzt durch den Produktionsfakt(Land und Geld gesichert, was den Interessen des Darlehensgebers entsprach. Verliehen wurden nicht mehr nur Naturalien zur Saat oder zum Verzehr, sondern verliehen wurde Geld. Dazu trat als weitere Neuerung daß der Gläubiger das Land des Schuldners als Gegenwert zum Darlehe) zu seinem Privateigentum erklären lassen konnte. Beide Momente verwe) sen auf eine Gesellschaft, in der Land und Arbeit zum abstrakten Mitte(der Produktion von Werten geworden waren und in der auch das Darlehen diesem Zweck diente. Daß es in dieser Zeit einen Überschuß an Ar beitskräften gab[33], ist darin begründet, daß die dörfliche Arbeitsteilung durch den Handel in ihrer Funktion gestört wurde[34] und herrschaftlich(Zwang die bäuerlichen Betriebe zur Reduzierung der vom Ertrag lebenden Familienmitglieder veranlaßte.

Vom heredium zum Privateigentum

Hekataios von Abdera berichtet (4./3. Jh. v.Chr.) von der sozialen Ordnung der Juden:

Diodorus Siculus XL 3,7:

„Den privaten Bürgern war es nicht erlaubt, ihre Landlose zu verkaufen) damit nicht einige aus Habsucht die Landlose aufkaufen, die Ärmeren herausdrängen und Menschenmangel herbeiführen".

Eine egalitäre Aufteilung des Landes in Parzellen beschreibt auch der Brief des Aristeas (116). Beide Darstellungen tragen Merkmale des Utopischen und sind Teil der politischen Ethnographie der Griechen. Sie können dennoch als interpretatio graeca judäischer Bodenrechtsordnung gelten, so lange in dieser das Land als unveräußerlicher Erbbesitz galt[35] Die in der Wüste Juda gefundenen Kaufverträge, die den Verkauf von Land beurkunden[36], lassen — wie auch die Evangelien[37] — keinen Zwei fel daran, daß die Begrenzung der Käuflichkeit durch das agnatische Vc recht nicht mehr galt.

---

[33] Dafür sprechen die Aussagen über Lohnarbeiter im Neuen Testament: Mt 20, 1—15.
[34] J. Klausner, 1952, S. 238.
[35] M. Stern interpretiert diese Darlegung von Hekataios wie wir in der Schnittlinie biblischer Regeln und griechischer Sozialphilosophie (1974, S. 33).
[36] Mur 22; 23; 25; 26; 28; Kaufvertrag/Feigenhain: E. Koffmann, 1968, S. 170— 172; Mur 29; 30; 5/6Hev 2 u. 3; Nabatäisches Dokument 2 (Y. Yadin, 1962, S. 239—241).
[37] Mt 13,44; Lk 14,18.

Die Verträge sind nach einem festen Schema abgefaßt[38]. Der erste Teil beschreibt das Grundstück und stellt fest, daß es ab jetzt dem Käufer gehört (z.B. Mur 30,15). Es folgt eine genaue Angabe der Grenzen des Grundstücks (z.B. Mur 22,2f.) und eine Garantieklausel, durch die der Käufer vor Rechtsansprüchen Dritter auf den gekauften Besitz geschützt wurde.

Mur 26,4−6[39]:

„Und alles, was ich (sc. der Verkäufer) besitze, haftet und bürgt (אחריא וערבה) für die Zahlung und Rechtsgültigkeit dieses Kaufes zu eurem Vorteil und dem eurer Erben gegen jede Bestreitung und gegen jeden Anspruch. Und es wird ohne rechtliche Wirkung sein, was man euch vorlegt betreffend dieses Grundstücks; und für immer hast du Ersatz aus unseren Gütern und an dem, was wir erwerben werden, das Pfandrecht".

Für den Fall, daß das Grundstück bereits hypothekarisch mit einer Schuld belastet war, wurde die Haftung durch den übrigen Besitz des Verkäufers gewährleistet[40]. Zu dem letzten Teil des Kaufvertrages gehörte ferner eine Zusicherung immerwährenden Besitzrechts für den Käufer und seine Erben.

Feigenhain-Kaufvertrag 9−11[41]:

„Und für immer haben die obengenannten Käufer das Anrecht über dieses Grundstück wie auch ihre Erben; sie können es behalten oder verkaufen oder damit machen, was sie wollen, ebenso ihre Erben von heute an für immer".

Diese Klausel sicherte dem Käufer zusätzlich zu der Lastenfreiheit des Grundstücks noch einen weiteren Rechtstitel zu. E. Koffmahn hat ihn folgendermaßen bestimmt: „ausdrücklicher Verzicht auf Rückfall des Grundbesitzes an den Verkäufer im Jobeljahr"[42] bzw. Verzicht auf das Rückkaufsrecht[43]. Die zweite Interpretation ist die wahrscheinlichere, da die Klausel das volle Eigentumsrecht des Käufers am Objekt herstellt und so das fortdauernde Recht der Familie oder des Clans an dem veräußerten Grundbesitz aufhebt[44]. Durchbrochen ist damit

---

38 E. Koffmahn, 1968, S. 66f.
39 Text und Übersetzung nach E. Koffmahns Rekonstruktion: 1968, S. 166f.
40 Mišnā S͏ᵉbîʿît 10,6 b stellt die Regel auf, daß auch für ein gepfändetes Feld ein Prosbol ausgestellt werden kann.
41 Text und dt. Übersetzung: E. Koffmahn, 1968, S. 170f.
42 A.a.O., S. 66.
43 A.a.O., S. 157.
44 Hierzu S. Eisenstadt, Paralleleinblicke in das jüdische und römische Familien- und Erbrecht, Klio 40, 1962, S. 244−259.

zugleich auch das Erbrecht der Agnaten. Zwar mußten schriftlich aufgesetzte Testamente mit dem at. Erbrecht übereinstimmen[45]. Die Erbfolge selbst war nach wie vor agnatisch geregelt, wie 5/6 HevA voraussetzt: Rechtsnachfolger des kinderlos verstorbenen Mannes war der Sohn seines Bruders[46]. Der Erbbesitz ($\kappa\lambda\eta\rho o\nu o\mu\acute{\iota}a$) ging geteilt an die Söhne über (Mur 116; Lk 15,12f.). Sowohl ein Kaufvertrag wie eine Schenkungsurkunde[47] hoben das agnatische Erbrecht an Land jedoch auf und ersetzten es durch ein vertraglich festgestelltes Eigentum. Lediglich in einer Urkunde aus der Zeit Bar Kosibas wird dem Käufer ausdrücklich kein immerwährendes Eigentumsrecht am Land eingeräumt (Mur 22,5f.), was vielleicht Ausdruck einer Neubelebung des alten Rechts war.

Die Produktionsverhältnisse

Auf dem privaten Grundeigentum wurde die Arbeit in unterschiedlicher Weise organisiert[48]. Wir unterscheiden zwischen dem Kleinbauerntum[49], dem Pachtverhältnis (Kolonat) und dem auf Sklaverei und Lohnarbeit basierenden Oikos[50]. Der Kleinbauer bearbeitete mit seiner Fa-

---

[45] Hierzu das rabbinische Material bei P. Billerbeck, Bd. 3, 1926, S. 545f.

[46] E. Koffmann, 1968, S. 101–103.

[47] Exemplare dieser Urkunden Y. Yadin, 1961, S. 241–244 so wie E. Koffmann, 1968, S. 143–145. Die rabbinischen Begründungen dafür, daß der Geschenkgeber nicht an das gesetzliche Erbrecht gebunden war, bei Billerbeck, Bd. 3, 1926, S. 549–553. Wichtigste Stelle für den Vorrang der Schenkung gegenüber dem Erbrecht: Mišnā BB 8, 5a.

[48] Als allgemeine Literatur vgl. J. H. Heinemann, The Status of the Labourer in Jewish Law and Society in the Tannaitic Period, HUCA 25, 1954.

[49] Kreissig, 1970, S. 27, sieht im freien Kleinbauerntum die hauptsächliche Produktivkraft, ohne diese Aussage zu begründen. Die Gleichnisse Jesu setzen sowohl Kleinbauerntum wie Großgrundbesitz voraus (D. J. Herz, 1928).

[50] Zu Kolonat und Sklavenwirtschaft als ökonomischen Strukturtypen der Antike besteht eine große Zahl an Untersuchungen. Die wichtigsten neueren Darstellungen sind die von N. Brockmeyer, Arbeitsorganisation und ökonomisches Denken in der Gutswirtschaft des römischen Reiches, 1968 (Diss. Bochum) und E. M. Štaerman, Die Blütezeit der Sklavenwirtschaft in der römischen Republik. Wiesbaden 1969. Die Diskussion von Kolonat und Sklavenhaltergesellschaft, die eine Zeit lang getrennt verlaufen war (wie die wissenschaftsgeschichtlichen Darstellungen von E. C. Welskopf, 1957, und R. Clausing, 1925, zeigen), hat sich heute der Bestimmung ihres Verhältnisses zugewandt.
Der lateinische Begriff colonus hat in der Antike einen Bedeutungswandel durchgemacht: vom freien Bauern über den freien Pächter zum unfreien Pächter (N. Brockmeyer, Der Kolonat bei römischen Juristen der republikanischen und augusteischen

milie den ihm gehörenden Boden, während der Pächter fremden Boden bearbeitete.

In der rabbinischen Literatur werden zwei Formen der Pacht unterschieden. Wird ein Stück Land für einen feststehenden Betrag gepachtet, so wird dies mit ḥkr oder śkr bezeichnet. Der śôkēr pachtet es für eine Summe Geldes, der ḥôkēr für eine Summe von Naturalien[51]. Davon unterschieden wird der 'ārîs (Teilpächter)[52]. Die Tosephta hat den Inhalt des Teilpachtverhältnisses in folgenden Worten des Teilpächters festgehalten[53].

BM 9,13 (392,1f.):

„Ich mache das Feld urbar, säe, jäte und ernte und stelle den Fruchthaufen vor dich. Du aber kommst und nimmst die Hälfte an Getreide und Stroh, und auch ich nehme die Hälfte für meine Arbeit und meine Ausgaben".

Die Teilung des Erntehaufens zwischen Grundeigentümer und Bauer ist noch heute in den asiatischen Gesellschaften des Mittleren Ostens üblich. Der Anteil, den der Bauer erhielt, schwankte in Judäa zwischen einem Viertel und Dreiviertel des Ernteertrages[54]. Für die Höhe des Anteils war und ist entscheidend, ob der Eigentümer neben Land (und Wasser) auch die Produktionsfaktoren Saat und Geräte stellte oder ob sie der Bauer samt seiner Arbeitskraft mitbrachte[55]. Die Dauer der Pacht war unterschiedlich: wir hören von einem Jahr, von sechs bzw. sieben Jahren und von Erbpacht[56].

Teilpacht ist auch in dem nt. Gleichnis von den bösen Weinbauern vorausgesetzt. Ein Oikodespotes hat einen Weinberg verpachtet (ἐκδίδωμι) und läßt die Ernte durch seine Sklaven überwachen, um seinen Anteil

---

Zeit, Historia 20, 1971, S. 732—742). In aller Regel entrichtete er in Italien den Pachtzins in Geld oder festgesetzten Naturalien, sehr viel seltener in der Form einer anteiligen Abgabe (partiarius colonus) (R. Clausing, a.a.O., S. 262f.). Auch im ptolemäischen Ägypten war fester Pachtzins das übliche (E. Seidl, Ptolemäische Rechtsgeschichte. 2. A. Glückstadt 1962, S. 130).

[51] Tos Demai VI, 2; G. Prenzel, 1971, S. 7f.
[52] In der Mišnā findet sich die Ausführung Bābā Meṣî'ā IX, 1—10; G. Prenzel, 1971, S. 8f.
[53] G. Prenzel, 1971, S. 34. Die Abmachung wird in der Regel mündlich gewesen sein, lediglich die Fixpacht bedurfte regelmäßig einer schriftlichen Beurkundung (anders Prenzel, S. 41f.).
[54] Pes 99 a sowie G. Prenzel, 1971, S. 14.
[55] G. Prenzel, 1971, S. 13f.; U. Planck, Der Teilbau im Iran, Zeitschrift für ausländische Landwirtschaft 1, 1962, S. 47—81.
[56] G. Prenzel hat das Material ausgewertet (S. 20f.).

zu empfangen. Wäre es eine feste Abgabe, wäre dieses Verfahren überflüssig. Der Grundeigentümer muß bei der Teilung der Ernte anwesend sein, um seinen relativen Anteil, über dessen Höhe nichts ausgesagt ist, zu sichern[57]. Das häufig im Neuen Testament verwendete Symbol der Ernte für die Ablegung von Rechenschaft gründet in sozialen Verhältnissen, in denen die Ernte nicht als Zeit der überschwänglichen Freude, sondern als Zeit der Abrechnung galt[58].

Die Vorgeschichte der Teilpacht bedarf einer Erwägung. Wir gehen von der Darstellung Tos BM 9,14 (392) aus:

„Wenn jemand ein Feld von einem anderen gepachtet hat, so mäht er, bindet die Garben (oder: macht Getreidehaufen) und worfelt. Dann kommen die Feldmesser, die Feldgräber, der Aufseher und der Ökonom (das alles sind Gemeindebeamte) und nehmen (ihren Anteil) mitten daraus (von der gesamten Masse, bevor sie zwischen Verpächter und Pächter geteilt ist); aber der Brunnengräber und der Bademeister, der Haarschneider und der Schiffer nehmen, wenn sie kommen, auf Grund eines Anspruchs an den Besitzer, vom Anteil des Besitzers, und wenn sie auf Grund eines Anspruchs an den Teilpächter kommen, vom Anteil des Teilpächters (nachdem also die Ernteerträge zwischen Verpächter und Teilpächter geteilt sind)".

Dieser Ausführung zufolge müssen wir eine Teilung zwischen Grundeigentümer und Teilpächter sowie zweitens eine Zuteilung vom Getreidehaufen an dörfliche Funktionäre und Handwerker unterscheiden. Dieser zweiten Aufteilung, die Parallelen in anderen asiatischen Gesellschaften hat, korrespondiert eine dörfliche Arbeitsteilung, bei der die Leistungen der Funktionäre und Handwerker eines Dorfes mit einem Anteil am Erntehaufen entgolten wurden[59]. Die Ernte wurde zu diesem Zwecke öffentlich aufgeteilt. Es ist nicht auszuschließen, daß in Judäa die Clan-Vorsteher diese Aufteilung kontrolliert und auf diese Weise grundherrschaftliche Rechte erworben hatten. Während dieser Vorgang hypothetisch zu rekonstruieren ist, ist der Zusammenhang von Teilung der Ernte und dörflicher Arbeitsteilung m.E. in hohem Grade wahrscheinlich[60]. – Neben dem Teilpachtverhältnis ist in Judäa bzw. im wei-

---

[57] Mk 12,1–11 und Parallelen; J. D. M. Derrett, 1970, S. 286–312.
[58] Mt 25,24 (der Herr erntet, wo er nicht gesät hat); Joh 4, 36–38; Mt 13,30.39.
[59] Als Modelle hierfür vgl. F. Barth, in: E. Leach, Aspects of Caste. Cambridge 1971, S. 113–146; W. C. Neale, Reciprocity and Redistribution in the Indian Village, in: K. Polanyi, 1957, S. 218–236.
[60] W. Casparis – gegen M. Weber – formulierte These, der Kolonat sei erst in nachexilischer Zeit entstanden (1922, S. 105), ist um die Überlegung zu erweitern, daß die Teilpacht ihrerseits aus einer Transformation der dörflichen Zirkulationsform hervorgegangen sein könnte.

teren palästinensischen Bereich eine Oikoswirtschaft bezeugt. In dem Begriff der Oikoswirtschaft sind zwei Aspekte eingeschlossen, die unterschieden werden sollten. Der erste bezieht sich auf den Zweck der Produktion. Der fast hundert Jahre alten Diskussion, ob in der Antike eine geschlossene Hauswirtschaft oder eine Warenwirtschaft dominierte, liegt eine falsche Alternative zugrunde, insofern in der Antike der Austausch der Güter von politischer Rationalität bestimmt war[61]. Ob ein Oikos Tauschwerte produzierte oder nicht, läßt sich mithin nicht allgemein entscheiden. Die palästinensischen Verhältnisse begünstigen eine Produktion von Tauschwerten. A. Ben-David hat die Vorherrschaft der tyrischen Münzen in Palästina unter anderem auch aus dem Exportüberschuß erklärt, der von Palästina im Handel mit Tyros erzielt wurde. Tyros bezog von dort Getreide, Wein, Öl und andere Agrarprodukte[62] und zog auf diese Weise die palästinensische Wirtschaft in den antiken Handelskapitalismus hinein. Vom 2. Jh. v.Chr. an war die tyrische Währung die offiziell vom Tempel autorisierte Währung, in der auch die Tempelsteuer zu entrichten war[63]. Zweitens bezeichnet der antike Oikosbegriff die Organisierung eines Produktionsverhältnisses. In diesem Sinne sind rabbinische und neutestamentliche Nachrichten zu interpretieren[64]. Der Herr des Hauses verfügt über Befehlsgewalt und seine δοῦλοι sind dieser ausgeliefert (Mk 13,35). Über die Dienerschaft kann er einen Sklaven als Hausverwalter einsetzen, der die Nahrung ausgibt (Lk 12,42f.)[65] und der ihm verantwortlich ist für eine rentable Betriebsführung (Lk 16,1—8). Noch immer lassen sich dahinter Konturen des Haushaltes erkennen, wie er etwa im zweiten Kapitel des Buches Ruth dargestellt wird. Doch ist in dessen autoritäres Gefüge ein neues Moment eingetreten, das an dem nt. Gleichnis von den anvertrauten Talenten deutlich wird: die Treue des Knechtes zum Herrn bemißt sich an dessen Fähigkeit, das Kapital des Herren zu vermehren (Mt 25,14—28). Das Kapital erscheint dabei als der einzig gewichtige Faktor, demgegenüber die Arbeit, die allein doch diese Vermehrung bewerkstelligt, überhaupt nicht erwähnt wird[66]. Die sozialen Beziehungen im Haus verlieren die persönlichen Momente und folgen Gesetzen ökonomischer Rationalität. Daß im Neuen Testament die familiare Solidarität negiert wird (Mk

---

[61] Die Diskussion hat ausführlich F. Oertel dargestellt im Anhang zu R. v. Pöhlmann, Bd. 2, 1925, S. 511—571. Ferner s.o. S. 42ff.
[62] 1969, S. 19—22.
[63] A. Ben-David, 1969, S. 5—9.
[64] Das nt. Material bespricht E. A. Judge in dem Kapitel: The Household Community: Oikonomia (1960, S. 30—39).
[65] P. Billerbeck I, S. 967f.; II, S. 192, 217; III, S. 564.
[66] J. D. M. Derrett, 1970, S. 17—31.

10,29f.) hat auch darin ihren Grund, daß sie in der sozialen Wirklichkeit bereits korrumpiert worden war.

Neben Teilpacht und Oikoswirtschaft hat noch ein weiteres Produktionsverhältnis bestanden. Aus der Wüste Juda sind Pachtverträge bekannt zwischen den Administratoren (parnas) Ben Kosibas und Pächtern, die Land für eine feststehende Summe (an Naturalien bzw. Geld)[67] gepachtet haben. Die Dauer der Pacht erstreckte sich bis zum folgenden Erlaßjahr. Sowohl die Begrenzung der Dauer wie die Form einer fixierten Abgabe entsprechen dem italienischen Kolonat (R. Clausing, 1925, S. 262f.), wobei an die Stelle des lustrum von fünf Jahren die sechsjährige Periode trat.

Mur 24 B[68]:

„Am zwanzigsten des Šᵉbāṭ, im zweiten Jahr der Wiederherstellung Israels durch Simon[69]. (Im Lager), das sich (auf dem Berg des) Herodes befindet, hat Eleasar, der Sohn des Šiloniten zu Hillel ben Garis gesagt: ‚Ich habe freiwillig von dir ein Stück Land gepachtet (ḥkr), welches kraft der Pacht mein ist in ‘Îr Naḥaš[70]. Ich habe es gepachtet von Simon, dem Fürsten Israels, für fünf Jahre‘. Wenn er es aber nicht bebaut ... und jenes Land, so wird er abgesetzt werden und alles verlieren[71]. Ich habe (es) gepachtet von dir von heute an bis zum Ende des Jahres vor dem Erlaßjahr (Šᵉmiṭṭā). Den Pachtzins werde ich dir hier abwiegen jedes Jahr in gutem und reinem Weizen vier Kor und acht Sea, die verzehntet werden müssen. ... nach Erhebung des Zehnten, den ich darmessen werde jedes Jahr auf dem Dach des Schatzhauses am (Berg des) Herodes. Gültig (ist diese Urkunde). Mir obliegt es dementsprechend.
Eleasar, Sohn des Šiloniten für sich.
Simon ben Kosiba auf Grund seines Befehls".

Der eigentliche Verpächter des Bodens ist Simon, der Fürst Israels. Hillel ist einer der Administratoren Simons (parnas), die Land für eine feststehende Summe an Naturalien (die sog. Fixpacht) verpachteten.

In Urkunden des Neḥel Ḥever, deren Veröffentlichung bisher noch unvollständig ist, ist anstelle von Naturalien Geld vorgesehen (NḤ 42. 43. 44). In zwei weiteren Verträgen wird von Hauptpächtern Boden an

---

[67] J. T. Milik, in: P. Benoit, 1961, S. 122f.
[68] J. T. Milik, a.a.O., S. 124–128; H. Bardtke, 1962, S. 88f.
[69] J. T. Milik hat עליך übersetzt mit: ‚auf Grund der Autorität‘. Es war Y. Yadin, der erkannt hat, daß sich diese Worte auf גאלת ישראל beziehen (1961, S. 51).
[70] Ein Ort zwischen Kafar Bis und Eleutheropolis (J. T. Milik, a.a.O., S. 127).
[71] Der Text ist unsicher.

Bauern auf ein Jahr gegen eine feststehende Geldsumme unterverpachtet (NḤ 45. 46)[72]. In diesen Verträgen ist der technische Begriff für die Pacht gegen eine feststehende Summe Geldes ḥkr — und nicht śkr, wie es den rabbinischen Ausführungen nach sein müßte.

Die Verpachtung von Land durch Herrscher ist in der ptolemäischen, seleukidischen, herodianischen und römischen Zeit sukzessive durchgesetzt worden und verdrängte die Institutionen kollektivem Erbbesitzes. Nach dem jüdischen Krieg hatte der Caesar das ganze Land verkaufen lassen (BJ VII 216—218), was durch die Autobiographie des Josephus bestätigt wird[73]. Titus und Vespasian teilten Josephus nach dem Sieg beträchtliche Ländereien zu (Vita 422. 425), die Domitian dann noch für steuerfrei erklärte, während der Besitz römischer Bürger (Josephus hatte das Bürgerrecht erlangt: Vita 423) in den Provinzen nicht wie das sonstige quiritische Eigentum steuerfrei war, sondern dem vectigal unterlag.

Ben Kosiba, Fürst Israels, hat den Caesarischen Eigentumstitel am Land übernommen und ihn zur Grundlage einer zentralisierten Staatswirtschaft gemacht. Er ließ das Land der von den Römern eingesetzten Pächter einziehen und gegen eine Fixpacht an judäische Familien austeilen. Die Legitimation hierzu ergibt sich aus der Identifizierung Judäas mit Israel als dem kollektiven Eigentümer des Landes. Neben dem Staatsland gab es auch zur Zeit Simons noch Familieneigentum, das verkäuflich war (Mur 22; 25; 30). In welchem quantitativen Verhältnis dieser Familienbesitz zu dem staatlichen Eigentum stand, ist jedoch unklar.

Die Verträge, die die Verpachtung regeln, sind nach einem bestimmten Schema aufgebaut: nach der Beschreibung des bestehenden Rechtsverhältnisses durch die Worte „ich habe freiwillig gepachtet"[74] folgen nacheinander die Bezeichnung des Grundstücks, Länge der Pachtzeit, Sanktionsdrohung für den Fall der Nichtbebauung, Bestimmung der Höhe der Rente sowie Entrichtung des Zehnten. Die Pächter dieses Staatslandes waren Angehörige — früherer — grundbesitzender Familienverbände, die Clan-Namen trugen[75]. Zum Schluß soll noch auf die Funktion der Šᵉmiṭṭā in diesen Urkunden eingegangen werden. Ihre primäre Bedeu-

---

[72] Zur Unterpacht: R. Taubenschlag, Opera Minora, Bd. 2. Warszawa 1959, S. S. 471—495.

[73] Eine Darstellung der ökonomischen Verhältnisse Judäas nach der Zerstörung des Tempels gibt A. Büchler, 1912.

[74] Die Urkunde hat an den Stellen, wo sie in subjektiver Form abgefaßt ist, die Struktur eines Protokolls, während die objektiv formulierten Teile ihr die Struktur eines konstitutiven Vertrages geben (hierzu G. Prenzel, 1971, S. 42).

[75] Y. Yadin, 1961, S. 250f.

tung ist die der Einstellung der Landarbeit, darüber hinaus aber annulliert sie das Anrecht des Pächters am Staatsland, ganz so, wie es Ez 46, 16–18 zum Freijahr ausführt. Diese Bedeutung entspricht einem ursprünglichen Sinn von šmṭ (verzichten). Daraus darf jedoch nicht auf eine archaische Institution geschlossen werden, sondern auf die Interpretation einer archaischen Institution unter den Bedingungen einer neuen Zeit.

Bereits einige Texte aus der persischen Zeit kennen neben dem Sklaven den Lohnarbeiter und den Teilpächter. Doch war dies nicht der damals vorherrschende Typus. Vorherrschend waren die Familienbetriebe, die ihr eigenes Land bearbeiteten und die durch steuerliche Lasten und durch andere Nöte bereits in Abhängigkeit von Reicheren zu geraten drohten. In den Quellen der römischen Zeit hat dieser Typos des freien Parzellenbauern keine allzu große Bedeutung mehr. Welche Gründe sind für diese Veränderung maßgeblich gewesen?

Erinnern wir daran, daß die Staatspacht — wie auch immer sie organisiert war — den bäuerlichen Betrieben die Abgabe eines Drittels oder Viertels der Ernte auferlegt hatte, von den weiteren Lasten zu schweigen. Daß die Möglichkeiten der an den familiaren Bedürfnissen orientierten Betriebe hierzu nicht ausreichten, ist selbstverständlich. Enteignungen, durch keine Tradition gebremst und durch die Prosbole sanktioniert, waren die notwendige Folge. Für die neuen Eigentümer aber war eine rentable Produktion auf dem Land Hauptsache. Rentabel im Sinne einer Erzeugung eines Überschusses konnte jedoch nur heißen: die Zahl der vom Ertrag lebenden Betriebsangehörigen mußte an der Zahl der notwendigen Arbeitskräfte ausgerichtet werden. Diesem Zweck dienten gleichermaßen Lohnarbeit, Sklaverei und Teilpacht, während die herkömmliche familiare Bewirtschaftung unter solchen Gesichtspunkten ganz unzweckmäßig war. In dieser ökonomischen Rationalität ist es begründet, daß die Familienbetriebe in der römischen Zeit keine allzu große Bedeutung mehr hatten.

Die neue ökonomische Rationalität in den Gleichnissen der Evangelien

Die Evangelien entstammen einer Gesellschaft, in der es verschiedene Produktionsverhältnisse gab: Kleinbauerntum, Teilpachtbau, Oikoswirtschaft, Staatspacht. Während im rabbinischen Schrifttum die sozialen Beziehungen zwischen den Klassen erörtert und gesetzlich bestimmt werden, findet sich vor allem in den Gleichnissen Jesu eine ganz andere Interpretation.

Die Intention der Gleichnisse ist von Theologen genauestens untersucht worden. J. Jeremias sieht ihren Tenor in der Erwartung einer bevorstehenden eschatologischen Katastrophe, die unberechenbar komme und vom Menschen daher sofortige Umkehr verlange[76]. Übersetzt man diese Aussage in ein Interaktionskonzept, würde sie besagen, daß menschliches Handeln sich nicht auf das Handeln Gottes kalkulierend einstellen kann. Die Gleichnisse Jesu verwenden als Symbole, die diese Situation erhellen sollen, unter anderem auch Elemente der sozialen Ordnung Galiläas.

Das Gleichnis von den bösen Weinbauern erläutert an dem Widerstand der Teilpächter gegen die Eintreibung des Anteils durch den Grundbesitzer und die nachfolgende Neuverpachtung den Übergang der Erwählung an andere (Mk 12,1–11)[77]. Mt 20,1–15 wird die Beziehung zwischen Oikodespotes und Lohnarbeiter als Kennzeichen einer Situation benutzt, in der der Lohn von der Güte des Oikodespotes bestimmt wird und nicht in Relation steht zur Länge der Arbeitszeit[78]. In einem anderen Gleichnis wird der gewalttätige Anspruch des Herren auf das von den Sklaven Produzierte zum Symbol der Situation des Menschen vor Gott (Mt 25, 14–28)[79]. Lk 12,57–59 dient die Situation der drohenden Verurteilung zur Schuldgefangenschaft als Symbol der Krise. In allen diesen Vergleichen, zu denen weitere gestellt werden können[80], wird der soziale Antagonismus der antiken Gesellschaft zum Interpretament einer theologischen Aussage, die das unkalkulierbare Verhältnis des Menschen zum Gottesreich ausdrückt.

Ein zweites Symbol setzt ebenfalls die Verhältnisse einer Klassengesellschaft voraus. In der Literatur des AT ist die Ernte eine Zeit sprichwörtlicher Freude gewesen (Jes 9,2), wobei von einer Kongruenz zwischen Arbeiter und Konsument ausgegangen wird. Es ist diese Identität, die bereits im AT die Ernte zum Symbol des Eschaton geeignet macht: wer Schlechtes sät, wird Böses ernten (Spr 22,8). Diese Selbstverständlichkeit gibt es in den Evangelien nicht mehr. „Herr, ich wußte, daß du

---

[76] Die Gleichnisse Jesu. Göttingen 1962, S. 165.
[77] J. Jeremias, a.a.O., S. 72–74: Das Gleichnis schildert „die revolutionäre Stimmung der galiläischen Bauern gegen die landfremden Großgrundbesitzer". Der gleiche Topos der Verfügungsgewalt des Oikodespotes liegt Lk 16,1–8 a vor: der Oikodespotes entläßt seinen Oikonomos, der daraufhin die Schuldverschreibungen der Gläubiger reduziert, um sich deren Hilfe zu sichern.
[78] J. Jeremias, a.a.O., S. 138. In gleicher Weise verwendet das Gleichnis Mt 24, 45–51 die für den Sklaven entscheidende Situation einer unerwarteten Rückkehr des Herren als Symbol menschlicher Lage vor Gott.
[79] J. Jeremias, a.a.O., S. 58f.
[80] Mt 22,1–14; Lk 7,41–43; Lk 17,7–10; Mt 18,23–35.

ein harter Mensch bist und erntest, wo du nicht gesät hast, und einsammelst, wo du nicht ausgestreut hast" (Mt 25,24). Sprichwortartig heißt es Joh 4,37: „ein anderer ist es, der sät, ein anderer, der erntet". Verschwunden ist die sinnliche Freude der Bauern über die Ernte. An ihre Stelle ist das Symbol der Abrechnung getreten. Die Ernte ist die Zeit, zu der der Herr den guten Weizen in die Scheune bringen läßt (Mt 13, 30)[81]. Der, der erntet, empfängt Lohn und sammelt Frucht ein für das ewige Leben (Joh 4,36). Die Kongruenz zwischen Arbeit und Produkt ist einer Vermittlung gewichen, die die eschatologische Situation symbolisiert: die Beziehung des Menschen zu seinen Bedürfnissen ist durch Herrschaft vermittelt. Das Symbol der Ernte als Zeit der unkalkulierbare Abrechnung für eine geleistete Arbeit entspricht den assymmetrischen Beziehungen zwischen Oikodespotes und Doulos[82]. Sicher wird man nicht behaupten können, daß die Intention, der diese Symbole dienen, von deren sozialen Kontext unberührt sei. Die Interpretation der Gottesbeziehung als a-reziproker setzt eine Vertrautheit mit Ungleichheit und Herrschaft voraus. Schwerlich wird man aber auch behaupten können, daß die Intention der Symbole sich aus ihrem sozialen Substrat direkt ergäbe. Dagegen wäre nicht nur geltend zu machen, daß die Evangelien eine Gesellschaft mit verschiedenen Produktionsverhältnissen voraussetzen, sondern daß sie auch verschleiernde Vorstellungen kritisieren und vom Antagonismus bzw. irrationaler Abrechnung sprechen, wo sonst Gemeinschaft und gerechter Lohn beschworen werden.

Zusammenfassung

Die sozialgeschichtlichen Quellen der römischen Zeit sind Zeugen für die Unterwerfung der — in persischer und makkabäischer Zeit sich noch erfolgreich verteidigenden — freien Bauernschaft unter das System der Aneignung von Surplus. Die wichtigen Institutionen der älteren Zeit, die einem Widerstand gegen die antike Klassenbildung entsprungen bzw. in diesem Zusammenhang beschworen worden waren, sind in römischer Zeit nicht mehr in Kraft. Im Haftungsrecht wird der Eigentumszuschlag verankert, während früher — das heißt: zu Nehemias Zeit — dem Darlehensgeber nur eine zeitweise Nutzung des gepfändeten Gutes eingeräumt wurde. Bei Zahlungsunfähigkeit des Schuldners kann dieser vom Gläubiger ins Gefängnis geworfen werden, während früher die Schuld-

---

[81] So auch die Täuferpredigt, Mt 3,12.
[82] Das Ernte-Gleichnis Mk 4,26—29 bezieht sich auf die Geduld des Bauern, der die Saat wachsen läßt, bis die Zeit der Ernte da ist.

knechtschaft, das heißt, eine Abarbeitung der Schuld, üblich war. Schließlich werden in den offiziellen Urkunden über Landverkauf die traditionellen Erbregeln formell gekündigt. Eine besondere Fomel schließt die Ansprüche der nach dem überlieferten Erbrecht berechtigten Familienangehörigen aus. Der Landeigentümer kann frei über sein Eigentum verfügen. Benötigt er Arbeitskräfte für das Land, dann hat er die Wahl zwischen Sklaven, Lohnarbeitern und Teilpächtern — wie es ihm am zweckmäßigsten scheint.

Die Ausrichtung der Ökonomie auf Rentabilität war möglich nur als Widerspruch zu den egalitären religiösen Traditionen. Der soziale Wandel vollzog sich als Emanzipation von der Tradition — und zwar nicht zufälligerweise, sondern notwendigerweise. Die Herausbildung des bäuerlich — priesterlichen Traditionskomplexes, wie er von Nehemia sanktioniert wurde, verdankte sich ja gerade einem Widerstand gegen die Herausbildung der antiken Klassengesellschaft. Zugleich entzog der beschriebene soziale Wandel diesem Traditionskomplex die Anhängerschaft. Daß jeder zu seinem Besitz und zu seinem Clan zurückkehren solle (Lev 25,10), setzt noch feine Bande der Erinnerung an die alte Unabhängigkeit voraus. Wo dieses Band seit Generationen abgerissen, wo die Ideologie des käuflichen Privateigentums herrscht, dort sind Reformen, wie Nehemia sie durchgesetzt hatte, kaum noch denkbar.

9. Opposition der Religion gegen die Politik

„Karthagos und Jerusalems Fall sind nicht nur die vorzugsweise tragischen Ereignisse der erstaunlichsten aller Dramen, der römischen Geschichte, sondern auch die zwei wichtigsten Wendepunkte der Weltgeschicke. Wird durch Scipios Tat die politische Emanzipation des Westens von dem Osten auf alle Zeit gesichert, so verkündet der Flavier Triumph und sein noch heute erhaltenes Denkmal — das bedeutsamste des Altertums — die Befreiung der Religion der Zukunft aus den Banden des mosaischen Orientalismus und die Ansprüche der abendländischen Stadt auf die geistige Beerbung des Morgenlandes". Diese Worte von J. J. Bachofen[1] transponieren Faktisches in Kategoriales, erkennen an dem historischen Einzelfall etwas Prinzipielles, das auch wir — wenn auch aus anderer Sicht — zu sehen glaubten. Vom Sieg des Geistes über die Materie, des Rechtes über die Natur, der Freiheit über die Notwendigkeit spricht Bachofen[2]. Die Unterwerfung Judäas unter die seleukidische und römische Herrschaft erschien auch uns mehr als eine Wiederholung des Loses von Herrschaft oder Unterwerfung. Es schien uns deshalb mehr, weil mit diesem Kampf zugleich zwei grundverschiedene Prinzipien der Vergesellung gegeneinander standen und weil die jüdischen Aufständischen ihre Ziele weit über den politischen Rahmen einer Freiheit vom Tribut hinauslegten.

Wenn wir im folgenden zwei dieser jüdischen Zielpunkte näher untersuchen, dann geschieht dies auch in geschichtsphilosophischer Absicht. Bachofens Worte scheinen ja einer dialektischen Geschichtsbetrachtung zu folgen. Doch A. Bäumler sieht es anders. Seine ausführliche Darstellung des Problems weist uns auf wichtige Zusammenhänge und Implikationen hin. „Parteinahme für den Mythus und für den Orient bedeutet Opposition — bei J. G. Hamann so gut wie bei Bachofen. Durch Hegel hat der Sieg des Okzidents den Sinn einer dialektischen, das heißt *endgültigen* Überwindung des Orients erhalten. Von nun an wäre eine Opposition der Symbolik gegen die Logik, des Mythus gegen die Vernünftigkeit, der Religion gegen die Politik nicht mehr möglich. Mit dem Orient wären Mythus und Religion untergegangen. Denn bei

---

[1] Aus: Die Sage von Tanaquil. Aufgenommen in: Der Mythus von Orient und Occident. Eine Metaphysik der Alten Welt. Hg. v. M. Schroeter, München 1926, S. 568f.
[2] A.a.O., S. 571.

einer dialektischen Betrachtung der Dinge hat der historisch Unterliegende nicht nur Unglück, sondern auch Unrecht, sonnt sich der Überwinder nicht nur im Glanz des Sieges, sondern auch des Rechts. Ein dialektischer Sieg des Okzidents hätte den endgültigen Sieg eines höhern Prinzips über alle andern Prinzipien zu bedeuten. Der Orient wäre nicht untergegangen, er wäre mit *Notwendigkeit* untergegangen. Hier ist es, wo die entscheidende Einsicht hervortritt: das Verfahren der Symbolik gehört einer geistigen Haltung an, die der Dialektik *widerspricht*. Symbolisches und dialektisches Denken schließen sich gegenseitig aus."[3]

Diese Sätze Bäumlers möchte ich als Aufforderung nehmen, jene jüdischen Fälle eines Widerstandes gegen die seleukidische und römische Herrschaft als solche Opposition zu verstehen.

Die Erneuerung von Gottes Bund

Die essenische Gemeinschaft, durch den großen Handschriftenfund von Qumran ins helle Licht der Geschichte getreten, hatte sich im 2. Jh. v. Chr. von dem übrigen judäischen Volk abgesondert und bis ins 1. Jh. n.Chr. hinein eine religiöse Vereinigung gebildet. Wie sie diesen Bruch begründete und ob sie sich intern nach alternativen Prinzipien organisierte, wollen wir der Damaskusschrift[4] und anschließend der Sektenregel abzulesen versuchen. Die Mitglieder des Bundes der Damaskusschrift lebten nicht wie die Qumran-Essener in einer Gemeinschaft, sondern bildeten einen „Zusammenschluß von Familienvätern", zu deren Haushalten auch Knechte und Mägde sowie Pächter (sôkēr)[5] zählten (CD 11, 12)[6]. Sie wohnten in Lagern, deren innere Ordnung hierokratischer Regel folgte: sie waren in Priester, Leviten, Israeliten, Proselyten untergglie-

---

[3] Das Mythische Weltalter. München 1965, S. 332f. (Bachofen und die Religionsgeschichte).

[4] Die Schrift besteht aus zwei Teilen: einer Gemeindeordnung (CD 9—16) und einer Geschichtsdarstellung (1—8 und 19—20) — so H. Stegemann, Die Entstehung der Qumrangemeinde. Bonn 1971, S. 21f. Sachliche Differenzen zwischen diesen Teilen habe ich nicht entdecken können, weshalb ich die Damaskusschrift im folgenden nicht entsprechend der literarischen Schnitte aufteile.

[5] E. Lohse konjiziert שְׂכִירוֹ = sein Lohnarbeiter.

[6] E. Koffmahn, Die staatsrechtliche Stellung der essenischen Vereinigungen in der griechisch-römischen Periode, Biblica 44, 1963, S. 51. Das zeitliche Verhältnis der Damaskusschrift zum essenischen Schrifttum von Qumran (CD scheint dogmenschichtlich eine spätere Phase darzustellen: so P. v. d. Osten-Sacken, 1969, S. 190—193) ist zu unterscheiden von dem organisatorischen Verhältnis beider Gruppen und ihrer Entstehung.

dert und hierarchisch organisiert, insofern Rechtsentscheide vom Aufseher (m^{c}baqqēr) autoritär gefällt werden konnten[7] (14,3−12). Die materiellen Beziehungen der Mitglieder unterlagen folgenden Regeln: „Den
Lohn (s^{e}kar) von wenigstens zwei Tagen monatlich sollen sie in die Hände des Aufsehers und der Richter geben. Davon sollen sie den Waisen
geben, den Bedürftigen und Armen unterstützen sowie dem Alten, der
im Sterben liegt, dem Mann, der heimatlos ist, dem, der in ein fremdes
Volk gefangen weggeführt wurde und der Jungfrau, die keinen Löser
(gô'ēl) hat" (14,12−17). Der Loskauf eines in Fremdsklaverei Geratener
sowie der Schutz der Jungfrau ersetzen g$^{e'}$ullā-Regeln, und auch die übri
gen Regeln treten an die Stelle agnatischer Solidarität. Nicht Verwandtschaft, sondern freie Vereinigung bildete das konstituierende Prinzip
der Gruppe. Neben die patriarchale Verfügungsgewalt trat eine Verwaltung, die einen Teil der Produkte der Mitglieder kontrollierte und den
angegebenen Zwecken entsprechend verwendete. Ob hier das Prinzip des
griechischen Vereines (H. Bardtke) oder das der Tempelorganisation ein-
gewirkt hat (L. Rost), kann nur auf verbreiterter Textbasis erörtert werden und muß daher hier unentschieden bleiben[8]. Grundlegend ist der
Sachverhalt, daß die Inhalte der Solidarität von der agnatischen Verwandtschaftsgruppe unabhängig sind und zu ethischen Normen rationa-
lisiert wurden, deren Geltung durch Vereinbarung gesichert werden sollte[9].

Die materiellen Beziehungen der Mitglieder mit Fremden unterlagen ex-
pliziten Vermeidungsregeln. „Nicht darf man reine Tiere oder Vögel an
Heiden verkaufen, damit sie sie nicht opfern[10]. Und von (Produkten)
seiner Tenne und seines Kelters soll man ihnen unter keinen Umständen verkaufen. Und seinen Sklaven und seine Sklavin soll man ihnen
nicht verkaufen; denn sie sind mit in den Bund Abrahams eingetreten"
(CD 12,8−11; vgl. 20,6f.). Wie die Gruppe intern die sozialen Normen
auch als ökonomische verstand, so impliziert dies in der Beziehung zu
den Fremden die Begrenzung des Tauschs. „Keiner von denen, die in de

---

[7] Zur Disziplinargewalt des M^{c}baqqēr 9,16−23; 13,7−13 sowie der Vergleich der Ausführungen in der Damaskusschrift mit denen von 1QS, den P. v. d. Osten-Sacken dur
geführt hat und der ergibt, daß seine Befugnisse in der Damaskusschrift größer sind
(Bemerkungen zur Stellung der Mebaqqer in der Sektenschrift, ZNW 55, 1964, S. 18−
26).
[8] H. Bardtke, 1961 und 1968; L. Rost, 1955. Das Vergleichsmaterial bei F. Poland,
Geschichte des griechischen Vereinswesens. Leipzig 1909, S. 514−534.
[9] So auch CD 6,20−7,1. Die Begriffe ethisch und rational sind Max Weber entnommen: 1964, S. 317−488 (Religionssoziologie).
[10] Vgl. Aboda Zara I 5.

Bund Gottes eingetreten sind, soll tauschen mit den Söhnen der Grube[11] außer von Hand zu Hand[12]. Und niemand soll eine Verbindung eingehen zum Zwecke von Kauf und Verkauf, ohne daß er es dem Aufseher des Lagers anzeigt" (13,14–16). Die Vorschrift, nur Kaufgeschäfte ohne Darlehnsgeschäfte zu tätigen, soll eine Abhängigkeit der Gruppenmitglieder von Heiden verhindern, die sich sonst auf dem Wege der Verschuldung ergeben würde.

Der Inhalt der sozialen Verhältnisse außerhalb der Gruppe erscheint in der Damaskusschrift als Ausdruck einer nach einem anderen Gesetz lebenden Welt. Die Abtrünnigen „haben sich nicht abgewandt vom Weg der Verräter und haben sich beschmutzt auf den Wegen der Unzucht und mit ungesetzlichen Reichtümern, der Rache und des Zorns untereinander und des gegenseitigen Hasses. Sie haben dem Deszendenzgenossen Unterstützung versagt[13]. Sie näherten sich inzestuösen Verbindungen[14] und waren groß in bezug auf Vermögen und Gewinn und taten, was sie für richtig hielten" (19,17–20)[15]. Die Orientierung des Handelns an Besitz und Gewinn sowie die Verweigerung der Gegenseitigkeit kennzeichnet die sozialen Verhältnisse außerhalb der Gruppe[16]. Kontrafaktisch dazu werden die sozialen Beziehungen in ihr durch die Solidarität der Brüder (6,20f.) gekennzeichnet. Der quantitative Umfang der Solidaritätsgruppe ist nicht mehr identisch mit der Abstammung von Israel, wie sie Esr 2/Neh 7 umschrieben wurde, sondern wird an eine inhaltliche Norm gebunden. Zentrum der Begründung hierfür ist das Konzept des Bundes Gottes mit Israel, welchen Israel verlassen habe:

„Mit denen, die zu den Geboten Gottes gehalten hatten, die übrig geblieben waren, schloß Gott seinen Bund mit Israel für immer" (CD 3, 12f.).

„Gott aber gedachte des Bundes mit den Vorfahren[17] und erweckte aus Aaron Einsichtige und aus Israel Weise"[18] (6,2f.)[19].

---

[11] Šḥt im materiellen Sinne kann in den Sinn ‚verderben' übergehen (J. Carmignac, 1963, Bd. 2, S. 168 Anm. 18).
[12] Vgl. 1 QS 5,16f.
[13] So auch CD 7,1. Das Hitpael von 'lm bezeichnet ein Verhalten, das sich den Verpflichtungen der Gegenseitigkeit entzieht: Dtn 22,1–4; Jes 58,7.
[14] Siehe Lev 20,14 und CD 4,17.20–5,11.
[15] Parallele CD 8,4–7.
[16] CD 10,18; 11,15; 12,7; 1QpH 9,5; 1QH 10,23.30.
[17] Lev 26,45.
[18] Dtn 1,13.
[19] Weitere Ausführungen CD 1,3–5.7; 4,9; 8,16–18.

Die Gruppe begründet ihre Absonderung aus transzendenter Erwählung, die die widergesetzliche Tendenz der Geschichte[20] durchbricht. Die alttestamentliche Erwählungstheologie fungiert in der Damaskusschrift als Begründung der Abtrennung der Gruppe vom Gesamtverband und motiviert die Transformation kollektiver Reziprozitätsbeziehungen in solche einer religiösen Gemeinschaft. Die religiösen Konzepte der Damaskusschrift beruhen daher nicht auf einer Orientierung am Überkommenen, sondern haben die gesellschaftliche Bedingung einer Klassengesellschaft zur Voraussetzung und insistieren kontrafaktisch zu deren unpersönlicher und asymmetrischen Institutionen auf persönlichen und reziproken Beziehungen[21]. Die Herausbildung der traditionsfreien, abstrakten Handlungsstrukturen wird dabei religiös als Gottlosigkeit interpretiert.

Die Unterschiede, die zwischen den übrigen Schriften der Qumran-Gemeinde und der Damaskusschrift sowie innerhalb des Schriftenkorpus selbst bestehen, erfordern es, diese Literatur in einem zweiten Schritt vergleichend einzuführen.

Die in 1QS niedergelegte Satzung ist die Regel einer Gemeinschaft (1,1) die nicht nur der Zusammenschluß von Familienvorstehern ist, sondern eine Gemeinschaft (יחד). „Wenn das Los ihm (dem Novizen) fällt, daß er sich der Versammlung der Gemeinschaft nähern darf nach dem Urteil der Priester und der Menge der Männer ihres Bundes, sollen sie auch ihr Vermögen und ihre Arbeitseinkünfte übergeben in die Hand des Mannes, der der Aufseher über die Einkünfte der Vielen ist[22]. Sie sollen es in (das Buch) der Rechnung zu seinem Guthaben einschreiben, ohne es zum Nutzen der Vielen auszugeben" (6,18—20). Erst wenn er Vollmitglied ist, soll es zu diesem Zweck verwendet werden (6,22).

Die innere Ordnung der Gemeinschaft unterscheidet sich vom Damaskusbund durch die Komplexität von Organisationsebenen: der Mitgliederversammlung (rabbîm)[23], dem Rat der Gemeinschaft (ᵃṣat hajjaḥad)[24], dem Aufseher (mᵉbaqqēr)[25], der aaronidischen Priesterschaft, die Recht-

---

[20] CD 1,20; 2,6f.; 4,14—18; 5,12.21; 20,29. Zum Dualismus der Damaskusschrift: P. v. d. Osten-Sacken, 1969, S. 190—196.

[21] Zu dieser Interpretation siehe M. I. Pereira de Queiroz, Réforme et révolution dans les sociétés traditionelles. Paris 1968, S. 145—158 und 302—309.

[22] Der mᵉbaqqēr ist allgemein mit Fragen der Versorgung betraut, ist jedoch nach seinen Befugnissen „grundsätzlich der Versammlung der Vollmitglieder untergeordnet" (P. v. d. Osten-Sacken, Bemerkungen zur Stellung des Mebaqqer in der Sektenschrift, ZNW 55, 1964, S. 19).

[23] 1QS 7,3.16.19 H. Bardtke, 1961, S. 44 und L. Rost, 1959, S. 396 bezeichnen die Struktur als demokratisch.

[24] 1QS 8,1—6.

[25] 1QS 6,12.20.

sprechung und Besitz kontrolliert[26]. Die Verwendungszwecke von Besitz und Einkünften werden in der Gemeinderegel nicht wie in der Damaskusschrift ausdifferenziert. Von Belang ist allein die Tatsache, daß die Gemeinschaftlichkeit der Mitglieder auch deren Besitz und Arbeit einschließt, während nach außen nur Beziehungen des Kaufs möglich sind[27]. „Niemand soll mit ihm (dem Gottlosen) durch seine Arbeit und sein Vermögen in Verbindung (wörtlich: Gemeinschaft) treten, damit er ihm nicht schuldhaftes Unrecht auflade[28]. Sondern er soll sich fernhalten von ihm in jeder Sache, denn so steht es geschrieben: ... 'Von jeder betrügerischen Sache sollst du dich fernhalten!'[29] ... Und keiner soll von ihrem Besitz etwas essen oder trinken oder etwas aus ihrer Hand nehmen außer gegen einen Kaufpreis[30], wie geschrieben steht ...[31]. Denn von allen, die nicht zu seinem Bund gerechnet werden, soll man sich trennen und von allem, was ihnen gehört" (5,14—18).

Die Gütergemeinschaft der Qumran-Essener ist im Vergleich mit der Damaskus-Gemeinde etwas Neues[32]. Die Damaskus-Gemeinde setzte Privateigentum voraus und unterstellte die Zirkulation und Konsumtion bestimmten Regeln, während die Gemeinderegel nicht nur ein Mehrprodukt, sondern auch die handwerkliche und agrarische Arbeit[33] genossenschaftlichen Regeln unterstellt. Wenn man — wie L. Rost es getan hat —[34] die Frage nach den Vorbildern dieser Ordnungen stellt, könnte die erstere es in den verteilenden Institutionen der Hierokratie, die letztere in der korporativen Verfassung der Mišpāḥā gehabt haben. In dem Bild, das die Gemeinderegel 1QSa von der Endzeit entwirft, wird der Existenz von Mišpāḥôt konstitutive Bedeutung beigemessen. „Wenn er (der junge Mann) zwanzig Jahr alt ist, soll er zu den

---

[26] 1QS 5,2f.; 9,7. Das Verhältnis von Kolumne 5 zu Kolumne 6 ist insgesamt recht problematisch (so mündlich P. v. d. Osten-Sacken).
[27] Diese Struktur: Gegenseitigkeit nach innen/Tausch nach außen ist nicht singulär, sondern eine regelmäßig wiederkehrende Figur innerhalb der Wirtschaftsethnologie: K. Polanyi, 1957, S. 210; M. D. Sahlins, 1968, S. 86.
[28] Lev 22,16.
[29] Ex 23,7.
[30] Jes 45,13; Weish 2,16; CD 13,14f.
[31] Jes 2,22.
[32] Sich des Besitzes der Gottlosigkeit zu enthalten, fordert auch CD 6,15. Zur Gütergemeinschaft S. Segert, Die Gütergemeinschaft der Essäer, in: Studia Antiqua Antonio Salač septuagenario oblata, Prag 1955, S. 66—73.
[33] Zur ökonomischen Basis siehe W. R. Farmer, The Economic Basis of the Qumran Community, Theologische Zeitschrift 11, 1955, S. 295—308 sowie R. de Vaux, Archaeology and the Dead Sea Scrolls. London 1973, S. 84—87.
[34] 1955, S. 7.

Gemusterten[35] gehen, um teilzuhaben am Los seiner Mišpāḥā, um in die Gemeinschaft (jḥd) der heiligen Gemeinde einzutreten" (1,8f.). Die Mitgliedschaft in der Gemeinde ist vermittelt durch die im Clan, der rechtliche und militärische Funktionen besitzt (1,15—21). In der endzeitlichen Versammlung sitzen vor dem Messias Aarons die Priester, vor dem Messias Israels die Häupter der Tausendschaften (= mišpāḥā) und die Häupter der Häuser (2,11—16). Die Konstruktion dieses Verfassungsmodells folgt dem oben gekennzeichneten priesterlich-bäuerlichem Interesse an kollektivistischen Institutionen[36].

E. Koffmahn hat den Begriff יחד als einen Rechtsbegriff beschrieben, der eine juristische Person bezeichne[37]. Die Gemeinschaft sei als das Subjekt des Vermögens anzusehen. Zu dieser juristischen Bedeutung tritt noch eine weitere, die die soziale Beziehung zwischen Subjekten bezeichnet. Die Mitglieder stehen mit Fremden nicht im Verhältnis der Gemeinschaft (5,14) — untereinander ist ihr Verhältnis das der Gemeinschaft (1,8f.). „Die Männer der Gemeinschaft sollen vollkommen wandeln jeder mit seinem Nächsten in allem, was ihnen offenbart ist" (9, 19). Die Gemeinschaft, von der 1QS und andere Schriften sprechen, ist zwar hierarchisch organisiert[38], aber sie ist eine Vergesellung nach dem Prinzip der Gegenseitigkeit. Josephus hat diese Struktur im Sinne, wenn er schreibt:

BJ II 127:

„Untereinander kaufen und verkaufen sie nichts, sondern ein jeder gibt dem, der etwas bedarf, von dem, was er hat, und empfängt, was er selbst benötigt".

Diese Interpretation verdankt sich griechischem Denken[39]. Der so zum Ausdruck gebrachte ökonomische Egalitarismus entspricht aber durchaus den Verhältnissen in Qumran. Die Außenbeziehungen werden auf Kauf und Verkauf beschränkt, während die Innenbeziehungen dem Prinzip von Gabe und Gegengabe: dem Prinzip der Reziprozität folgen (1QS 5,14—18). Die Trennung der Gemeinschaft von den Männern des Frevels (5,1f.) wird als Notwendigkeit interpretiert, die aus der Herrschaft zweier Geister über den Wandel der Menschen folge (3,17f.).

---

[35] Ex 30,14; 38,26.
[36] S.o. S. 68. Zur Zusammensetzung der Essener nach Schichten finden sich Angaben bei Philo, denen zufolge sie vor allem Kleinbauern und Handwerker gewesen seien (Quod omnis probus liber sit § 76f.).
[37] Rechtsstellung und hierarchische Struktur des יחד von Qumran, Biblica 42, 1961 S. 433—442.
[38] 1QS 6,8.
[39] W. Bauer, Art. Essener, PW Suppl. 4, 1924, S. 409—416.

„In der Hand des Fürsten der Lichter[40] ist die Herrschaft über alle Söhne der Gerechtigkeit: auf den Wegen des Lichtes wandeln sie[41]. Aber in der Hand des Engels der Finsternis liegt alle Herrschaft über die Söhne des Frevels: auf den Wegen der Finsternis wandeln sie"[42] (3,20f.)[43]. Dieser Dualismus, der allerdings nicht in allen Qumran-Schriften vorhanden ist, legitimierte nicht nur den Widerspruch zur hellenistischen Gesellschaft, sondern zugleich auch zu den formalen Verwandschaftsbeziehungen, deren quantitativer Umfang nicht mehr mit den Solidaritätsbeziehungen zusammenfiel. Nach wie vor aber galt, daß die Söhne der Gerechtigkeit allein aus Israel kommen mußten, da der Deszendenzverband Objekt des Bundes war (vgl. CD 15,5; 20,29)[44]. Der Traditionalismus der Essener rekonstruierte die Überlieferungen nicht als politisch-utopische Nomoi, sondern war an den kollektiven Aspekten der Tradition interessiert, die die Bildung einer religiösen Gruppe mit korporativer Verfassung legitimierten und einen Widerstand gegen gesellschaftlichen Wandel motivierten. Das essenische Interesse an den Inhalten der Tradition ist auf dem Hintergrund der Emanzipation der hellenistischen Gesellschaft von den kollektivistischen Traditionen zu bestimmen und bezweckt deren Bewahrung als Normen sozialer Beziehungen.

Die Wiederherstellung Israels

G. Scholem hat nachdrücklich betont, daß die jüdische Apokalyptik in Ursprung und Wesen eine Katastrophentheorie sei. „Die Konstruktionen der Geschichte, in denen ... der Apokalyptiker schwelgt, haben nichts mit modernen Vorstellungen von Entwicklung und Fortschritt zu tun, und wenn es etwas gibt, was die Historie im Sinne dieser Seher verdient, so kann es nur ihr Untergang sein ... Ihr Optimismus, ihre Hoffnung richtet sich nicht auf das, was die Geschichte gebären wird, sondern auf das, was in ihrem Ursprung hochkommt, nun endlich unverstellt frei wird"[45]. Nach diesen Ausführungen transzendiert das Auftreten des Messias nicht nur die gesellschaftlichen Verhältnisse, sondern auch

---

[40] Der Plural Lichter scheint die Gestirne zu bezeichnen (J. Carmignac, 1961, I, S. 33).

[41] Verweis auf Prov 6,23; Jes 2,5.

[42] Prov 2,13.

[43] So auch 1QS 4,17.24f. Diese Ausführung weist auf das Überlieferungsgut der Kriegsrolle zurück (P. v. d. Osten-Sacken, 1969, S. 116f.).

[44] Da die Herauslösung aus Familien- und Clanbindung nicht in der Radikalität wie im griechischen Verein geschieht, ist der Rekurs Bardtkes auf diese Institution zur Interpretation der Qumran-Verfassung m.E. nicht zwingend (H. Bardtke, 1961).

[45] Über einige Grundbegriffe des Judentums. Frankfurt 1970, S. 133.

die Geschichte. Der Messias kommt unversehens und überraschend. An dem Übergang von der historischen Gegenwart zur messianischen Zukunft wird gerade das Übergangslose hervorgekehrt[46].

Dieser Begriff von Messianismus unterscheidet sich von dem, der in ethnologisch-historischen Untersuchungen verwendet wird und hier eine Form politischen Handelns charakterisiert, in der Erlösungsvorstellungen zur Motivation kollektiven Widerstandes werden[47].

M. J. Pereira de Queiroz hat drei Elemente identifiziert, die zum Basisinventar jeder messianischen Bewegung gehören: ein unterdrücktes oder unzufriedenes Kollektiv; die Hoffnung auf die Ankunft eines göttlichen Boten, der die Leidenszeit beendet; der Glaube an ein Paradies, das zugleich heilig und profan ist.[48] Diese Basis-Element verdanken ihre Entstehung einer Reziprozität von ökonomisch-sozialen Bedingungen und politisch-kulturellen Symbolsystemen, in deren Verläufen die überlieferten religiösen Vorstellungen messianische Intensität angenommen haben und zu Motivationen antiherrschaftlichen Widerstandes gewoden sind. Wir wollen anhand der Selbstinterpretation des Bar Kosiba-Aufstandes untersuchen, in welcher Weise traditionelle Symbole in revolutionäre übergegangen sind.

Die politischen Intentionen, die die drei großen Aufstände in Judäa verfolgten, sind in der griechisch-sprachigen Literatur auf den Begriff der Freiheit gebracht worden[49]. Die Selbstzeugnisse vor allem des Bar Kosiba-Aufstandes: Münzprägungen[50] und Urkunden[51] ermöglichen eine Überprüfung dieser Aussage. Wir stellen zuerst die Quellen zusammen. Auf der Vorderseite der gefundenen Münzen des jüdischen Krieges ist die jeweilige Jahreszahl eingraviert, auf der Rückseite tragen sie die Aufschrift חרות ציון (Freiheit Zions), לגאלת ציון (Wiederherstellung Zions)

---

[46] P. Volz, 1966, S. 208—211; G. Scholem, a.a.O., S. 130.
[47] Z.B. M. I. Pereira de Queiroz, Réforme et révolution dans les sociétés traditionelles. Paris 1968; F. Sierksma, En nieuwe hemel en een nieuwe aarde. Den Haag. 1961.
[48] A.a.O., S. 7.
[49] 1Makk 14,26 (Makkabäer); AJ XII 281. 302f. 433; XVIII 4.23 (Judas der Galiläer); BJ II 264 (Aufstände, die der Vorgeschichte des jüdischen Krieges angehören) II 348 BJ II 443f. (Zeloten); BJ VII 255 (Sikarier); BJ VII 327. 341. 410 (Sikarier) Hierzu M. Hengel, 1961, S. 114—120.
[50] Hier das Material bei M. Hengel, 1961, S. 120—123. Weitere Münzfunde stellt Y. Yadin vor: 1971, S. 20f. 24f.
[51] Es handelt sich um Kauf- bzw. Pachtverträge, die datiert sind nach den Jahren der Wiederherstellung Israels; Mur Nr. 22. 23. 24 B. 25. 29. 30 (ed. P. Benoit, 1961 sowie Biblica 38, 1957, S. 264—268).

und Heiliges Jerusalem[52]. Das erste Jahr der Freiheit, von dem an gerechnet wird, war das vom Herbst 66 bis zum Herbst 67 n.Chr. Die gefundenen Münzen und Urkunden des 2. Aufstandes tragen Inschriften
folgender Typen:

Jahr eins/zwei/vier der Wiederherstellung (גאלת י") Israels[53]
Jahr eins/zwei/drei der Freiheit Israels/Jerusalems[54]
1./3. Jahr von Simon bar Kôsibā, Nāsî Israels[55]

Der Beginn dieser Ära fiel nach Aussage der Pachtverträge Mur 24 mit
einem Sabbatjahr zusammen, das auf das Jahr 131/132 n.Chr. fiel. Das
Jahr eins war dann das Jahr 132/133 n.Chr.[56] Die Proklamation politischer Freiheit begegnet uns auch auf Münzen und Dokumenten im au-
ßerjüdischen Bereich[57]. Mit ihr feierten Gemeinden, die von hellenistischen Königen bzw. römischen Feldherren zu Städten gemacht worden
waren, ihre Autonomie. Die römische Politik im Osten operierte mit der
Vergabe solcher Freiheit, wobei diese nicht zugleich auch Freiheit vom
Tribut einschloß[58]. Der Übergang wurde als Befreiung bezeichnet, nach
der die Städte auch ihre Zeitrechnung einrichteten[59]. Inhalte dieser
Freiheit waren Autonomie (suis legibus uti), eigene Gerichtsbarkeit
und die Erhebung lokaler Steuern. Die Freiheit vom Tribut war ein davon gesondertes Privileg, das nicht jede freie Stadt besaß[60]. Auch beinhaltete diese Freiheit nicht — wie zur Zeit Alexanders — auch die Einführung der demokratischen Stadtinstitutionen[61]. Vielmehr wurden Verfassungen eingeführt, die den Zugang zu den Ämtern in Rat und Magistrat an Eigentumsqualifikationen banden[62].

Das judäische Verständnis von Freiheit teilt mit diesem Komplex insti-
tutioneller Regelungen eine Reihe von Gemeinsamkeiten (Autonomie,

---

[52] E. Koffmann, 1968, S. 38f. 199. C. Roth, The Historical Implications of the Jewish Coinage of the First Revolt, IEJ 12, 1962, S. 33—46 schreibt die Prägung
„Wiederherstellung Zions" der Gruppe um Simon Bar Giora zu
[53] E. Koffmann, 1968, S. 38; Mur 22,1; Y. Yadin, 1961, S. 249; Mur 24. 29,1.
30,8.
[54] Y. Yadin, 1971, S. 24—27; Mur 23,1. 25,1; RB 61, 1954, S. 182ff.; Mur 30,8.
[55] Y. Yadin, 1961, (5/6 Ḥev) S. 43—46.
[56] E. Koffmann, 1968, S. 40f.; J. T. Milik in: P. Benoit, 1961, S. 67.
[57] A. H. M. Jones, 1940, S. 119; Urkunden der Wüste Juda, die im nabatäischen
Bereich abgefaßt waren, datieren nach dem nabatäischen König Rabel, der seinem
Volk Leben und Freiheit brachte (די אחיי ושיזב עמה) (Y. Yadin, 1962, S. 239).
[58] A. H. M. Jones, 1940, S. 113f. und 321, Anm. 45.
[59] A. H. M. Jones, 1940, S. 117.
[60] A. H. M. Jones, 1940, S. 118—120.
[61] A. H. M. Jones, 1940, S. 157.
[62] A. H. M. Jones, 1940, S. 113, 120.

Gerichtsbarkeit, Steuerhoheit, Tributfreiheit, Münzhoheit). W. R. Farmers Versuch, die makkabäische und zelotische Bewegung zusammenfassend als jüdischen Nationalismus zu interpretieren[63], trägt diesen Übereinstimmungen Rechnung. Auch in der antiken Konzeption der Polis sind ja Elemente enthalten, die der neuzeitlichen Lehre vom Nationalstaat entsprechen, und dazu gehört die Autonomie bzw. Souveränität eines politischen Verbandes[64]. Ein Element der sikarisch-zelotischen Konzeption ist jedoch diesem Freiheitsbegriff fremd. Es ist dies die Begründung, die M. Hengel religiös nennt: Israel kann die römische Herrschaft nicht anerkennen, da Gott sein Despotes sei (AJ XVIII 23; BJ II 117f.; VII 410). M. Hengel interpretiert diese Aussage im Sinne einer Botschaft deren Inhalt konträr zum hellenistischen Kaiserkult entworfen sei[65]. Der Begriff der Freiheit[66] sei daher nicht profan-politisch aufzufassen, sondern im Sinne der Vorstellung eschatologischer Erlösung.

Parallel zu dem Begriff der Freiheit steht auf den Urkunden der der g^e'ullā, in dem M. Hengel einen Hinweis auf eschatologische Erlösung sieht[67]. Der at. Begriff der g^e'ullā ist nach der sorgfältigen Begriffsanalyse von J. Jepsen mit Wiederherstellung zu übersetzen[68] und bezeichnet ursprünglich eine Institution, die die Einheit und das Grundeigentum der agnatischen Verwandtschaftsgruppe sichert. Wie D. Daube gezeigt hat, wurde Israels Befreiung aus Ägypten bereits in der Darstellung des Buches Exodus konstruiert als Anwendung der Loskaufregeln auf höherer Ebene[69]. Diese Transformation eines legalen Konzeptes in ein religiöses Konzept begründete eine Verbindung von sozialen Verhältnissen und religiösen Vorstellungen. So hatte Deuterojesaja den Begriff der g^e'ullā auf das Verhältnis Jahwes zu den nach Babylon Verbannten bezogen, um der Gewißheit der Rückkehr aus der babylonischen Gefangenschaft Ausdruck zu geben. Er interpretierte das erhoffte Ereignis als Gegenstück zu dem Auszug Israels aus Ägypten (Jes 52,12)[70] und be-

---

[63] W. R. Farmer, Maccabees, Zealots and Josephus. An Inquiry into Jewish Nationalism in the Greco-Roman Period. New York 2. A. 1958. Nach Farmer hat Josephus aus politischen Gründen den Nationalismus der Zeloten verschleiert. Die tendenziöse antinationalistische Berichterstattung müsse durch eine Heranziehung der beiden ersten Makkabäerbücher überwunden werden (S. 6ff.).
[64] F. Tomberg, Polis und Nationalstaat. Eine vergleichende Überbauanalyse im Anschluß an Aristoteles. Neuwied 1973.
[65] 1961, S. 103.
[66] Im AT begegnet der Begriff חרות nicht.
[67] 1961, S. 122, 150.
[68] 1957.
[69] Studies in Biblical Law. Cambridge 1947, S. 42–50.
[70] G. v. Rad, Theologie des Alten Testaments. München 1961, Bd. II, S. 260.

zeichnete die Gruppe als Israel. Das Konstitutive der Bezeichnung Israel (auch in nachexilischer Zeit) ist nicht allein darin zu sehen, daß sie — im Unterschied zu Judäa — religiöse Selbstbezeichnung ist[71], sondern daß sie die Idee des Loskaufes in sich aufgenommen hatte. Bei Deuterojesaja wurde die Rückkehr Israels aus dem Exil nach dem Modell des Loskaufs Versklavter gedacht (Jes 48,20) und enthielt das Element der Bewegung in der Dimension des Raumes (Jes 52,9—12). Diese Erzählung wurde in der Zeit des Hellenismus in verschiedener Weise tradiert, deren Differenz sich an den Geschichtssummarien ablesen läßt[72].

So hat der Begriff der g^{e}'ullā bereits vor dem 1. Jh. n.Chr. zwei Aspekte in sich getragen: den der Rücknahme geschichtlicher Veränderungen und den des legitimen Zustandes eines Personenverbandes (sprich der Wiederherstellung). Auf diese Komplexität im Begriff ist M. Hengel nicht eingegangen. In ihr ist begründet, daß der Begriff als revolutionäres Symbol zwischen eschatologischem Geschichtsbild und kollektivem Handeln vermitteln konnte[73].

Wer aber ist das handelnde Subjekt, das die Wiederherstellung bewirkt? Was ist der Inhalt der Wiederherstellung? Es bestehen folgende Möglichkeiten: Die möglichen Subjekte sind: Gott — der Anführer des Widerstandes — Israel. Die möglichen Inhalte sind: Aufhebung der Versklavung — Besitzergreifung des Landes — Bestrafung der Feinde. Parallelen in der antiken jüdischen Literatur kennen als Inhalt der Wiederherstellung die Befreiung von der Fremdherrschaft[74] und als Subjekte Gott und den Messias[75]. Die Seltenheit der Bezeichnung des Messias als gô'ēl spricht gegen eine Entscheidung für diese Interpretation. So scheint eine

---

[71] So K. G. Kuhn, Art. Ἰσραήλ, ThW III, 1938, S. 360f.

[72] Das zeigt die Arbeit von K. Müller in J. Maier-J. Schreiner, 1973, S. 73—105.

[73] Unsere Interpretation des messianischen Erlösungsbegriffes steht in Bezug zu neueren Versuchen der Interpretationen der Apokalyptik, die deren prophetische Elemente herausgearbeitet haben (P. v. d. Osten-Sacken, Die Apokalyptik in ihrem Verhältnis zu Prophetie und Weisheit. München 1969). E. Kocis, 1971, legt die Apokalyptik als Ausdruck politischen Willens unter den Bedingungen des Verlustes staatlicher Souveränität aus, als Bewahrung der Verheißung unter den neuen Bedingungen politischer Ohnmacht. K. Müller, 1973 a, entwickelt — orientiert an S. K. Eddy, 1961 — die These, die Geschichtserfahrung der orientalischen Völker sei durch griechischen Hellenisierungswillen eschatologisiert worden („Großmutation der lokalen Zukunftshoffnungen zur apokalyptischen Eschatologie"), was eine Diskontinuität der Überlieferungsstränge zur Folge gehabt habe.

[74] Büchsel, Art. λυτρόω, ThW IV, 1942, S. 352f.

[75] P. Volz, 1966, S. 216f.; P. Billerbeck I, 1922, S. 368—371. Daneben werden auch Mose und Henoch als gô'ēl bezeichnet. Die Stellen, in denen der Messias als gô'ēl gilt, sind die folgenden: Š^{c}mone B 1; TLev 2; TGad 8; 4Esr 12,34.

Interpretation, nach der Gott Wiederhersteller der Freiheit Israels sei, naheliegend, wenn nicht die Bar Kosiba-Urkunden dem widersprächen.

Regelmäßig begegnet in den Pachtverträgen die Formel: גאלת ישראל עליד שמעון בן כוסבא נסיא ישראל (A 1f.; B 2f.; C 2f.; D 2f.; E 1f.; F 1–3). An allen diesen Stellen hat Milik עליד mit „par l'autorité" übersetzt und es als Autorisierung des Vertragsabschlusses verstanden. Y. Yadin hat jedoch begründet, daß עליד sich auf die vorangehenden Worte beziehen muß [76]: Simon ist der Urheber der Wiederherstellung Israels und ist als solcher der Nāsî Israels.

Der Inhalt der Wiederherstellung ist demgemäß die Befreiung des gesamten Verbandes von der römischen Herrschaft. Dabei läßt sich eine Anpassung der religiösen Symbole an die politische Situation erkennen. In der Zeit Deuterojesajas war die Intention der Befreiung von Fremdherrschaft durch das Symbol des Auszuges abgedeckt. Zuweilen gab es noch im 1. Jh. n.Chr. Züge in die Wüste, die als Auftakt der Befreiung galten (so Josephus BJ II 261f.) [77]. Deren Bewegungsrichtung erscheint jedoch zirkulär, da das Land Juda nicht nur als Ort des Auszuges, sondern auch als der der Rückkehr galt. In den Bar Kosiba-Dokumenten ist das religiöse Symbol an die politische Intention angepaßt worden und bezeichnet die Befreiung von der Fremdherrschaft durch organisierten Widerstand. Das überlieferte Symbol geʿullā vermochte diese Intention auszudrücken, da in ihm die Idee der Wiederherstellung des legitimen Zustandes eines Personenverbandes sowie der Negation geschichtlicher Veränderungen enthalten war.

In den Bar Kosiba-Urkunden erscheint der Nāsî-Titel nur in den Pachtverträgen, von einer Ausnahme abgesehen [78]. Seine titulare Verwendung steht offensichtlich in einer Verbindung zum staatlichen Eigentum an dem zu verpachtenden Land. Denn in dem Text der Dokumente kehrt zweimal die Wendung wieder:

„Ich habe es von Simon dem Fürsten Israels für fünf Jahre gepachtet (ḥkr)" (Mur 24 B 9f.; E 9).

---

[76] Y. Yadin, 1961, S. 51.

[77] Schwarmgeister und Betrüger hätten das Volk in die Wüste hinausgeführt mit dem Versprechen, Gott werde ihnen dort Zeichen der Freiheit zeigen, schreibt Josephus BJ II 259. Gemäß einem anderen Bericht wurde Josuas Überquerung des Jordan mimetisch nachvollzogen (AJ XX,97f. Apg 5,36). Auch die Darstellungen des Auszugs der Essener aus dem Lande Juda haben etwas von diesem Verständnis der Befreiung bewahrt (z.B. CD 4,3; 6,5).

[78] Mur 24 B 3.9; C 3, D 3.18; E 2.7; F 3; G 3; J 3. Unabhängig hiervon begegnet er nur Y. Yadin, Papyrus 1, 1961, S. 41.

Eine andere Vereinbarung schreibt vor, daß die Naturalabgabe „auf dem Dach der Kornkammer des Fürsten Israels" zu entrichten sei (Mur 24 D 17f.).

Ein Teil des Grund und Bodens wurde als Staatseigentum behandelt, und ein feststehender Teil des Produzierten wurde als Surplus vom Fürsten und dessen Verwaltung angeeignet und neu verteilt[79]. Papyrus 12[80] formuliert die Legitimation dieses Verfahrens:

„Von Simon bar Kosiba an die Männer von Engedi, an Masabala und Yehonatan bar Ba'ayan, Frieden! Ihr sitzt, eßt und trinkt zu eurem Vergnügen von dem Besitz des Hauses Israel und kümmert euch überhaupt nicht um eure Brüder".

Es sind Männer aus Simons Administration, die hier zur Ablieferung von Abgaben aufgefordert werden. Dieses Surplus erscheint nicht als Eigentum des Herrschers, sondern als Kollektiveigentum des Personenverbandes, dessen Verteilung der Fürst kontrolliert. Der Begriff des Bruders bezeichnet das Verhältnis, in dem die Mitglieder des Hauses Israel untereinander sich befinden.

Die at. Vorstellung vom Fürsten, die vor allem in der nachköniglichen Literatur (Ezechiel und Priesterschrift) entfaltet worden war, sah diesen als Vorsteher eines Personenverbandes[81], während der Begriff des melek zusätzlich oder ausschließlich territoriale Verfügungsgewalt bezeichnet. In der essenischen Literatur von Qumran ist Nāsî ebenfalls Herrschertitel, und auch hier gilt der Herrscher als Vorsteher eines Personenverbandes[82]. Seine Beziehung zum Volk beschreibt 1QSb 5, 20—23:

„Für den Einsichtigen, um den Fürsten der Gemeinde zu segnen, der (...) und den Bund der Gemeinschaft möge er ihm erneuern, damit er die Königsherrschaft Seines Volkes[83] auf ewig aufrichtet, ‚den Armen Gerechtigkeit zuspricht, mit Gerechtigkeit eintritt für die Armen des Landes'[84], vollkommen vor ihm (sc. Gott) wandelt auf allen Wegen und Seinen heiligen Bund aufrichtet in der Bedrängnis derer, die ihn suchen".

---

[79] Pachtverträge Mur 24; ferner: Mur 44; Yadin Papyrus 1 (1961, S. 41f.).
[80] Y. Yadin, 1961, S. 47.
[81] Num 1,44; 2, 7,2; 10,4 u.ö. 34,18; Ez 34,24; 37,25; 44,3; 45,16. De Vaux sieht den Titel in Entsprechung zum arabischen Scheik (1964 I S. 26).
[82] CD 5,1; 7,20; 1QM 3,15f.; 4,1; 5,1; (Parallelen im AT z.B. Ex 16,22, Num 4,34), 3Qp Jes A 5- 6.
[83] Vgl. CD 7,16f.
[84] Freies Zitat Jes 11,4.

Der Fürst ist in dem Buch der Segnungen eine Person wie die Gläubigen, die Priester oder der Hohepriester, die bestimmte Aufgaben hat und über welche Segnungen ausgesprochen werden[85]. Die Identität dieser Gestalt mit dem Messias ben David bzw. dem Messias Israels ist wahrscheinlich[86]. Und auch die Darstellung der Gestalt des Messias Israels in 1QSa läßt erkennen, daß er eine Person inmitten der befreiten Gemeinde Israels ist (2,11f.). Die Begriffsbildung Messias Israels (1QS 9,11; 1QSa 2,12.14.20; CD 12,23; 14,19; 19,10; 20,1) beinhaltet nicht nur die Vorstellung des Leiters eines Verbandes (so K. G. Kuhn)[87], sondern darüberhinaus auch die einer spezifischen Beziehung zwischen ihm und dem Volk, welche an der Geltung der Tradition orientiert ist. Der Herrscher steht nicht über dem Gesetz und ist nicht als Inhaber der Vernunft Quelle der Gerechtigkeit, sondern legitimiert sich erst durch die Übereinstimmung seiner Befehle mit den Traditionen[88].

Auch die Rezeption des Nāsî-Titels verdankt sich der Dialektik von sozialen-politischen Bedingungen und tradierten Deutungsmustern, in deren Prozessen die überlieferte Herrschertitulatur zum Symbol traditionsgeleiteter Herrschaft wurde und das Bewußtsein des Gegensatzes zur Herrschaftsstruktur des Hellenismus ausdrückte. Dieser Gegensatz läßt sich überdeutlich einem Orakel ablesen, das den jüdischen Krieg gegen die römische Herrschaft 66–70 n.Chr. mit motivierte und dem Josephus eine hellenistische Interpretation gab.

BJ VI 312–314:

„Was sie aber am meisten zum Krieg aufstachelte, war eine zweideutige Weissagung, die sich ebenfalls in der heiligen Schrift fand, daß in jener Zeit einer aus ihrem Land über die bewohnte Erde herrschen werde. Dies bezogen sie auf einen aus ihrem Volk, und viele Weise täuschten sich in ihrem Urteil. Der Gottesspruch zeigt vielmehr die Herrscherwürde des Vespasian an, der in Judäa zum Kaiser ausgerufen wurde. Aber es ist ja den Menschen nicht möglich, dem Verhängnis zu entrinnen, auch wenn sie es voraussehen".

Josephus läßt seine Leser im Unklaren, aus welcher Schrift man die Prophezeiung gewonnen hatte: ob aus dem Danielbuch (7,13f.) oder aus

---

[85] So auch an den anderen Stellen CD 5,1; 7,20; 1QM 3,3.15f.; 4,1; 5,1.
[86] 4Q patr.
[87] K. G. Kuhn, Die beiden Messias Aarons und Israels, NTS 1, 1954/55, S. 168–179.
[88] Mur 44 (Sabbatruhe); Y. Yadin, Papyrus 15, 1961, S. 48f. (Feier des Laubhüttenfestes); Mur 24 (Einhaltung des Erlaßjahres); Mur 24 und Y. Yadin, a.a.O., (Verzehrtung des Produzierten).

den messianisch verstandenen Verheißungen des Pentateuch (Gen 49,10;
Num 24,17; Dtn 18,18f.)[89]. Diese Unschärfe ist verständlich, da eine
Beziehung messianischer Erwartungen auf einen Fremdherrscher den
at. Prophezeiungen nicht zu entnehmen ist[90]. In diesen ist die Herkunft
des erwarteten Herrschers nicht lokal bestimmt, sondern hinsichtlich
dessen Zugehörigkeit zu Israel. Daß dieser Herrscher über die bewohnte
Welt herrscht, rückt die Verheißung in die Nähe des Daniel-Buches. In
der Behauptung des Josephus, es habe sich von Anfang an um gar keinen οἰκεῖος (Hausgenossen) gehandelt, ist die Prämisse hellenistischer
Herrschaftslegitimation aufgenommen, die das Handeln des Herrschers
nicht an die Tradition des Volkes band, sondern an die legitime Übertragung einer abstrakten Institution.

Zusammenfassung

Kardinalproblem einer Religionsgeschichte ist das Verhältnis von religiöser Idee zu sozialem Handeln. Die bislang angebotenen Alternativen, Religion verhalte sich zu ihren sozialen Bedingungen im Sinne der Wider-
spiegelung oder in der Freiheit eines meta-sozialen Wertes, haben dieses
Verhältnis jeder näheren Bestimmung entzogen. Gegen die vernichtende
Wirkung einer solchen methodologischen Alternative scheint wenig zu
helfen, außer man vernimmt in diesem Rechtsstreit die Religionsgeschichte selbst als Zeugen.

Die beiden erörterten Symbolkomplexe verdanken sich einem Widerstand
gegen soziale Verhältnisse. Die essenische Erneuerung von Jahwes Bund
verfolgt neben ausgesprochen religiösen Motiven auch die Absicht, Verhältnisse von Brüderlichkeit, Gegenseitigkeit, Solidarität zu verwirklichen.
So wird die neue Gemeinschaft gegen die hellenistisch-römische Klassengesellschaft ins Leben gerufen — eine Klassengesellschaft, die das Volk
der Judäer in Freie und Sklaven, Reiche und Arme, Landeigentümer und
Landlose teilt. Die Essener greifen zur Begründung dieser Gemeinschaft
auf die Vorstellung eines göttlichen Bundes mit der Verwandtschaftsgruppe Israel zurück. Doch treten die Kriterien verwandtschaftlicher Zugehörigkeit an die zweite Stelle, wiewohl sie nach wie vor auch für diese

---

[89] R. Meyer, ,Der Prophet aus Galiläa' argumentiert für Dan 7,13f. (Leipzig 1940,
S. 52f.). Einer der Gründe hierfür sei, daß auf Grund von Dan 9,20—27 das Erscheinen des Herrschers auf 70 n.Chr. datiert worden sei.
[90] Von einer böswilligen Verfälschung der Schrift spricht E. Kocis, 1971, S. 82.
AJ X 276 kann auch Josephus lockerer Stil nicht darüber hinwegtäuschen, was es
für einen Judäer bedeutet haben mag, das Reich des Menschensohnes in Dan 7 als
Hegemonie der Römer auszulegen.

Gruppe Judäas Voraussetzung bleiben. Konstitutiv aber wird die Befolgung einer ethischen Norm, die einer Verankerung in verwandtschaftlichen Ordnungen entkleidet ist. Die Religion ist identisch mit einem Prinzip sozialen Handelns, das sich alternativ zu den Systemen sozialer Beziehung der hellenistischen wie der römischen Herrschaft bildet.

Der Bar Kosiba-Aufstand entfaltet den zentralen Terminus des judäischen Verwandtschaftssystems — g^e'ullā — als Begriff revolutionärer Umgestaltung. Die Wiederherstellung Israels zielt auf einen Umbruch, der den Personenverband erneuert, die Solidarität der Brüder sichert und eine kollektive Wirtschaftsordnung durchsetzt.

Qumran-Schrifttum und die Dokumente des Bar Kosiba sind beide einer Situation entsprungen, in der die von Nehemia durchgesetzte enge Verbindung religiöser Vorstellungen und verwandtschaftlicher Normen von den realen Verhältnissen überholt worden war. Denn der eine Teil der diese Verbindung tragenden Koalition — das Stammbauerntum —, war mit der Etablierung des Systems der Staatspacht zum Untergang bestimmt. Die egalitären Elemente in der Tradition tragen nun mit anderen Typen sozialen und politischen Handelns in Konstellation: mit dem der gemeinschaftlichen Absonderung von der Gesellschaft (Qumran) und mit dem des politischen Wider- und Aufstandes (Bar Kosiba). Mit dieser Feststellung scheint mir die einleitend gestellte Frage, ob die religiöse Symbolik der Widerstandsbewegungen eine Affinität zu bestimmten sozialen Interessen hatte, beantwortet zu sein. Ihre Bedeutung für und im antihellenistischen Widerstand war nicht äußerlich, sondern folgte unter veränderten Bedingungen noch einmal ihrer Genese.

Ein letzter Satz gebürt dem frühen Christentum. Es setzt wie Qumran die Krise der traditionalen Ordnung voraus. Die Solidarität in Clan und Familie war mit der Durchsetzung von Privateigentum und Surplusaneignung im Zentrum getroffen. Das frühe Christentum hat aber keine Absonderung des heiligen Restes und keinen politischen Aufstand gefordert. Es trieb die Krise der verwandtschaftlichen Loyalitäten noch voran. „Und jeder, der Häuser oder Brüder oder Schwestern oder Vater oder Mutter oder Kinder oder Felder um meines Namens willen verlassen hat, der wird es vielfältig empfangen und das ewige Leben erben" (Mt 19,29). Zugleich widersprach das frühe Christentum essentiellen Inhalten der jüdischen Überlieferung und fundierte das Handeln auf die subjektive Entscheidung.

Die Transskriptionen semitischer Worte richten sich nach den Regeln der „Zeitschrift des Deutschen Palästina-Vereins".

Die Abkürzungen stimmen mit denen der 3. Auflage von „Religion in Geschichte und Gegenwart" überein.

Im Literaturverzeichnis ist nur diejenige Literatur aufgenommen, die in der Arbeit mehrfach erwähnt wird. Es ist keine Bibliographie zum Thema.

Literatur

A. Alt, 1953: Kleine Schriften zur Geschichte des Volkes Israel, Bd. 2. Galiläische Probleme, S. 363—435. München.

—, 1959: Kleine Schriften ... Bd. 3. ΓΗΣ ΑΝΑΔΑΣΜΟΣ in Juda, S. 373—381. München.

V. Aptowitzer, 1927: Parteipolitik der Hasmonäerzeit im rabbinischen und pseudo-epigraphischen Schrifttum. Wien.

G. Balandier, 1972: Politische Anthropologie. München.

H. Bardtke, 1961: ThLZ 86, S. 94—104. Der gegenwärtige Stand der Erforschung der in Palästina neu gefundenen hebräischen Handschriften; 44. Die Rechtsstellung der Qumrān-Gemeinde.

—, 1962: Die Handschriftenfunde in der Wüste Juda. Berlin.

—, 1968: ThR 33, S. 97—119; 185—236. Qumrān und seine Probleme.

A. G. Barrois, 1939 u. 1953: Manuel d'Archéologique Biblique, Bd. 1 und 2. Paris.

A. Ben-David, 1969: Jerusalem und Tyros. Ein Beitrag zur palästinensischen Münz- und Wirtschaftsgeschichte, 126 a.c.—57 p.c. Tübingen.

—, 1974: Talmudische Ökonomie. Die Wirtschaft des jüdischen Palästina zur Zeit der Mischna und des Talmud. Band 1. Hildesheim.

P. Benoit/J. T. Milik/R. de Vaux, 1961: DJD Bd. 2. Les Grottes de Muraba'ât. Oxford.

A. Bertholet, 1896: Die Stellung der Israeliten und der Juden zu den Fremden. Freiburg und Leipzig.

E. Bikerman (bzw. Bickermann und Bickerman), 1935: REJ 100, S. 4—35. La charte seleucide de Jérusalem. Dt.: A. Schalit, Zur Josephus-Forschung, 1973, S. 205—240. Darmstadt.

—, 1937: Der Gott der Makkabäer. Untersuchungen über Sinn und Ursprung der makkabäischen Erhebung. Berlin.

—, 1938: Institutions des Séleucides. Paris .

P. Billerbeck, 1922—1928. 1955: Kommentar zum Neuen Testament aus Talmud und Midrasch, Bd. 1—5. München.

L. Blau, 1927: Festschrift zum 50-jährigen Bestehen der Franz-Josef-Landesrabbiner-schule in Budapest, S. 96—151. Der Prosbol im Lichte der griechischen Papyri und der Rechtsgeschichte.

H. Bobek, 1948: Soziale Raumbildungen am Beispiel des Vorderen Orients, in: Deutscher Geographentag. München, S. 193—206.

A. Büchler, 1899: Die Tobiaden und die Oniaden. Wien.

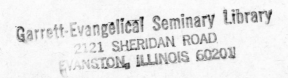

174 Literaturverzeichnis

—, 1912: The Economic Conditions of Judaea after the Destruction of the Second Temple. London.

F. Buhl, 1899: Die sozialen Verhältnisse der Israeliten. Berlin.

W. L. Bühl, 1972 (Hg.): Verstehende Soziologie. Grundzüge und Entwicklungstendenzen. München.

M. Burrows, 1938: AOS 15. The Basis of Israelite Marriage.

—, 1940: JBL 40, S. 23—33. Levirate Marriage in Israel; S. 445—454. The Marriage of Boaz and Ruth.

J. Carmignac u.a., 1961 u. 63: Les textes de Qumran, Bd. 1 u. 2. Paris.

W. Caspari, 1922: Archiv für Sozialwissenschaft und Sozialpolitik 49, S. 54—107. Das Alter des palästinischen Kolonats.

A. Causse, 1937: Du groupe ethnique à la communauté religieuse. Strasbourg.

R. Clausing, 1925 (Nachdruck 1965): The Roman Colonate. The Theories of its Origin. New York.

D. Correns, 1960: M. Schebiit (Vom Erlaßjahr). Text, Übersetzung u. Erklärung. Berlin.

A. E. Cowley, 1923: Aramaic Papyri of the Fifth Century B. C. Oxford.

H. Cunow, 1910: Ergänzungshefte zur Neuen Zeit Nr. 8. Theologische oder ethnologische Religionsgeschichte?

M. A. Dandamayev, 1972: Politische und wirtschaftliche Geschichte, in: G. Walser (Hg.), Beiträge zur Achämenidengeschichte. Wiesbaden, S. 15—58.

J. D. M. Derrett, 1970: Law in the New Testament. London.

W. H. Dubberstein, 1939: AJSL 56, S. 20—43. Comparative Prices in Later Babylonia (625—400 B.C.).

E. Durkheim, 1933: The Division of Labor in Society. (frz. Original 2. A. 1902) New York.

S. K. Eddy, 1961: The Kind is Dead. Studies in the Near Eastern Resistance to Hellenism 334—31 B.C. Lincoln.

K. Eder, (Hg.), 1973: Seminar: Die Entstehung von Klassengesellschaften. Frankfurt.

O. Eissfeldt, 1964: Einleitung in das Alte Testament. 3. A. Tübingen.

K. Elliger, 1966: HAT 1. R. Bd. 4 Leviticus. Tübingen.

Z. Falk, 1964: Hebrew Law in Biblical Times. Jerusalem.

M. I. Finley, 1977: Die Schuldknechtschaft, in: H. G. Kippenberg, 1977, S. 173—204.

M. Fortes, 1969: Kinship and the Social Order. The Legacy of Lewis Henry Morgan London.

M. Fortes/E. E. Evans-Pritchard, 1948: African Political Systems. London.

R. Fox, 1967: Kinship and Marriage. Penguin Books.

T. Frank, 1927: JRomS 17, S. 141—161. ,Dominium in Solo Provinciali' and ,Ager Publicus'.

M. Fried, 1967: The Evolution of Political Society. New York.

K. Galling, 1964: Studien zur Geschichte Israels im persischen Zeitalter. Tübingen.

J. Gaudemet, 1968: Gouvernés et gouvernants. Recueils de la Société Jean Bodin 23, S. 21—44. Gouvernés et gouvernants dans le monde grec et romain. Rapport de synthèse.

M. S. Ginsburg, 1928: Rome et la Judée. Contribution à l'histoire de leurs relations politiques. Paris.

M. Gluckman, 1965: Politics, Law and Ritual in Tribal Society. Oxford.

M. Godelier, 1971: L'Anthropologie économique, in: J. Copans u.a., L'Anthropologie science des sociétés primitives? Paris, S. 175—243.

—, 1972: Rationalität und Irrationalität in der Ökonomie. Frankfurt.

—, 1973: Ökonomische Anthropologie. Untersuchungen zum Begriff der sozialen Struktur primitiver Gesellschaften. Hamburg.

L. Goldschmidt, 1897: REJ 34, S. 192—217. Les impôts et droits de douane en Judée sous les Romains.

E. R. Goodenough, 1928: Yale Classical Studies 1, S. 53—102. The Political Philosophy of Hellenistic Kingship.

F. C. Grant, 1926: The Economic Background of the Gospels. Oxford.

F. Heinimann, 1945: Nomos und Physis. Herkunft und Bedeutung einer Antithese im griechischen Denken des 5. Jahrhunderts. Basel.

M. Hengel, 1961: Die Zeloten. Untersuchungen zur jüdischen Freiheitsbewegung in der Zeit von Herodes I. bis 70 n.Chr. Leiden/Köln.

—, 1969: Judentum und Hellenismus. Studien zu ihrer Begegnung unter besonderer Berücksichtigung Palästinas bis zur Mitte des 2. Jh. v.Chr. Tübingen.

—, 1973: Eigentum und Reichtum in der frühen Kirche. Aspekte einer frühchristlichen Sozialgeschichte. Stuttgart.

D. J. Herz, 1928: PJ 24, S. 98—113. Großgrundbesitz in Palästina im Zeitalter Jesu.

F. Horst, 1961: Gottes Recht. München.

A. Jepsen, 1957: Festgabe R. Hermann, S. 153—163. Der Begriff des „Erlösers" im Alten Testament.

J. Jeremias, 1962: Jerusalem zur Zeit Jesu. 3. A. Göttingen.

A. H. M. Jones, 1940: The Greek City from Alexander to Justinian. Oxford.

—, 1971: Tijdschrift voor Rechtsgeschiedenis 39, S. 513—551. Rome and the Provincial Cities.

E. A. Judge, 1960: The Social Pattern of Christian Groups in the First Century. London.

J. Kaerst, 1926/1927: Geschichte des Hellenismus, Bd. 1. 3. A.; Bd. 2. 2. A. Leipzig/Berlin.

B. Kanael, 1963: BA 26, S. 38—62. Ancient Jewish Coins and their Historical Importance.

E. Kautzsch, 1900: Die Apokryphen und Pseudepigraphen des Alten Testaments. 2 Bde. Tübingen.

U. Kellermann, 1967: Nehemia. Quellen, Überlieferung und Geschichte. Berlin.

H. G. Kippenberg, 1971 a: Garizim und Synagoge. Traditionsgeschichtliche Untersuchungen zur samaritanischen Religion der aramäischen Periode. Berlin/ New York.

—, 1971 b: VF 16, S. 54—82. Wege zu einer historischen Religionssoziologie. Ein Literaturbericht.

—, 1974: VF 19, S. 2—24 Religion und Interaktion in traditionalen Gesellschaften. Ein Forschungsbericht zu neuen Theorien der Religionsgeschichte.

—, 1977: Seminar: Die Entstehung der antiken Klassengesellschaft. Frankfurt.

J. Klausner, 1952: Jesus von Nazareth. Seine Zeit, sein Leben und seine Lehre. Jerusalem.

E. Kocis, 1971: Judaica 27, S. 71—89. Apokalyptik und politisches Interesse im Spätjudentum.

L. Köhler, 1953: Die hebräische Rechtsgemeinde, in: Der hebräische Mensch, S. 143—171. Tübingen.

E. Koffmann, 1968: Die Doppelurkunden aus der Wüste Juda. Leiden.

P. Koschaker, 1931: AAL 42. Über einige griechische Rechtsurkunden des Hellenismus. Mit Beiträgen zum Eigentums- und Pfandbegriff nach griechischen und orientalischen Rechten.

E. G. Kraeling, 1953: The Brooklyn Museum Aramaic Papyri. New Haven.

H. Kreissig, 1970: Die sozialen Zusammenhänge des judäischen Krieges. Klassen und Klassenkampf im Palästina des 1. Jh. n.u.Z. Berlin (DDR).

—, 1973: Die sozialökonomische Situation in Juda zur Achämenidenzeit. Berlin (DDR).

S. de Laet, 1949: Portorium. Étude sur l'organisation douanière chez les Romains à l'époque du Haut-Empire. Brugge.

R. Laqueur, 1920: Der jüdische Historiker Flavius Josephus. Gießen.

S. Lauffer, 1970: Neue Einsichten. Beiträge zum altsprachlichen Unterricht, S. 118—143. Privatwirtschaft und Staatswirtschaft in der Antike.

E. Lohmeyer, 1921: Soziale Fragen im Urchristentum. Leipzig.

E. Lohse, 1964 (Hg.): Die Texte aus Qumran. Hebräisch und Deutsch. Darmstadt.

J. Maier/J. Schreiner, 1973: Literatur und Religion des Frühjudentums. Gütersloh.

Ed. Meyer, 1896: Die Entstehung des Judentums. Halle.

—, 1921/22/23: Ursprünge und Anfänge des Christentums. 3 Bde. Stuttgart.

Ernst Meyer, 1974: Einführung in die antike Staatskunde, 2. A. Darmstadt.

R. Meyer, 1965: Sitzungsberichte der Sächsischen Akademie der Wissenschaften Leipzig. Phil-histor. Kl. 110,2, S. 7—88. Tradition und Neuschöpfung im antiken Judentum.

—, 1969: ThW IX, S. 11—36. Art. Φαρισαῖος.

L. H. Morgan, 1964: Ancient Society. Cambridge (Mass.).

S. Mowinckel, 1964: Studien zu dem Buche Ezra-Nehemia. I. Die nachchronische Redaktion des Buches. Die Listen. Oslo.

K. Müller, 1973 a u. b: Die Ansätze der Apokalyptik; Geschichte, Heilsgeschichte und Gesetz, in: J. Maier/J. Schreiner, 1973, S. 31—42 und S. 73—105.

K. E. Müller, 1972: Geschichte der antiken Ethnographie und ethnologischen Theoriebildung. Wiesbaden.

G. P. Murdock, 1949: Social Structure. New York.

E. Neufeld, 1958: Rivista degli Studi Orientali 23, S. 53—124. Socio-Economic Background of Yōbēl and Šemiṭṭā.

—, 1961: Revue Internationale des Droits de l'Antiquité 8, S. 29—40. Ius Redemptionis in Ancient Hebrew Law.

—, 1962: Revue Internationale des Droits de l'Antiquité 9, S. 33—47. Inalienability of Mobile and Immobile Pledges in the Laws of the Bible.

R. North, 1953: Bibl 34, S. 501—515. Maccabean Sabbath Years.

—, 1954: Sociology of the Biblical Jubilee. Rom.

M. Noth, 1961: ATD Bd. 5. Das zweite Buch Mose. Exodus. 2. A. Göttingen.

P. v. d. Osten-Sacken, 1969: Gott und Belial. Göttingen.

R. Patai, 1962: Sitte und Sippe in Bibel und Orient. Frankfurt.

H. W. Pearson, 1957: The Secular Debate on Economic Primitivism, in: K. Polanyi 1957, S. 3—11.

J. Pedersen, 1920: Israel: its Life and Culture. London.

R. v. Pöhlmann, 1925: Geschichte der sozialen Frage und des Sozialismus in der antiken Welt. 2 Bde. 3. A. München.

K. Polanyi/C. Arensberg/H. W. Pearson (Hg.), 1957: Trade and Market in the Early Empires. Glencoe.

Cl. Preaux, 1939: L'Économie royal des Lagides. Bruxelles.

G. Prenzel, 1971: Über die Pacht im antiken hebräischen Recht. Stuttgart.

A. B. Ranowitsch, 1958: Der Hellenismus und seine geschichtliche Rolle. Berlin (DDR).

Th. Reinach, 1895: Textes d'auteurs grecs et romains relatifs au judeïsme. Paris.

E. Rohde, 1914: Der griechische Roman. 3. A. Leipzig.

L. Rost, 1938: Die Vorstufen von Kirche und Synagoge im Alten Testament. Eine wortgeschichtliche Untersuchung. Stuttgart.

—, 1955: ThLZ 80, S. 1—8. Gruppenbildungen im Alten Testament.

—, 1959: VT 9, 393—398. Zur Struktur der Gemeinde des Neuen Bundes im Lande Damaskus.

M. Rostovtzeff (Rostowzew), 1904: Philologos. Suppl. 9,3, S. 312—512. Geschichte der Staatspacht in der römischen Kaiserzeit.

—, 1910: Studien zur Geschichte des römischen Kolonates. Leipzig/Berlin.

—, 1955/56: Die hellenistische Welt. Gesellschaft und Wirtschaft. 3 Bde. Stuttgart.

W. Rudolph, 1949: HAT 1. Reihe Bd. 20. Esra und Nehemia. Tübingen.

J. Rüsen, 1969: Begriffene Geschichte. Genesis und Begründung der Geschichtstheorie J. G. Droysens. Paderborn.

M. D. Sahlins, 1968: Tribesmen. Englewood Cliffs.

—, 1974: Stone Age Economics. London.

H. D. Schaeffer, 1922: Hebrew Tribal Economy and the Jubilee as illustrated in Semitic and Indo-European Village Communities. Leipzig.

A. Schalit, 1969: König Herodes. Berlin.

H. Schmidt, 1932: Das Bodenrecht im Verfassungsentwurf des Esra. Halle.

E. Schürer, 1901/1907/1909: Geschichte des jüdischen Volkes im Zeitalter Jesu Christi. 3 Bde. 4. A. Neue englische Bearbeitung von G. Vermes & F. Millar. Edinburgh 1973.

W. Schwahn, 1939: PW 7,1, S. 1—78. Tributum/Tributus.

A. N. Sherwin-White, 1963: Roman Society and Roman Law in the New Testament. Oxford.

C. Sigrist, 1967: Regulierte Anarchie. Untersuchungen zum Fehlen und zur Entstehung politischer Herrschaft in segmentären Gesellschaften Afrikas. Olten/Freiburg.

M. Smith, 1971: Palestinian Parties and Politics that Shaped the Old Testament. New York.

W. Robertson Smith, 1967: Die Religion der Semiten (engl. Original, 1889). Darmstadt.

M. Stern, 1974: Greek and Latin Authors on Jews and Judaism. Vol. 1. Jerusalem.

G. H. Stevenson, 1932: Cambridge Ancient History, Bd. 9, S. 437—474. The Provinces and their Government.

R. Sugranyes de Franch, 1946: Études sur le droit palestinien à l'époque évangélique. La contrainte par corps. Fribourg.

V. Tcherikover, 1959: Hellenistic Civilization and the Jews. Philadelphia.

V. Tcherikover/A. Fuks, 1957/1960/1964: Corpus Papyrorum Judaicorum, 3 Bde. Jerusalem.

L. Trüdinger, 1928: Studien zur Geschichte der griechisch-römischen Ethnographie. Basel.

G. Ürögdi, 1968: PW Suppl. 11, S. 1184—1208, Art. Publicani.

R. de Vaux, 1964/1960: Das Alte Testament und seine Lebensordnungen. Bd. 1, 2. A.; Bd. 2, 1. A. Freiburg.

H. C. M. Vogt, 1966: Studie zur nachexilischen Gemeinde in Esra-Nehemia. Werl.

J. Vogt, 1965: Sklaverei und Humanität. Wiesbaden.

P. Volz, 1966: Die Eschatologie der jüdischen Gemeinde im neutestamentlichen Zeitalter, 2. A. (Original 1934) Hildesheim.

M. Weber, 1924: Gesammelte Aufsätze zur Sozial- und Wirtschaftsgeschichte, S. 1—288. Argrarverhältnisse im Altertum. Tübingen.

—, 1964: Wirtschaft und Gesellschaft. Grundriß der Verstehenden Soziologie. Berlin/Köln.

—, 1966: Gesammelte Aufsätze zur Religionssoziologie, Bd. 3. Tübingen. Das antike Judentum (Original 1920).

J. P. Weinberg, 1976: Die Agrarverhältnisse in der Bürger — Tempel — Gemeinde der Achämenidenzeit. In: Wirtschaft und Gesellschaft im alten Vorderasien hg. v. J. Harmatta und G. Komoroszy. Budapest 1976 S. 473—486.

J. Wellhausen, 1924: Die Pharisäer und die Sadduzäer. 2. A. Göttingen.

E. C. Welskopf, 1957: Die Produktionsverhältnisse im Alten Orient und in der Griechisch-Römischen Antike. Ein Diskussionsbeitrag. Berlin (DDR).

R. Westbrook, 1971: Redemption of Land, Israel Law Review 6, S. 367—375.

E. Will, 1977 a: Die ökonomische Entwicklung und die antike Polis. In: H. G. Kippenberg, 1977, S. 100—135.

—, 1977 b: Überlegungen und Hypothesen zur Entstehung des Münzgeldes. In: H. G. Kippenberg, 1977, S. 205—222.

E. Wolf, 1966: Peasants. Englewood Cliffs.

Y. Yadin, 1961: IEJ, 11 S. 36—52. The Expedition to the Judaean Desert, 1960. Expedition D.

—, 1962: IEJ 12, S. 227—257. The Expedition to the Judaean Desert, 1961. Expedition D.

—, 1971: Bar Kokhba. Archäologen auf den Spuren des letzten Fürsten von Israel. Hamburg.

Register

Regenfeldbau 44
Reichtum 49, 54
Religion 10, 62
Rentabilität 13, 46, 55, 62, 82, 93
Rente (s.a. Zins) 21, 35, 46, 54f.,
   62, 82, 151
Römische Republik 11
Römischer Senat 108
Rohde, E. 99
Roman 99
Rostovtzeff, M. 78
Rüsen, J. 95f.
Sabbat 71
Sabbatjahr 72, 115, 137, 165
Säkularisierung 110ff.
Sahlins, M. D. 18, 21, 43
Šākîr 60
Sakrales Bodenrecht 65f.
Salzsteuer 83f., 90
Samaria 118, 123f.
Samaritaner 90
Sanktionierung von Normen 22
Sārîm 39
Satrapien 50f.
Schaeffer, H. 11, 64
Schenkungsurkunde 146
Schmidt, H. 64
Scholem, G. 163
Schulden (s.a. Verschuldung) 33, 55,
   142
Schuldenerlaß 55, 62
Schuldgefangenschaft 142f., 153
Schuldknechtschaft 34, 57f., 60, 62,
   136, 143
Schuldrecht 74, 120
Schuldurkunden 130, 137–140
S^{c}gānîm (Vorsteher) 39, 59, 61, 83
Segmentär 19ff., 65, 67, 89
Šekel 49
Seleukidenherrscher 82
Š^{c}miṭṭā (s.a. Erlaßjahr) 65, 75f.,
   150–152
Sepphoris 114
Sidon 112f.
Sigrist, Chr. 89 Anm. 62
Sikarier 130–132, 135
Silber, Silbermünze 49–51, 75
Simon bar Giora 131, 165 Anm. 52
Simon ben Kôsibā 132f. , 150f., 163ff.
Sklaverei 13, 27, 34, 40, 42, 46, 54–
   56, 59, 61, 80, 90, 92, 116, 120f.,
   126, 141f., 146, 149, 152, 158
Smith, M. 35
Söldner 50, 100, 109, 123

Sôker 147, 157
Solidarität 12, 19f., 29, 32, 37, 63,
   65f., 68, 86 Anm. 48, 89, 158f.
Solon 35, 54f., 62, 76, 104
Sozialanthropologie (s.a. Ethnologie)
   12
Staat 15, 22, 101, 108, 114, 122
Staatseinnahmen 81, 85
Staatsentstehung 15
Staatsland 151
Staatspacht 78ff., 110ff., 152
Stadt (s.a. Polis) 25, 102, 107, 112f.,
   116f., 123, 128, 165
Stagnation 96 Anm. 10
Stamm 28, 89f.
Stammbauerntum 76, 135
Statthalter 59
Steinigung 127
Steuer 50, 56, 59, 78f., 115f., 125f.,
   132, 151, 165f.
Steuerfreiheit 83
Steuerpacht 79, 110f.
Stipendium 112
Subsistenzkrise 59
Sugranyes de Franch, R. 142
Surplus 13, 19, 21f., 43, 46, 51f.,
   58, 75, 78, 82, 92, 133, 154, 169
Synhedrion 86 Anm. 46, 113, 115,
   117, 120, 127f., 132
Synkretismus 94
Tausch 18, 31, 41, 47, 52, 75, 91f.,
   105, 113, 149, 158
Teilung der Ernte 75, 147
Teilpacht (s.a. Pacht) 60 Anm. 22,
   91, 147f., 152f.
Tempel 63, 68, 87, 128, 158
Tempelabgabe 41, 74, 81
Tempelkult 27, 63, 83, 130
Tempelschatz 81, 87, 126
Testament 124, 146
Tetradrachme 50
Theopomp von Chios 98
Tiberias 128ff.
Ṭôbiyyā (Tobiaden) 24, 80ff., 87f.
Toparchien 116f.
Tôšāb 60, 65
Tradition 9, 12f., 70f., 96, 117, 119,
   132f., 163, 170
Tribut 51, 81, 84, 91, 108, 111–
   113, 115f., 118, 123–126, 128,
   156, 165f.
Tributum capitis 125
Typosbegriff 22
Tyrannis 110, 121, 125

b) Verzeichnis der ausführlicher besprochenen Quellen

Studien zur Umwelt des Neuen Testaments

Vandenhoeck & Ruprecht in Göttingen und Zürich

Claus Westermann · Theologie des Alten Testaments in Grundzügen

232 Seiten, kartoniert
(Grundrisse zum Alten Testament, Band 6)

Claus Westermann – in gleicher Weise bekannt als eigenständiger Forscher und als Verfasser weitverbreiteter Bücher für Nichttheologen – legt hier in allgemeinverständlicher, handlicher Form die Summe seiner theologischen Durchdringung des Alten Testaments vor.

Gnosis · Festschrift für Hans Jonas

In Verbindung mit Ugo Bianchi, Martin Krause, James M. Robinson und Geo Widengren hrsg. von Barbara Aland
Etwa 540 Seiten, geb.

Inhalt: Grußwort von Rudolf Bultmann
I. Eberhard **Jüngel**, Die Wirksamkeit des Entzogenen. Zum Vorgang geschichtlichen Verstehens als Einführung in die Christologie / Ugo **Bianchi**, Le Gnosticisme: Concept, Terminologie, Origines, Delimitation / Willem C. **van Unnik**, Gnosis und Judentum / Arthur H. **Armstrong**, Gnosis and Greek Philosophy / James M. **Robinson**, Gnosticism and the New Testament / George W. **MacRae**, Nag Hammadi and the New Testament / Barbara **Aland**, Gnosis und Kirchenväter / Martin **Krause**, Die Texte von Nag Hammadi / Kurt **Rudolph**, Der Mandäismus in der neueren Gnosisforschung / Geo **Widengren**, Der Manichäismus. Kurzgefaßte Geschichte der Problemforschung / Giulia Sfameni **Gasparro**, Sur l'histoire des influences du Gnosticisme.

II. Beiträge zu Einzelfragen der Gnosisforschung von Birger H. Pearson, Walter Schmithals, Elaine H. Pagels, Frederik Wisse, Robert McL. Wilson, Jaques E. Ménard, Eric Segelberg, Alexander Böhlig, Gilles Quispel.
Bibliographie Hans Jonas

Thorleif Bomann
Das hebräische Denken im Vergleich mit dem griechischen

6. Auflage 1977. 240 Seiten, kartoniert

„An fünf Bereichen, die fünf Teilen des Buches entsprechen, wird der Unterschied zwischen hebräischem und griechischem Denken entfaltet: am Begriff des Seins, am Beschreiben der Außenwelt, wozu das Empfinden für Schönheit und Form gehört, an der Auffassung für Raum und Zeit sowie an derjenigen des Dinges, schließlich an der speziellen Art des Denkens. Es ist gewiß eines der anspruchsvollsten theologisch-philosophischen Themata, das den Verfasser beschäftigt; dies schon deshalb, weil es eine gleichmäßige Kenntnis des hebräischen und griechischen Altertums voraussetzt.
Dieses Buch liegt als ein inhaltsreiches und gedankentiefes Werk vor uns, welches das Interesse der biblischen Theologie so gut wie der systematischen verdient."

Kirchenblatt für die reform. Schweiz

Ceslaus Spicq O.P. · Notes de Lexicographic néo-testamentaire

1. Band. Etwa 450 Seiten, Leinen
(Orbis Biblicus et Orientalis, Band 22/1)
Gemeinsam mit dem Universitätsverlag Freiburg/Schweiz

VANDENHOECK & RUPRECHT IN GÖTTINGEN UND ZÜRICH